Hela'r Hen Ganeuon

Hela'r Hen Ganeuon

Meredydd Evans

y Lolfa

Argraffiad cyntaf: 2009

℗ Hawlfraint Meredydd Evans a'r Lolfa Cyf., 2009

Hoffai'r awdur gydnabod cymorth ariannol hael
Cymdeithas Alawon Gwerin Cymru tuag at gynhyrchu'r gyfrol.

Dymuna'r cyhoeddwyr gydnabod cymorth ariannol
Cyngor Llyfrau Cymru

Llun y clawr: John Gurr

Rhif Llyfr Rhyngwladol: 9781847711786

Cyhoeddwyd ac argraffwyd yng Nghymru
gan Y Lolfa Cyf., Talybont, Ceredigion SY24 5HE
gwefan www.ylolfa.com
e-bost ylolfa@ylolfa.com
ffôn 01970 832 304
ffacs 832 782

RHAGYMADRODD

RAI BLYNYDDOEDD YN ÔL bellach penderfynodd Phyllis a minnau fod angen cyfrol newydd ar gerddoriaeth draddodiadol Cymru. Wrth drafod sut i fynd ati i sgrifennu cyfrol o'r fath daeth yn amlwg i'r ddau ohonom fod yna ddwy gynulleidfa y dylid anelu atynt.

O ddarllen sawl llyfr ac erthygl yn ymwneud â cherddoriaeth gyffelyb cenhedloedd eraill, yn arbennig felly y Saeson, y Gwyddelod a'r Albanwyr, gwelsom mor ddwfn oedd anwybodaeth eu hawduron am ein cynhysgaeth ni yma yng Nghymru. Y rhwystr ar y ffordd, wrth gwrs, oedd y Gymraeg ac, yn wahanol i'r sefyllfa yn Iwerddon a'r Alban, yr absenoldeb yn ein plith ni o gorff o ganeuon traddodiadol yn Saesneg. Prin ryfeddol yw'r math hwnnw ar ganeuon Saesneg a gododd o gymunedau lle roedd y Gymraeg yn wan. Bron na ellid dweud yn ddiamodol fod caneuon gwerin Cymru yn ganeuon Cymraeg. O ganlyniad, cyfyngedig iawn a fu diddordeb ysgolheigion estron yn ein canu traddodiadol, er bod ychydig eithriadau gwiw i hynny. Gwir i fwy o sylw gael ei dalu ganddynt i astudiaeth o'n cerddoriaeth offerynnol ond ar y cyfan cynhaeaf digon tenau a ddeilliodd o hynny hefyd. At hynny, er mawr gywilydd iddynt, syfrdanol o grintachlyd a fu cyfraniad ysgolheigion adrannau cerdd ein Prifysgol i ymchwil ynghylch ein cerddoriaeth draddodiadol; yn wir, i bob gwedd ar ein hetifeddiaeth gerddorol. Ar ysgwyddau pobl y tu allan i'r cylchoedd academaidd yn bennaf y disgynnodd y baich hwnnw. Hyd yn oed heddiw, nid oes ond un o'n sefydliadau addysg uwch niferus sy'n cymryd ein hanes cerddorol o ddifrif ac yn lledaenu gwybodaeth yn ei gylch. Boed clod i Fangor.

Felly, dyna un gynulleidfa, yr un niferus honno y gellid ei chyrraedd trwy gyfrwng y Saesneg. O'i huniaethu, roedd yn amlwg pa un o'r ddau ohonom oedd fwyaf cymwys i sgrifennu ar ei chyfer ac roedd yn ddealledig o'r cychwyn y byddai'r wreigdda yn talu sylw i'r traddodiad llafar ar ddau wastad, yr offerynnol a'r lleisiol.

Y gynulleidfa arall, bid siŵr, oedd yr un frodorol Gymraeg a chytunwyd yn hwylus ddigon fod cefndir yn Nhanygrisiau yn debyg o fod yn amgenach ar gyfer mynd i'r afael â honno na chefndir ym Michigan, yr Unol Daleithiau. Yn ei dro, dewisodd y gwrda ganoli sylw ar y wedd leisiol i'r traddodiad.

Roedd un mater arall yn gwbl ddealledig rhyngom o'r cychwyn – ein bod yn rhannu pob ymchwil perthnasol. Yn wir, nid dewis ymwybodol mo hynny; roedd y peth yn anorfod. Dros gyfnod hir bu'r ddau ohonom yn cydganu'r caneuon a chyd-ddarlithio arnynt i lu o gymdeithasau. Ynghlwm wrth hynny byddem yn ymchwilio i'w cefndir, gan fwynhau gwneud hynny lawn cymaint â chael blas ar eu cyflwyno mewn festri a neuadd, tafarn a stafell ddarlithio, ar lawr stiwdio ac aelwyd. O ganlyniad, y brenin a ŵyr pa un ohonom a ddaeth i wybod am y peth yma neu'r peth acw yn eu cylch, pwy'n union a gafodd y wefr o ddarganfod y ffaith a'r ffaith amdanyn nhw, pwy sylweddolodd fod yr alaw hon yn perthyn i'r alaw acw, ac yn y blaen yn ddiddiwedd. Yr unig beth gwirioneddol berthnasol a phwysig oedd ei bod 'hi' wrth law mewn unrhyw argyfwng cerddorol a'i fod 'o' yn hwylus pe deuai angen am sylw llenyddol neu hanesyddol.

A throi'n benodol rŵan at fy nghynlluniau fy hun, penderfynais y dylwn geisio gwneud dau beth yn gyffredinol, sef cychwyn gyda thrafod hanes casglu'r caneuon ac yna roi cynnig ar ddadansoddi rhai gweddau cerddorol arnynt, gan geisio eu gosod hefyd yn eu cefndir a'u cyd-destun cymdeithasol. Cychwynnwyd ar y gwaith. Ymhen amser tyfai'r rhan gyntaf ohono dan fy nwylo yn llawer mwy nag y tybiaswn yn wreiddiol a phan ddeuthum i ben â'r rhan honno ymddangosai yn gryn gowlaid, yn arbennig felly o ystyried bod ail ran yn aros i ymdrin â hi. Holodd cyfaill fi sut yr oedd pethau'n dod ymlaen. Esboniais. Ei awgrym oedd fod y rhan hanesyddol yn cael ei chyhoeddi ar wahân.

Dyma, felly, gynnig hyn o waith fel cyfraniad agoriadol i un wedd ar hanes cerddoriaeth Cymru, sef arolwg cyffredinol ar y gwaith casglu a fu ar ganeuon/alawon gwerin o gyfnod Iolo Morganwg hyd at sefydlu Cymdeithas Alawon Gwerin Cymru: gydag ychwanegu pennod ar gyfraniad unigryw John Lloyd Williams i'r mudiad canu gwerin yng Nghymru. Gadawaf y gwaith o draethu hanes y Gymdeithas, o gyfnod y sylfaenu hyd at heddiw, i eraill.

O hyn ymlaen, ceisiaf fynd i'r afael â'r ail ran. Oni chwblheir y gwaith cyfan, gobeithio y bydd yr hyn a erys yn chwarel ar gyfer eraill i gloddio'n ddyfnach iddi. Mae un peth yn sicr. Ni allwn fod wedi cloddio odid ddim heb gymorth caredig a hael nifer fawl o bobl. Rwy'n ddyledus i gymaint ohonynt fel mai rhyfyg a fyddai imi ddechrau eu henwi. Gallaf yn ddiogel, serch hynny, ddiolch i wasanaeth dau o'n sefydliadau cenedlaethol, sef Sain Ffagan: Amgueddfa Werin Cymru a Llyfrgell Genedlaethol Cymru a'r olaf, yn fy achos i, pe na bai ond ar gyfrif hwylustod teithio yn unig, yn arbennig o berthnasol. Yn ddiogelach byth, gallaf ddiolch yn dalpiau i un nad oes angen i mi ei henwi.

Gorffennaf 2009

BYRFODDAU

AfNg   *Alawon fy Ngwlad* (1,2), Nicholas Bennett, Y Drenewydd, 1896.

ANAGM   *Ancient National Airs of Gwent and Morganwg*, Maria Jane Williams, Llandovery, 1844.

AWC   Amgueddfa Werin Cymru.

BBCS   Bwletin Bwrdd y Gwybodau Celtaidd

B-GC   *Blodeu-Gerdd Cymry* (Y Trydydd Argraphiad), Dafydd Jones o Drefriw, Treffynnon, 1823.

BoB   *Blwch o bleser i ieuenctyd Cymru*, Caerfyrddin, 1816.

BWB   *A Bibliography of Welsh Ballads*, Compiled by J. H. Davies, London, 1911.

C   *Cylchgrawn Cymdeithas Alawon Gwerin Cymru* (1–5).

CC   *Canu'r Cymry* (1,2), gol. Phyllis Kinney a Meredydd Evans, 1984 a 1987.

CDD   *Carolau a Dyrïau Duwiol* (Y Pedwerydd Argraphiad), Y Mwythig, 1745.

CG   *Canu Gwerin / Folk Song* (Cylchgrawn Cymdeithas Alawon Gwerin Cymru).

CLlG   *Caneuon Llafar Gwlad* (1,2), gol. D. Roy Saer, 1974 a 1994.

CYC   *Cerddor Y Cymry*, gol. W.T. Rees (Alaw Ddu).

GWM   *Gems of Welsh Melody*, John Owen (Owain Alaw), London/Wrexham, 1873.

HA   *Hen Alawon* (Carolau a Cherddi), John Owen (Dwyran), Aberystwyth, 1993.

IAW   Iolo Aneirin Williams (llawysgrifau yn Llyfrgell Genedlaethol Cymru)

JF-SS   *Journal of the Folk-Song Society*.

JLlW   John Lloyd Williams (llawysgrifau yn Llyfrgell Genedlaethol Cymru

LLCN   *Llyfr Canu Newydd* (Rhannau 1-3), O.U.P & University of Wales Press Board, 1929-32.

LLGC   Llyfrgell Genedlaethol Cymru.

M-G   *Melus-geingciau Deheubarth Cymru* /or/ The Melodies of South Wales, LlGC/JLlW 36.

MPR   *Musical and Poetical Relicks of the Welsh Bards* (Second Edition), Edward Jones, London, 1794.

M-s   Melus-seiniau Cymru, LlGC 1940Ai.

P-S   Per-seiniau Cymru, LlGC 1940Aii.

SW   *The Songs of Wales* (Fourth Edition), Brinley Richards, London, 1879.

WH   *The Welsh Harper* (1,2), John Parry (Bardd Alaw), London, 1839, 1848.

YCddC   *Y Caniedydd Cymreig / The Cambrian Minstrel*, John Thomas (Ieuan Ddu), Merthyr Tudful, 1845.

YC   *Y Cerddor* (gol. D. Jenkins, D. E. Evans, David Evans).

YCC   *Y Cerddor Cymreig* (gol. John Roberts, [Ieuan Gwyllt]).

36M-s   Melus-seiniau Cymru

CYNNWYS

1

Y Casglwyr Cynnar

YM MHENNOD GYNTAF EI gyfrol *Iolo Morganwg* mae G. J. Williams yn portreadu'r gŵr athrylithgar hwnnw fel un o brif arloeswyr, onid yn wir, pennaf arloeswr astudiaethau llên gwerin yng Nghymru, a dychwelodd at y thema honno mewn darlith a draddodwyd ganddo yn Amgueddfa Werin Cymru yn Ebrill 1962 dan y pennawd 'Edward Lhuyd ac Iolo Morganwg'. Yno dengys mai symbylydd amlycaf mudiad hynafiaethol Cymreig y ddeunawfed ganrif oedd Edward Lhuyd a bod Iolo ymysg y mwyaf ymroddedig o'i ddilynwyr.

Yn yr holiadur enwog a anfonodd Lhuyd ar ddiwedd yr ail ganrif ar bymtheg at rai o fonedd, offeiriaid a gwŷr llên ei gyfnod mynnodd gael gwybod ganddynt, ymysg pethau eraill, am hynafiaethau, arferion ac ofergoelion, tafodiaith, chwedlau a hen lawysgrifau eu hardaloedd, ond ni ddangosodd unrhyw ddiddordeb yng nghaneuon y broydd. Aeth Iolo ar drywydd rhai o'r rheiny yn ogystal.

Dangoswyd peth diddordeb mewn cerddoriaeth Gymreig yn gynharach yn y ddeunawfed ganrif gan nifer o Gymry oedd am weld dyrchafu enw da eu cenedl gerbron y byd. Gwyddent yn burion am beth o gynnyrch melodig Lloegr a'r Alban, am rai o gampau'r Eidalwyr a'r Almaenwyr hefyd, ond credent fod gan y Cymry hwythau alawon y medrid ymfalchïo ynddynt ac aethant ati i'w cofnodi a'u cyhoeddi. John Parry, Rhiwabon (gydag Ifan Wiliam yn ei gynorthwyo ar y cychwyn) ac Edward Jones oedd y cerddorion a ymgymerodd â'r gwaith hwn a buont wrthi'n ddiwyd a chynhyrchiol. Eithr nid ar gasglu caneuon Cymraeg yr oedd eu bryd. Ceinciau oedd yn cyfrif iddynt hwy; cynhysgaeth y telynorion a'r cerddorion. O'r cannoedd o ddarnau a gyhoeddwyd ganddynt nid oes ond dyrnaid o geinciau gyda geiriau Cymraeg ar gael yn eu plith, a'r rheiny yng ngwaith Edward Jones: naw ohonynt i gyd sef 'Ar hyd y nos', 'Nos Galan', 'Hob y deri danno' (dwy ffurf arni), 'Distyll y don', 'Dadl dau', 'Cerdd yr hen wr o'r coed', 'Gadael y tir' a 'Suo-gân' (cnewyllyn y 'Suo-gân' sy'n gyfarwydd i ni heddiw). Dylid ychwanegu bod gan Ifan Wiliam, yn enwedig, ddiddordeb byw mewn canu gyda'r tannau ac yr oedd yn ei fwriad ar un adeg i gyhoeddi enghreifftiau o'r math hwnnw ar ganu ond ni lwyddodd i wneud hynny. Serch hynny, goroesodd ei lawysgrif, fel y darganfu Osian Ellis rai blynyddoedd yn ôl bellach tra oedd yn ymchwilio yn Llyfrgell Parry, y Coleg Cerdd Brenhinol. Roedd gan Edward Jones a John Parry arall (Bardd Alaw) ddiddordeb mewn canu gyda'r tannau, yn ogystal, ond dyna'r unig wedd ar ganu'r Cymry (ac eithrio'r dyrnaid caneuon a gyhoeddwyd gan y cyntaf o'r ddau) a gafodd sylw ganddynt, a bratiog ddigon oedd eu ceisiadau i gyflwyno'r math hwnnw ar ganu i'w cyhoedd. Yn gyffredinol ni fyddai'n annheg â'r to hwn o gerddorion i ddweud mai anelu yr oeddynt yn bennaf nid at roi llyfrau cerddorol defnyddiol yn nwylo trwch cerddorion Cymru ond at gyflwyno cerddoriaeth eu gwlad, yn y goleuni mwyaf ffafriol posibl, i gynulleidfa a garai feddwl bod ei chwaeth gerddorol yn goeth a chlasurol. Yn y cyd-destun hwnnw roedd y Gymraeg yn amherthnasol.

Dyna'r gwŷr wrth gerdd, dynion a enillai eu bara beunyddiol trwy ymarfer eu crefft. Roedd eraill ymysg eu cyfoeswyr a ymddiddorai mewn cerddoriaeth ond eu bod yn amddifad o ddisgyblaeth ffurfiol yr arbenigwyr ac ymhlith y rheiny y mwyaf diddorol yn ddiamau oedd y Morrisiaid. Roeddynt hefyd yn nes at ddifyrrwch pobl gyffredin y cyfnod na'r cerddorion proffesiynol; wedi cael hwyl lawer tro ar ganu rhai o ganeuon eu bro enedigol. Mae Richard yn enghraifft arbennig o hynny. Yn llanc o gylch pedair ar ddeg oed dechreuodd gasglu geiriau rhai o'r cerddi a berthynai i'w ardal a bu wrth y gwaith hwnnw dros gyfnod o rai blynyddoedd. Gallai ganu nifer ohonynt, yn enwedig y caneuon gwasael a genid o gwmpas y Nadolig a Gŵyl Fair. Yn wir, flynyddoedd lawer yn ddiweddarach, yn 1763, ac yntau erbyn hynny wedi troi'r trigain, fe'i hatgoffwyd gan William iddo fod 'yn anfon gwirod efo Thomas Sion Owen, etc., i'w frawd Wm. Sion Owen'. Gallai ganu sawl cainc ar ei feiol, troi ei law at y ffidil a chanu telyn, o leiaf yn nyddiau ei ieuenctid ym Môn. Bu hefyd yn dysgu canu 'hefo Theoph. Hughes o'r Duwmares'.

Ymhyfrydai William mewn canu salmau yn Eglwys Gybi, Caergybi, a bu'n gofalu am ganu'r côr yno am flynyddoedd lawer. Ar yr un pryd câi fwynhad mawr o ganu hefo'r tannau ac mewn llythyr a anfonodd at Richard, dyddiedig 13 Ionawr 1754, rhoes bortread campus o beth o ddifyrrwch yr aelwyd y magwyd ef a'i frodyr arni, aelwyd a adlewyrchai adloniant y gymdeithas yr oedd yn rhan ohoni:

> Daeth gyd am fi yma (sef Caergybi) berson Gallgo, a Mr. Foulk Jones, y trwmpeter gynt, yn awr swyddog yn Nulas, the best violin perhaps in Wales. Cawswn efo rhain noswaith lawen yn yr hen gartref cyn cychwyn. Telyn ein nith Marged Owen, who plays very pretty, and ffoukyn's violin, the parson, father, myself, etc., yn canu gyda'r tannau.

Gwyddom ei fod yntau yn canu'r ffidil ac nid oedd yn hollol ddieithr i'r crwth; o leiaf roedd crwth ganddo ar ei aelwyd a gwyddai sut i'w gyweirio. Crwth a berthynai i Lewis oedd hwnnw ond ymddengys i Lewis ei adael yng ngofal ei frawd pan symudodd i fyw i Geredigion. O'r brodyr i gyd William oedd agosaf at arferion a defodau gwerin Môn a deuai carolwyr Nadolig, Gŵyl Fair a Chalanmai heibio i'w ddrws, yn ogystal ag ambell ffidler crwydrol a phynciwr baledi.

Dywedir am Lewis, yr hynaf o'r brodyr, y medrai wneud telyn yn ogystal â'i chanu. Canai'r ffidil a lluniodd ambell gerdd wasael yn ei lencyndod. Collodd ei ben yn llwyr ar yr hen benillion telyn a thraethodd yn ddifyr amdanynt mewn llythyr hir a anfonodd at

Owen Meyrick yn ystod gwyliau Nadolig 1738, ac mewn llythyr arall hefyd, yn 1763, at ei gyfaill William Parry. Cynhyrchodd gerddi ar batrwm rhai o fesurau'r penillion hynny, cerddi a ddaeth ymhen amser yn rhan o gynhysgaeth datgeiniaid y dydd, ac y mae tystiolaeth ar gael iddo gofnodi o leiaf un gân, yn gainc a geiriau.

Eithr yr hyn sy'n chwithig yn y sefyllfa yw na thrafferthodd y tri hyn oedd mor gyfarwydd â chaneuon gwerin gwlad eu hoes i'w cofnodi yn gyflawn. Ac nid llai chwithig ymddygiad y cerddorion wrth eu galwedigaeth: ni thrafferthodd y rheiny chwaith i gofnodi caneuon cyfain. Felly, cawn y gwŷr wrth gerdd yn esgeuluso'r gair a gwŷr y cerddi yn anwybyddu'r nodiant. Ni ddaethai dydd casglu'r gân werin i'w oed eto, ac nid oedd i wawrio mewn unrhyw ysblander am lawer cenhedlaeth i ddod. Serch hynny roedd y llwydolau gerllaw ac Iolo Morganwg (1747–1826) i'w ganfod ynddo.

Ef, yn anad neb arall, fel y dangosodd Daniel Huws[1] sy'n haeddu cael ei ddisgrifio fel casglwr cyntaf caneuon gwerin Cymru. Hyd yma, gellir yn bur ddiogel nodi i Iolo gofnodi tua 68 o geinciau traddodiadol. Gwir i G. J. Williams ddangos iddo briodoli llu o gynhyrchion llenyddol i feirdd a llenorion o'i ddyfais ei hun, hynny er mwyn gogoneddu Morgannwg, ond go brin fod y cymhelliad hwnnw yn gredadwy o berthynas i gofnodi'r mân geinciau hyn, canys dyna ydynt. Er mor swynol yw sawl un ohonynt ni fyddai eu lleoli ym Morgannwg yn ychwanegu odid ddim at arbenigrwydd ei thraddodiad diwylliannol. Sêr cyffredin ydynt gyda'u tebyg i'w cael ym mhob rhan o Gymru'r cyfnod. Nid oes unrhyw dystiolaeth chwaith i Iolo eu casglu ynghyd yn ofalus gyda'r bwriad o ddangos i'r byd pa mor gyfoethog oedd y gynhysgaeth gerddorol a etifeddodd. I'r gwrthwyneb, fe'u ceir yn aml ymysg ei lawysgrifau niferus ar ddarnau o bapur yma ac acw gydag olion brys, fel arfer, ar y cofnodi. Yn wir, gellid yn hawdd fynd heibio i sawl cainc, a'i cholli'n llwyr. Ychwaneger at hyn sylw craff Daniel Huws fod ffurfiau cyfatebol i nifer o'r ceinciau a gasglwyd gan Iolo wedi eu cofnodi gan gasglwyr eraill a bod ceinciau lawer gyda'i enw ef ei hun fel cyfansoddwr ynghlwm wrthynt. Fe ddilyn nad oes reswm digonol dros gredu mai ei greadigaethau ef yw'r rhain.

Cyn manylu peth yn eu cylch, fodd bynnag, rhaid sylwi'n gyffredinol ar rai o ddiffygion amlwg Iolo fel casglwr caneuon traddodiadol, gan nodi yn arbennig mai'r hyn a olygir yma wrth gân yw cyfuniad o gainc a geiriau. Y gwir yw nad oes ond rhyw ugain o'r 68 cainc dan sylw yma yn gysylltiedig â geiriau a phrin ryfeddol yw manylion am bwy a'u canodd, a pha bryd a pha le y'u cofnodwyd. Ar brydiau gall pennawd ambell gainc awgrymu geiriau perthnasol ond digon prin yw'r prydiau hynny hwythau. Mae anawsterau hefyd ynghlwm wrth geisio darllen nodiant Iolo o'r ceinciau fel y cyfryw. Nid yw'n arfer ganddo nodi amseriad cainc; anghyflawn ac anghyson yw'r bario yn aml; chwilir yn ofer, fel rheol, am arwyddion cywair; dyrys ar dro yw'r llithrenni a welir ac nid bob amser y gellir bod yn hollol siŵr am leoliad nodyn ar erwydd. Ar y gorau, nodwr ffwrdd-â-hi a bratiog ydyw.

Dichon mai ei ddiffyg mwyaf fel casglwr yw ei waith yn hepgor geiriau i'r ceinciau oherwydd gyda chynnwys y rheiny mae'n haws datrys rhai problemau a allai godi ynglŷn â dehongli amseriad, bario a llithrenni.

CANEUON

Ymysg y rhain ceir rhai a gyhoeddwyd eisoes yn *Cylchgrawn Cymdeithas Alawon Gwerin Cymru* III/IV/V a *Canu Gwerin* 8/1985 (pymtheg ohonynt) ac at hyn gellid ychwanegu dwy a gafwyd o ganu Iolo ei hun a'u cyhoeddi'n ddiweddarach yng nghyfrol Maria Jane Williams *Ancient National Airs of Gwent and Morganwg* (1844). Sylwn yn fyr ar bedair o'r rheiny.

(i) Cân Ychen. Fe'i hanfonwyd gan Iolo trwy lythyr at William Owen Pughe, dyddiedig 19 Rhagfyr 1802, lle cyfeirir ati fel 'cainc y Cathreiwr' gyda hyn o nodyn cefndir:

You want Pennillion - i'w canu efo'r delyn - here is one
for you that I picked out of the mouth of a ploughboy a
few days ago…This cainc y Cathreiwr, or cainc yr Ychain,
a kind of chant that is often altered so as to adapt it to
all metres whatever. I know not how to time it well. there
are several Ploughboy chants besides this in Glamorgan.
the milkmaids have also their chants.[2]

Dyna'r casglwr ar waith, gŵr â'r ysfa i gywain gwybodaeth yn ei
waed, yn cofnodi hen arfer a barhâi'n fyw yn ei gyfnod a'i ardal
ei hun. Digon craff hefyd i sylwi fod amrywiadau ar y gainc
i'w cael ac yn ddigon agored i gyfaddef na wyddai'n iawn sut
i'w gosod ar bapur. Fe'i cofnododd ar ei gyfer ef ei hun yn ei
gasgliad 'Casgledydd Penn Ffordd' …1800[3] sy'n cynnwys, gyda
llaw, ddwsin yn rhagor o'r caneuon cyhoeddedig.

(ii) Yn yr un llythyr at William Owen Pughe cynhwysodd Iolo
gân 'Cainc yr Odryddes'. Ymhen amser, trwy gyfrwng Aneurin
Owen, mab y geiriadurwr a'r golygydd diwyd, daeth i feddiant
John Jenkins (Ifor Ceri) ac o un o'i lawysgrifau ef, dros ganrif yn
ddiweddarach, fe'i codwyd gan J. Lloyd Williams a'i chyhoeddi
yn un o rifynnau C,[4] eithr nid heb newid cryn dipyn arni; hynny
er gwaethaf y ffaith ei bod ar ffurf ysgrifenedig trwy gydol ei
threigliad. Pan yw cân yn treiglo ar lafar o berson i berson mae'n
ddigon naturiol iddi newid ei ffurf o ganlyniad, er enghraifft,
i gamglywed, camddeall neu anghofio o du'r derbynnydd,
ond pan yw ar ffurf sefydlog, ysgrifenedig, gellid yn rhesymol
ddisgwyl iddi gael ei chyflwyno'n ddigyfnewid o'r naill gyfnod
i'r llall. Sylwyd yn gynharach ar gyfyngiadau Iolo fel cofnodwr
ceinciau traddodiadol a'i bod felly yn bosibl dehongli ei nodiant
mewn amrywiol ffyrdd ond nid unrhyw ddehongli gwahanol
a ddigwyddodd yn yr achos hwn. Nid gwallau wrth gopïo
chwaith. I'r gwrthwyneb. Bu golygu bwriadol ar y gwreiddiol fel
pe mewn ymgais i dacluso a 'chywiro' peth arni a'r tebygrwydd
yw mai'r gŵr a fu'n gyfrifol am hyn oedd Aneurin Owen. Ar ei
ffurf ddiwygiedig y gwelir hi yn llawysgrif Ifor Ceri, gyda nifer o

gymalau wedi eu hepgor ohoni, ac fe'i diwygiwyd ymhellach gan J. Lloyd Williams erbyn iddi ymddangos mewn print am y tro cyntaf. Gresyn i hyn ddigwydd o gwbl. Beth bynnag, er mwyn dangos sut fath ar gofnodwr cerdd oedd Iolo, a gradd y newid a fu pan gyhoeddwyd un o'r caneuon a gasglwyd ganddo, dyma nodi ei ffurf ef arni yn cael ei dilyn gan y ffurf a gyhoeddwyd gan J. Lloyd Williams:

'Cainc yr Odryddes' – Iolo Morganwg

'Cainc yr Odryddes' – CIII, 180

(iii) Buwyd yn llawer ffyddlonach i'r gwreiddiol wrth gyhoeddi 'Cân Crottyn y Gwartheg neu – Y Fuwch wynebwen lwyd cyffredin ym Morganwg' yn C.[5] Un pennill a gysylltwyd gan Iolo â'r alaw a hwnnw'n cynnwys gwrthebau – buwch yn dodwy a iâr fach 'yn glaf ar lo' – math ar gyfuniad delweddau a geir yn aml mewn rhigymau gwerin a pheth sy'n fawr ei apêl at y plentyn ymhob un ohonom. Ychwanegodd J. Lloyd Williams ddau bennill cyffelyb yn y Cylchgrawn ond heb nodi ei fod yn gwneud hynny. Mae'n bosibl mai hepian yr oedd wrth gopïo un cymal o'r alaw ac y mae peth sail dros anghytuno ag ef ynglŷn ag amseriad cytgan y pennill ond diamau ei fod yn iawn ar amseriad a chywair y gainc yn gyffredinol. Yng nghyd-destun y Cylchgrawn mae'n werth gwneud un sylw ychwanegol. Arferai'r golygydd, fel y gŵyr y cyfarwydd, anfon copïau o rai caneuon at gerddorion yng Nghymru a Lloegr gan eu gwahodd i wneud sylwadau arnynt, hynny er mwyn hybu astudiaeth gymharol ohonynt. Yn achos y gân sydd dan sylw yma, ymatebodd A. G. Gilchrist trwy fynnu bod yr alaw yn ffurf, mewn modd lleiaf, ar yr emyn-dôn 'Rhosyn Saron'. Rhaid anghytuno â hynny. Gwir fod tebygrwydd rhwng un frawddeg gerddorol yn y naill ffurf a'r llall ond mae hynny'n sail rhy fregus o lawer i haeru perthynas deuluol rhyngddynt.

(iv) Cân ddiddorol ar sawl cyfrif yw'r un a elwir gan Iolo yn 'Cwd Cardottyn'.[6] A throi at y geiriau fe'u priodolir ganddo i Dafydd Nicolas o Aberpergwm, 'a'u cant', meddir, 'dros hen Gardottyn ar fesur dili Dwd'. Adwaenai Iolo fardd Aberpergwm yn dda a chyfrifai ef fel y 'cyfoethoccaf a ffrwythlonaf a derchafediccaf ei awen' o'r holl feirdd a gyfarfu. Priodola nifer o gerddi graenus iddo yn ei lawysgrifau a chredai G. J. Williams y gellid 'derbyn y rhan fwyaf ohonynt fel gwaith Dafydd Nicolas'.[7] Diamau y gellir derbyn hefyd mai ef biau geiriau'r gân hon. Mae'r peth yn hollol gredadwy: cardotyn yn gofyn i fardd lleol enwog am eiriau i'w canu ar ei grwydriadau trwy Gymru ac yntau'n llunio penillion cyfaddas yn y fan a'r lle ar gainc gyfarwydd i'r ddau. Ond beth am yr enw anghyffredin arni, 'dili Dwd'? Ai dod i Gymru a wnaeth o rywle arall? Er enghraifft, mae'r ddeusain *dilly* i'w chael weithiau ym myrdynau rhai caneuon Seisnig. Efallai, yn wir, y deuir ar draws yr alaw rywbryd mewn casgliad o ganeuon neu geinciau dawns estron ond yn y cyfamser yr enw cainc tebycaf y gwn i amdano i 'dili Dwd' yw'r ffurfiau a geir arno mewn rhestrau ceinciau telyn a chrwth o'r unfed ganrif ar bymtheg, sef 'Dilachgwd', 'Cwlwm Dilach dwd' a 'Dilach i gwd'.[8] Tybed ai yr un oedd cainc cardotyn Glyn-nedd â chainc rhyw delynor neu grythor o oes y Tuduriaid?

Ymysg y dyrnaid caneuon nas cyhoeddwyd hyd yma mae dwy sy'n werth cyfeirio'n gyffredinol atynt, eithr heb eu hatgynhyrchu, sef 'Pebyll Penon' a 'Hen Erddigan Morganwg'. Cysylltir ni trwy'r gair 'Pebyll' â dawnsio gwerin ym Morgannwg,

gwedd ar draddodiad y sir a gynhesai galon Iolo mae'n amlwg
gan mor aml y cyfeiria ati:

Pan oedd Iolo ar ei daith yn Llanilltud Faerdref ym mis Mai,
1812, gwelodd 'bebyll dawnsio' yn ymyl yr eglwys. Cafodd David
Jones, Wallington, ddisgrifiad o'r adeiladau hyn gan hen wraig
yn Llanfleiddan yn 1882: 'It was a rudely-built structure, posts,
with wattled sides and thatched. The young people of the village
would meet twice or thrice a week for dancing. The paraphernalia
of the Morris Dancers was kept in this "Pabill" – morris dancing
being then quite a recognized public amusement and frequent
exhibitions of it were made about the country. The "Pabill" at
Llanblethian was accidentally burnt down. There was another like
it at Penmark'.[9]

A dyna esbonio'r gair 'Pebyll' ym mhennawd y gân. Gellir
ychwanegu mai enw ar fferm yn Llancarfan oedd 'Penon'.
Yn groes i'r disgwyl, fodd bynnag, nid oes a wnelo'r pennill a
ddyfynnir gan Iolo ddim â dawnsio. I'r gwrthwyneb. Pennill
cyntaf cyfarwydd y gân a adwaenwn ni bellach fel 'Bugeilio'r
Gwenith Gwyn' ydyw.[10] Wrth gwrs, mae'n bosibl y defnyddid y
gainc i ddawnsio iddi ac mai hynny sy'n esbonio'r pennawd. Fel
y cawn weld ymhen ychydig mae tystiolaeth fod rhai o'r ceinciau
triban yn cael eu defnyddio i ddawnsio iddynt.

Yn gysylltiedig â 'Hen Erddigan Morganwg' dywedir gan
Iolo ei bod 'gynt yn arferedig ym Morganwg yn yr Eglwysydd
plwyfol yn gystal ac yn y cynulleidfaoedd neillduol, ganu
amryw o ganiadau'r Hen Ficer ar yr erddigan honn. Ebe George
Tudur'.[11] Cyfeiria yn ogystal at 'Lyfr George Tudur y Salmwr'
a mynn iddo godi'r geiriau cysylltiedig â'r erddigan (geiriau a
briodolir i Tomas Llywelyn o Rigos) o'r llyfr hwnnw. Gan na
welais gyfeiriad yn unman arall at 'lyfr' George Tudur a bod
rhai o'r penillion a briodolir yma i Tomas Llywelyn (a oedd yn
berson hanesyddol yn ddiamau) yn anghyfforddus o agos at yr
hen benillion 'Diofal yw'r aderyn', rwy'n amheus o ddilysrwydd

y gân fel cyfanwaith. Serch hynny, rhaid cydnabod nad yw
Iolo yn hawlio'n bendant iddo glywed y geiriau hyn yn cael
eu canu i'r gainc ac ni welaf unrhyw achos digonol dros amau
dilysrwydd honno fel cainc draddodiadol. Eithr, a ninnau'n
talu sylw yn neilltuol rŵan i'r gerddoriaeth fel y cyfryw, mae'r
sefyllfa yn cymhlethu. Y gwir yw fod yma ddwy gainc o dan yr
un pennawd gyda'r naill, fwy na thebyg, yng nghywair A leiaf a'r
llall yng nghywair G fwyaf (ond cofier mai mater o ddehongli
nodiant Iolo yw hyn gan nad oes arwyddion cywair ar eu cyfyl):
cadarnhad o'i ddull ffwrdd-â-hi o gofnodi pethau, mae'n siŵr.
Ond beth, bellach, am yr honiad y defnyddid y rhain i ganu rhai
o gerddi'r Hen Ficer arnynt? Honiad gogleisiol, a chyda pheth
petruster, un derbyniol. Gellir dweud cymaint â hyn o'i blaid, o
leiaf, ei bod yn bosibl canu dau o fesurau'r Ficer ar y ceinciau,
sef mesurau Hen Bennill a Thriban, gyda dyblu ambell nodyn
yn achos y cyntaf.

ALAWON

Trown bellach at rai o'r alawon niferus hynny a gofnodwyd
gan Iolo. Dechreuwn gydag un dosbarth sy'n weddol rwydd i
ddehongli ei aelodau gan fod eu penawdau yn estyn rhywfaint
o gymorth inni. Gyda'r rheiny a elwir 'triban' ganddo gwyddom
o leiaf pa fath ar fesur barddonol i geisio ei osod arnynt.
Cofnododd Iolo tua dwsin o geinciau y gellid canu tribannau
arnynt; ffaith sy'n cadarnhau poblogrwydd eithriadol y mesur
hwn ymysg prydyddion Morgannwg. Y pennawd i un ohonynt
yw 'Triban Morganwg' a'r hyn sy'n arbennig o ddiddorol yn ei
chylch yw ei bod yn enghraifft o ddull ar ganu penillion sy'n
wead o gymalau lleisiol ac offerynnol (yr hyn, yn ei hanfod, yw
'cerdd dant' cyfoes).[12] Dyma fel y dehonglir cofnod Iolo ohoni
gan Daniel Huws:

'Triban Morganwg' – dehongliad Daniel Huws

Mae sawl amrywiad ar y gainc ac ymdriniwyd yn drylwyr â nifer ohonynt mewn erthygl gan Phyllis Kinney sy'n cynnwys dadansoddiad cerddorol o wyth ffurf arni a lle dangosir hefyd fel y disodlwyd y cymalau offerynnol ymhen amser gan sillafau disynnwyr.[13]

Nodwedd arall ar esiampl Iolo yw ei bod ar ffurf a eilw ef yn 'ddeublyg' a gellid, felly, ganu dau bennill triban arni. Eithr y ffaith yw mai am ganu un triban y sonia ef:

> I mentally sang the following old popular stanza to the ancient
> tune in two parts of Triban Morganwg and felt my eyes streaming
> with tears.[14]

Ceir pedair cainc driban arall ganddo sy'n ddeublyg eu ffurf ond tybed a fyddid yn canu dau bennill arnynt ynteu ai canu yr un pennill, gydag ailadrodd llinellau, a wneid? Cyfyd yr un cwestiwn ei ben o berthynas i geinciau triban deublyg eraill; er enghraifft, yn *Antient British Music*, John Parry, 1742, (t.7) a *Musical and Poetical Relicks of the Welsh Bards*, Edward Jones, [1784, 'Triban', (t.89), a 1794, 'Creigiau'r Eryri', (t.178)]. Ceir nifer dda o geinciau triban yng nghorff ein canu traddodiadol ond ni ddigwyddais erioed weld, ymysg rhai sydd â geiriau yn gysylltiedig â nhw, unrhyw enghraifft o ganu dau driban gwahanol ar un alaw. Yn wir, cynnwys un o bedair cainc Iolo yr hyn sy'n amlwg yn llinell olaf pennill triban ('yn pwyo pen y gofid')[15] a dengys ei lleoliad sut y byddid, trwy ailadrodd llinellau, yn canu un triban ar gainc ddeublyg. Dyma fel y dehonglaf nodiant Iolo ohoni:

'Pwyo pen y gofid'

Gosoder geiriau triban adnabyddus dan nodau'r gainc, gan ddisodli 'Pwyo pen y gofid', a daw'r sefyllfa'n eglur:

> Ym Mhontypridd mae 'mwriad,
> Ym Mhontypridd mae 'nghariad,

Ym Mhontypridd mae merch fach lân
I'w dwyn o fla'n y ffeirad.
I'w dwyn o fla'n y ffeirad (ddwywaith)
Ym Mhontypridd mae merch fach lân
I'w dwyn o fla'n y ffeirad.

Pennawd un o'r ceinciau deublyg hyn yw 'Dawns Triban Deublyg' a chysylltir un gainc driban arall â dawnsio yn ogystal, sef un o'r rhai cyhoeddedig: 'Llanbedr ar Fynydd. Cainc ar fesur Triban (a dance)'.[16] Diamau, felly, y byddid yn defnyddio'r un alawon yn aml i ddawnsio a chanu iddynt. A chan ein bod yma yn cyffwrdd â cherddoriaeth ddawns ym Morgannwg dyma'r man cymwys i gyfeirio at y gainc a elwir gan Iolo yn '8 a 7. Morganwg. Morris Dance Tune'.[17]

Awgryma'r rhifau ar y dechrau fod ganddo eiriau yn ei feddwl ar gyfer y gainc ac y mae'n bosibl, bid siŵr, iddo glywed rhywun yn canu penillion arni, penillion 8787D. Yn wir, cyfansoddodd gerdd yn dathlu miri'r fedwen haf yn y Fro ar yr union fesur hwnnw a'i thadogi ar Wil Tabwr (un o'i greadigaethau ei hun, yn ôl G. J. Williams), cerdd y gellir ei chanu ar y gainc dan sylw.[18] Sylwer mai cainc ar gyfer Dawnswyr Morris ydyw ac yr oedd bri ar y math hwnnw o ddawnsio ym Morgannwg, fel y gwelsom David Jones, Wallington, yn tystio yn gynharach. Mae gennym hefyd dystiolaeth un o feirdd Llancarfan, sef Wiliam Robert o'r Ydwal, a luniodd gerdd yn unswydd er canu clodydd rhai o Ddawnswyr Morris ei blwyf, heb anghofio Tomas Lewis y ffidler.[19] Arwyddocaol, ymhellach, yw'r ffaith fod cainc Iolo yn perthyn i deulu o geinciau dawns sy'n cynnwys yr alaw forisgaidd fwyaf adnabyddus ohonynt i gyd sef yr 'Helston Furry Dance'.

Cofnodwyd cainc arall gan Iolo, ond heb bennawd iddi, sy'n adleisio'n ddigamsyniol ran gyntaf yr alaw ddawns gyfarwydd 'Meillionen' ond dyna lle daw'r tebygrwydd i ben a chawn fod yr ail ran yn gwbl wahanol yn y ddau achos. Serch hynny mae'r gyfatebiaeth rannol â 'Meillionen' yn awgrymu'n gryf mai cainc ddawns oedd un Iolo.

Mewn pedwar achos mae lle i gredu ei fod yn copïo ceinciau a dderbyniodd oddi wrth rywrai eraill. Yr hyn sy'n peri i ddyn feddwl hynny yw eu bod, o ran nodiant cerddorol, yn fwy cymen na chynnyrch arferol Iolo; yn cynnwys, er enghraifft, arwyddion cywair ac amseriad yn ogystal â chysondeb rhythm wrth nodi hyd nodau. Un ohonynt yw amrywiad ar 'Y Ferch o Scerr' a dderbyniodd, mi dybiwn, oddi wrth delynor. Un arall, gyda phennawd gogleisiol, yw 'Hun Gwenllian danfoniad Twm o'r Nant (cyffelypiaeth o Hun Gwenllian)'.[20] Ni wn beth oedd ym meddwl Iolo wrth gynnwys y cymal mewn cromfachau ond mae'n amlwg nad yw'r gainc, fel y mae ganddo ef, yn cyfateb o gwbl i'r tri fersiwn o 'Hun Gwenllian' a oroesodd o gyfnod Twm o'r Nant.[21]

Erys dau ddosbarth arall o geinciau i'w hystyried. Cynnwys y cyntaf y math ar geinciau a gysylltir â dathliadau tymhorol: canu'r gwyliau. Sylwer i ddechrau ar ddwy gainc wasael; un ohonynt yn amrywiad ar yr alaw bwnco, neu alaw ymryson, a gysylltir yn ddieithriad â'r Fari Lwyd, gyda'i phenillion agoriadol:

Wel dyma ni'n dwad gyfeillion diniwad
I ofyn am gennad i ganu.

Os na chawn ni gennad rhowch glywed ar ganiad
Pa fodd mae'r 'madawiad nos heno.

Nodwedd arbennig ymhob amrywiad ar alaw'r gân hon, wrth gwrs, yw'r ailadrodd ar rai o'r cymalau: yn achos esiampl Iolo byddid yn canu'r llinell gyntaf ddwywaith, a rhan o'r ail deirgwaith drosodd.

A throi at yr ail gainc, mae honno'n ddigon o hyd i ganu dau o'r cwpledi pwnco uchod arni ond fel y gwyddom yn gwpled ar y tro y cenid y gân bwnco flaenorol. Pa fesur geiriol ynteu a fyddai'n gymwys ar gyfer yr ail gainc hir hon? Un dull a fyddai clymu ynghyd ddau gwpled gan roi un brifodl iddynt i ffurfio pennill a dilyn hwnnw wedyn gyda phennill cyffelyb. Dyna'n wir a wneir yn y mesur tri thrawiad a dyma ddau bennill arno o gerdd wirod a genid ym Môn ar drothwy'r ddeunawfed ganrif:

Beth ydi yr las hirwen su yn tywallt yn llawen
oi bol ir winwydden wineuddu
ai min yn ddywedog ai godre yn fodrwuog
yn derbun yn bwullog heb pallu

Beth ydi yr glew cadarn di wr a di arian
di fales du filen dyfelwch
di fatter mewn cannun iw gweled gwdderbun
y priddin colyddun cwilyddiwch[22]

Diamau y gwyddai Iolo am benillion traddodiadol o'r math hwn gan iddo alw'r gainc sydd dan sylw gennym rŵan yn 'Canu Gwasaila Morganwg'[23] ond, hyd y gwn, ni welodd yn dda eu cofnodi. Sut bynnag, gallwn ryfygu gosod y geiriau o Fôn ar ei gainc, yn nannedd ei ragfarn yn erbyn 'y deuneudwyr' (un o'i enwau difrïol ar Ogleddwyr!) a'i dehongli fel hyn:

'Canu gwasaila Morganwg'

28

Un o fesurau rhydd mwyaf poblogaidd yr ail ganrif ar bymtheg
a'r ddeunawfed ganrif oedd y mesur tri thrawiad. Mae'n hwylus
i wahaniaethu rhwng dwy ffurf arno, sef y Sengl a'r Dwbl.
Cawsom enghraifft o'r ffurf Ddwbl eisoes ym mhenillion gwirod
y bardd gwlad o Fôn a math ar estyniad ar hwnnw yw'r ffurf
Sengl, gyda'i bennill yn gwahaniaethu ar ddiwedd yr ail linell yn
unig; hynny yw, yn lle bod naw sillaf ynddi ceir bellach un sill ar
ddeg a'r olaf ohonynt yn acennog. Y tri thrawiad sengl hwn, yn
wir, oedd hoff fesur y beirdd a chanwyd cannoedd o gerddi arno,
yn eu plith lu enfawr o garolau plygain. Serch hynny, ychydig
o alawon ar gyfer ei ganu a oroesodd i'r ganrif bresennol; llai
fyth yn achos y tri thrawiad dwbl. Da o beth felly i Iolo gofnodi
nid yn unig 'Canu Gwasaila Morganwg' (dwbl) ond hefyd 'Yr
Hen Garol Nadolig Morganwg – Tri Thrawiad' (sengl) a dyma'r
gainc honno, wedi'i dehongli, gyda phennill o garol blygain
nodweddiadol o Huw Morys:[24]

'Yr Hen Garol Nadolig'

Dwy gainc dymhorol arall yw'r rheiny o dan y pennawd 'Mesur
Carol Haf'; y naill ar gyfer canu un pennill arni a'r llall yn
gymwys i ddau bennill, yn yr un mydr. Mae'r ddwy fel ei gilydd
yn ychwanegiad gwerthfawr at rai sydd eisoes ar gael yn ein canu
gwerin[25] a'r ail yn arbennig felly gan na wn fy hun am unrhyw
enghraifft arall cyffelyb iddi, fel cainc 'ddeublyg', ar wahân i un
sydd yn llawysgrifau Ifor Ceri, sef 'Caingc Llanfihangel Ystrad' y
cawn sylwi arni yn nes ymlaen.

Ffurf bur gyffredin ar garol haf, neu garol Fai, yw dau bennill yn cael eu dilyn gan bennill byrdwn (hynny trwy'r gerdd ar ei hyd) a'r tebyg yw, felly, y cenid y penillion ar yn ail gan ddatgeiniaid a ymunai wedyn i gydganu'r byrdwn. Yn yr esiamplau argraffedig y gwn i amdanynt, fodd bynnag, un gainc a geir bob amser ar gyfer hyn. Yr unig gŵyn bosibl yn erbyn Iolo yma yw na chynhwysodd benillion gyda'i esiampl; byddai bod wedi gwneud hynny yn ennill sylweddol. Byddem hefyd, trwy hynny, a bwrw bod y penillion yn rhai traddodiadol, wedi cael tystiolaeth i gadarnhau'r haeriad a wnaed ganddo am natur siriol, ysgafn carolau haf Morgannwg o'u cymharu â rhai mwy syber, difrifol y Gogledd:

> Summer songs or May songs, Harvest songs, &c. are to be found in S.W. but not as in N.W prophanely devotional. they are of a cheerful and inn[o]cently convivial cast.[26]

Hyd y gwn i nid oes ronyn o sail i'r gwahaniaeth honedig hwn rhwng carolau haf De a Gogledd. Sut bynnag am hynny wele'r ddwy gainc garol haf dan sylw,[27, 28] gyda phenillion cymwys ar eu cyfer wedi eu codi o gerddi nodweddiadol o'r math hwn ar ganu:

'Mesur Carol Haf', i ganu un pennill

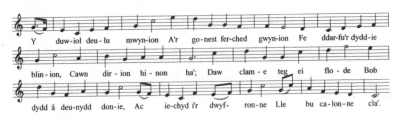

30

'Mesur Carol Haf', i ganu dau bennill

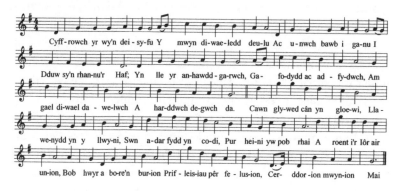

Deuwn yn olaf at yr ail ddosbarth o geinciau ac er symled natur y rheiny mi ddaliwn i mai hwn yw'r un pwysicaf yn yr holl gasgliad. Ceinciau ydynt i ganu penillion o fydr cywydd deuair fyrion arnynt – 'deuair' yn y cyswllt hwn yn golygu dwy linell – a gellir disgrifio'r mydr hwnnw fel un yn cynnwys cwpled odledig o ddwy linell pedair neu bum sillaf yr un gyda dau guriad ymhob llinell. A dyna fwrw peth goleuni ar un o bedair camp ar hugain ein hynafiaid, sef canu cywydd pedwar ac acennu; hynny yw, pedwar curiad sydd ymhob cwpled boed y sillafau yn bedair neu bump o ran nifer:

> 'Duw gorychaf y kyfarchaf' / neu
> 'Fe ddaliwyd y gwalch oedd neithiwr yn falch'.

Arwyddocâd neilltuol casgliad Iolo o geinciau cywydd deuair fyrion (ac fe gofnododd gymaint â chwech ohonynt) yw fod cyn lleied o enghreifftiau eraill wedi goroesi.[29] Ymhellach, mae lle i gredu y gall ceinciau o'r math yma fod yn bur hynafol. Mae'r mesur ei hun yn mynd yn ôl i gyfnod cynnar barddoniaeth Gymraeg.

Er i'r cywydd deuair fyrion fod yn fesur hynod o boblogaidd ymhlith ein hynafiaid dros ganrifoedd lawer, y mae fel pe'n diflannu yn ystod hanner olaf y ddeunawfed ganrif ac mewn llawysgrifau, yn hytrach na llyfrau argraffedig (ac eithrio dwy gerdd yn *Blodeugerdd Cymru* (1759)) y ceir ef erbyn hynny. Ffaith hynod yw mai yn eglwysi deau Ceredigion, bron yn ddieithriad, y canwyd yr halsingod yn ystod yr ail ganrif ar bymtheg a hanner cyntaf y ddeunawfed ganrif ac ar fesur deuair fyrion y mae'r mwyafrif ohonynt: mae cryn ddeucant yn y llawysgrifau. O hanner olaf y ddeunawfed ganrif ymlaen, felly, yr unig ddefnydd gweddol helaeth a wnaed o'r mydr oedd gan Iolo ei hun, hynny mewn cerddi a dadogwyd ganddo ar Rys Goch ap Rhiccert, rhagredegydd dychmygol Dafydd ap Gwilym (ac o'r ddeuddegfed ganrif!) yn ôl y dewin o Drefflemin. Nid rhyfedd felly i'r ceinciau a gysylltwyd â'r mydr beidio â goroesi, ar wahân i ddyrnaid bach ohonynt. Aeth yn agos i ddwy ganrif a hanner heibio er pan gefnodd ein prydyddion arno.

A throi at geinciau deuair Iolo yn benodol, sylwer iddo gysylltu cwpled cywydd deuair ag un ohonynt[30] ac er mwyn dangos natur syml yr alawon yn gyffredinol cystal imi ddyfynnu honno:

'Ar ei gwartha mi ddechreua…'

Amrywia'r chwe chainc o ran hyd, gyda'r posibilrwydd yn agored felly i ganu mwy o gwpledau ar ambell un ohonynt ond, yn absenoldeb geiriau, ni ellir bod yn siŵr y gwneid hynny. Fel yn yr enghraifft bresennol dichon mai ailadrodd oedd y rheol. O ran eu saernïaeth gerddorol fe'u codwyd o fotifau byr, gweddol annibynnol ar ei gilydd: motifau pedwar nodyn yn y bar a'r pedwar nodyn, fel rheol, yn cyfateb i bedair sill y llinell. Nid ceinciau melodaidd ydynt, yn yr ystyr fod y cymalau cerddorol yn llifo'n esmwyth o'r naill un i'r llall; yn hytrach, herciog yw'r symudiad. Nid cymaint afon yn llifo ond mur yn cael ei godi garreg wrth garreg.

Fel yn yr esiampl hon mae dwy nodwedd yn arbennig o amlwg, sef ailadrodd a gwrthosod motifau. Ar y cyfan, prin ddigon yw amrywiaeth rhythmig tra mae amrywiaeth traw beth yn amlycach. O geisio canu geiriau arnynt daw'n amlwg ar dro y bydd yn rhaid cywasgu peth ar sillafau, llunio llithren ar ambell sillaf arall a dyblu nodau er mwyn priodi gair a chainc ynghyd. Dyna, dybiwn i, yw ergyd yr ymadrodd 'ac acennu' wrth ddisgrifio'r gamp o ganu cywydd pedwar. Rhaid rhoi'r lle blaenaf i aceniad naturiol y geiriau a dod mor agos at lefaru ag sy'n bosibl. Golyga hynny yn ei dro ymgadw rhag amseriad peiriannol a dewis brawddegu yn rhwydd, hamddenol. Gwir fod hyn oll yn mynd â ni tu hwnt i dystiolaeth uniongyrchol ond wrth arbrofi â chanu geiriau i'r cymalau syml hyn dyna'r dull sy fel pe'n gweithio'n naturiol.

Bellach, rhaid tynnu i ben y dalar gyda'r sylwadau ar gasgliad Iolo o geinciau a chaneuon traddodiadol. Rhywdro, bydd yn rhaid i rywun fynd ati i gyhoeddi'r casgliad gan ymdrin yn fanwl â phob eitem ynddo a phob gwedd arno. Mae'n ddigon pwysig i hynny, yn hanes ein cerddoriaeth draddodiadol. Yn y cyfamser, amcan pennaf hyn o drafodaeth yw dangos yr angen am wneud gwaith o'r fath ac agor y drws beth yn lletach ar ei gyfer.

*   *   *

Pan oedd Iolo Morganwg yn dair ar hugain mlwydd oed, yn 1770, ganwyd bachgen ym mhlasty bychan Cilbronnau, Llangoedmor, Ceredigion, oedd i ragori arno fel casglwr cerddoriaeth werin ymhen amser, nid yn unig o ran maint ei gasgliad eithr hefyd ar bwys ei fedr fel cerddor. Fe'i bedyddiwyd yn John Jenkins ond dros draean olaf ei oes daethpwyd i'w adnabod ymysg ei gyfeillion lu, a'i gydnabod, fel Ifor Ceri. Aeth i Rydychen, gan raddio yno yn 1793. Wedi ei urddo yn offeiriad eglwysig bu'n gurad i'w ewythr, Dr John Lewes, ar Ynys Wyth ac arhosodd yno am bum mlynedd. Dilynwyd hyn gan gyfnod fel caplan gyda'r llynges a gwelodd gryn dipyn o'r byd cyn cael ei benodi yn rheithor Maenor Deifi yn 1805. Ddwy flynedd yn ddiweddarach fe'i gwnaed yn Ficer Ceri, Sir Drefaldwyn, ac yno y trigodd hyd ei farw yn 1829, dair blynedd ar ôl Iolo.

Bu'n weithgar fel offeiriad ac yn flaengar ym mywyd llenyddol ei wlad. Ymddiddorodd yn neilltuol yn eisteddfodau'r Cymreigyddion, mewn achyddiaeth, ac yng ngweithgaredd y wasg Gymraeg. Eithr y prif gyfraniad o'i eiddo a oroesodd i'n cyfnod ni oedd ei waith yn casglu cerddoriaeth draddodiadol ei bobl, a daw hyn yn amlwg o ddarllen trafodaeth feistrolgar Daniel Huws ar ei gyfraniad arwyddocaol yn y maes hwnnw.[31] Cais i ymestyn peth ar y drafodaeth honno yw'r hyn a ganlyn.

Cyfeiriais at ei ragoriaeth ar Iolo fel cerddor. Digon yw bwrw cipolwg dros ei lawysgrifau i argyhoeddi person o hynny. Mae ei gofnodi, bron yn ddieithriad, yn glir a thaclus heb fod unrhyw ansicrwydd ynglŷn â chywair, amseriad a hyd nodau. Y prif gyfyngiad arno fel cofnodwr ceinciau gwerin yw cyfyngiad y medrir yn hawdd ei ddeall, gan nad oedd cerddorion y cyfnod fel pe'n gwybod am yr hen foddau cerddorol ac yn rhagdybio bodolaeth dau fodd yn unig, sef y mwyaf a'r lleiaf. Y gwir am lawer o geinciau gwerin, fodd bynnag, yw eu bod mewn moddau gwahanol i'r rheiny a chollant eu naws arbennig pan geisir eu dal yn eu gefynnau. Y mae cyfyngiadau eraill hefyd a ddaw i'r amlwg yn nes ymlaen ond yn y cyfamser trown i fanylu peth ar gynnwys y llawysgrifau.

'MELUS-GEINGCIAU'

Yn ôl Daniel Huws bu Ifor Ceri wrthi'n cynnull cynnwys ei lawysgrif gyntaf rhwng 1812 ac 1820 ac awgryma iddi gael ei llunio yn bennaf o gwmpas 1815. Efallai iddi gael ei rhoi gan ei chynullydd i Mair Richards yn nes ymlaen (i'w chadw neu i'w benthyg): sut bynnag, mae ei henw hi, gyda'r dyddiad 1820 wrtho, tu mewn i'r clawr blaen. Pennawd cyflawn y llawysgrif yw 'Melus-Geingciau Deheu-barth Cymru or The Melodies of South Wales'.

Er mai dyna'r pennawd mae nifer o eitemau yn tarddu o'r rhanbarthau gogleddol – deg o leiaf. Hyn allan o 56 eitem a ddosberthir fel a ganlyn: 47 o geinciau a chaneuon; 13 yn ganeuon a 34 yn geinciau. Cynnwys y naw eitem sy'n weddill fân-ddarnau o geinciau gydag un dan y pennawd 'Nevern' yn emyn-dôn gyflawn, a'r gair 'Mwnt' yn nodi o ble y daeth. Dylid sylwi hefyd fod deuddeg cainc wedi eu cofnodi mewn llaw arall (gydag un o'r rheiny, o bosibl, mewn llaw wahanol wedyn) ond gan nad oedd a wnelo Ifor Ceri ddim â nhw gallwn hepgor unrhyw ystyriaeth ohonynt yma.

Gellir casglu'n weddol ddiogel iddo gofnodi geiriau'r caneuon fel y clywodd nhw'n cael eu canu. Mae'r ffurfiau llafar a geir yn rhai ohonynt, yn ogystal â'r orgraff yn gyffredinol, yn arwydd o hynny. Yr unig eithriad yw'r pennill a ddyfynnir o fugeilgerdd gyntaf Edward Richard, Ystradmeurig. Credaf i hwnnw gael ei godi o brint.

Ceir cyfeiriadau, yn gysylltiedig ag enwau rhai ceinciau, at y llyfrau printiedig canlynol, er na ddyfynnir geiriau penodol ohonynt ar gyfer y ceinciau hynny:

'Susannah' – 'vide…Gardd o Gerddi and Corph y Gaingc'.
'Cân Cwn y Crynga' – 'Vide Bardd Bach Page 237'.
'Ally Croker' – 'to 95 page in Cell Gallestr' (ac yma eir cyn belled â nodi hyn o eiriau, 'Bachgen bach wyfi…').

Pan awn ati i ystyried cynnwys llawysgrifau eraill Ifor Ceri deuwn i werthfawrogi arwyddocâd y pwynt hwn.

Cofnodir dwy o'r ceinciau ddwywaith drosodd, sef 'Gwen fanol ragorol' a 'Taw Sôn Fachgen'. Rhyw dri nodyn cefndir o werth a gysylltir â'r eitemau ac mewn un achos yn unig y rhoddir gwybodaeth uniongyrchol inni am ffynhonnell cainc: 'Y Foes' – 'Tune given by Mr. Mathews of Tregynon. Name known by Mr. Lewis Richards.'

O'r 47 eitem mae cymaint â 16 yn rhai nas ceir mohonynt yn unrhyw un o'i lawysgrifau eraill. Ar y llaw arall ailgofnodir 31 yn y llawysgrifau hynny, gyda *Melus-seiniau Cymru* (lluniwyd, yn ôl Daniel Huws, rhwng 1817–20, gan ychwanegu ati hyd 1825) yn cynnwys 30 ohonynt, hefo geiriau yn gysylltiedig â nhw yn ddieithriad. O'r 13 o ganeuon sydd yn y llawysgrif bresennol ailadroddir naw yn M-s ac yno ceir yr un geiriau ar gyfer saith ohonynt ond gydag un, sef 'Siani aeth am serch', dan bennawd hollol wahanol. O'r ddwy gyda geiriau gwahanol, un ohonynt yw 'Gwrando'r Derin du adeiniog' lle y disodlir y pennill gwreiddiol a godwyd oddi ar lafar gan bennill o'r llyfryn *Blwch o Bleser* (1816) sy'n llawer llai eneiniedig!

Nodwedd amlwg ar y llawysgrif bresennol, fel y gwelwyd eisoes, yw nad oes odid ddim gwybodaeth i'w chael ynddi am ffynonellau y 47 o ganeuon a cheinciau a gynhwysa ond o edrych hefyd ar y rhai a ailadroddwyd yn M-s gallwn gywain peth gwybodaeth am hynny.

Yn fyr, yn achos 38% o'r 47 eitem, cawn wybod pwy a'u casglodd; gwybod hefyd ym mha rannau o'r wlad y casglwyd cymaint â 53% o'r cyfan. Ifor Ceri ei hun a gasglodd bymtheg o'r 30 sydd yn M-s; priodolir dwy i E. J. (Edward Jones, Bardd y Brenin) ac yna un yr un i Eos y Mynydd (Thomas Williams, Llanfihangel-yng-Ngwynfa), Dr Lewes (yr ewythr y bu Ifor Ceri yn gurad iddo ar Ynys Wyth) a J. Parry, Caerfyrddin. Am y rhanbarthau cawn y cyfrif hwn: Morgannwg (1), Caerfyrddin (2), Ceredigion (7), Penfro (1), Gogledd/Gwynedd (3) a Darowen (7). Ni ellir bod yn siŵr pwy a gasglodd y gweddill o'r 47 yn M-G ond yr hyn sydd fwyaf tebygol yw mai Ifor Ceri ei hun oedd yn bennaf gyfrifol am hynny.

O gloriannu'r ystadegau moel hyn daw'n amlwg ei fod wedi'i lwyr argyhoeddi o'r angen am gasglu ceinciau a chaneuon llafar gwlad a bod yn rhaid eu cofnodi'n drefnus a chymen; yr hyn a wnaeth mor llwyddiannus fel y gallwn, yn yr ymdriniaeth hon, atgynhyrchu enghreifftiau yn uniongyrchol o'r llawysgrifau. Pethau a fu byw ar lafar dros rai cenedlaethau yw llawer o'r caneuon a gasglwyd ganddo yn M-G a gellir cytuno'n barod â disgrifiad Daniel Huws o'r casgliad hwn fel un 'amateur yn y gwir ystyr'. Ymhoffai Ifor Ceri ynddynt yn fawr a chadarnha'r casgliad cyntaf hwn o'i eiddo yr hyn a ddywedodd Gwallter Mechain amdano mewn pwt o gofiant iddo yn *Y Gwyliedydd* gan gyfeirio at ei gyfnod yn gaplan ar fwrdd y llong ryfel *Theseus* yn 1802:

> Dywedai Mr. J. y byddai arferol, pan oddiweddai y pruddglwyf
> ef...iddo gymmeryd ei grwth (violoncèlo), a chwareu arni rai
> o beraidd donau Gwent a Morganwg, y rhai ydynt lawer mwy
> bywiog a chynhyrfiol nag arafach geinciau Gwynedd a Dyfed.

Ac i gyflawni ei waith fel casglwr tynnodd ar gynhysgaeth draddodiadol ei ran ei hun o'r wlad gan droi hefyd at gyfeillion a chydnabod mewn ardaloedd eraill. Hynny sy'n esbonio'r saith eitem o Geredigion, ei sir enedigol, a'r saith arall o Ddarowen, Sir Drefaldwyn, lle'r oedd pencadlys y teulu Richards a oedd mor eiddgar ei gefnogaeth i bob gwedd ar y diwylliant Cymreig.

Bellach, trown i ystyried peth ar gynnwys y casgliad gan gyfyngu sylw i'r 16 o eitemau nas ceir yn y casgliadau eraill. Caneuon yw pedair ohonynt.

(i) Mae 'Annerch i'r Derin du' yn enghraifft gampus o un peth y cyfeiriwyd ato yn y paragraff blaenorol: cân llafar gwlad ddigamsyniol yw, ac nid rhyfedd i J. Lloyd Williams benderfynu ei chyhoeddi.[32] Cân serch hefyd gyda'r llanc yn anfon y deryn du yn llatai at ei gariad, thema boblogaidd yng nghanu gwerin Cymru, a hynny mewn dau bennill a ddengys yn eglur eu tarddiad llafar. At hyn, bu'r alaw o gwmpas gwlad yn ddigon hir i amrywio peth ar ei ffurf wreiddiol. Yn nhreigl amser, a chantorion, newidiwyd yr amseriad ac ambell gymal yma ac acw ond nid yn ddigon i'n cadw rhag sylweddoli mai alaw 'Ffanni Blodau'r Ffair' sydd dan gochl yma.

(ii) Teulu alawol niferus yw un 'Y Dôn Fechan' a llwyddodd Ifor Ceri i gasglu rhai aelodau ohono. Ceir un yn y casgliad hwn dan y pennawd 'Mesur y Don fechan' ond perthyn i'r alaw ffurf anghyffredin a all, ar yr olwg gyntaf, beri dryswch. Dyna pam yr haedda sylw arbennig yma. Un pennill traddodiadol a osodwyd ar ei chyfer, hynny heb ei sillebu o dan y nodiant, ond y gwir yw y gellid canu dau bennill o'r fath arni, cyn belled â bod ei hyd yn y fantol. Eithr aethai hynny'n groes i'r graen gan fod ffurf fyrrach a mwy cryno ar gael ohoni; yn wir, cofnododd Ifor Ceri honno yn ddiweddarach yn M-s. Pam, ynteu, cofnodi ffurf mor ymddangosiadol gymhleth â hon? Dyma'n union fel y cofnodir y gân yn y llawysgrif:

'Mesur y Don Fechan'.

Sylwer mai'r hyn a ddigwydd yma yw ailadrodd y pedwar bar agoriadol a'r pedwar bar yn y canol. Ffurf sylfaenol y gainc yw ABBA: yr hyn a geir yma, fodd bynnag, yw ABABBABA. Eithr anodd derbyn y byddid yn canu'r gân yn yr union ffordd yna. Awgrymaf yn hytrach mai'r hyn a gawn yma yw ffurf ar ganu penillion y gwelsom enghraifft gynharach ohono yng nghasgliad Iolo Morganwg lle mae llais ac offeryn yn gweu cymalau ynghyd gyda'r offeryn; yn yr achos hwn, yn chwarae'r cymalau ailadroddol. Felly: datgeiniad ac offeryn (AB), offeryn (AB), datgeiniad ac offeryn (BA), offeryn (BA).

'Mesur y Don Fechan' – wedi'i hail-lunio

(iii) Mae alaw 'Dewch Ymlaen' yn berthynas agos i honno a gyhoeddwyd yn ddiweddarach yng nghyfrol Maria Jane Williams dan bennawd 'Y Gwydd', ac i un arall sydd â'i gwreiddiau yn ardal Tŷ Ddewi.[33] Mewn cywair lleiaf y mae'r alawon hyn, y tair ohonynt fel ei gilydd, ond tra bo'r ddwy olaf yn gysylltiedig â geiriau dwys eu naws nid felly o gwbl yn achos cân Ifor Ceri. Dyna, felly, daro yn ei thalcen yr hen gred gyfeiliornus fod dwyster a difrifwch yn hanfodol glwm wrth gyweiriau lleiaf. Pennill hwyliog ddigon a geir yma a blas y traddodiad llafar arno ond fod llinell yn eisiau, sef yr olaf ond un, ac angen ei ailadrodd ar y cymal 'Dewch yn mlaen' yn honno yn ogystal ag yn y llinell gyntaf:

'Dewch yn mlaen'

Yna, fel pe i glensio'r hoelen, mae'n werth tynnu sylw at y nodyn cefndir hwn: *Several lively songs are sung to this tune and it is frequently played as a March before Welsh Regiments.*

(iv) Mae dau bennill i 'Cwyn y Prentis (The Apprentice's lament)' a'r rheiny yn amlwg lafar eu naws, gyda ffurfiau fel 'brwfe', 'rhows', 'rwi' ac 'enaeth'. Yn anffodus ni chynhwyswyd geiriau o dan y nodiant ac fel y saif pethau mae'r gainc gryn dri bar a hanner dros ben ond gellir goresgyn yr anhawster hwnnw unwaith yn rhagor trwy roi'r nodiant a danlinellir tua'r diwedd i'w chwarae gan offeryn. Gan na ddigwyddais weld y gân, nac unrhyw berthynas iddi, yn unman arall fe'i cynhwysir yma. Fel gyda sawl un o'r ceinciau hyn rhaid dyblu ambell nodyn i'w canu:

'Cwyn y Prentis'

A throi at y ceinciau nas cofnodwyd yn y llawysgrifau diweddarach mae dwy sydd yn werth edrych arnynt yn neilltuol a'r ddwy yn cael eu galw yn '"Halsing y Dryw" (Ton Deuair)'. Cyhoeddwyd y rhain hwythau gan J. Lloyd Williams. Gwelsom eu cyffelyb eisoes wrth drafod cyfraniad Iolo Morganwg, sef ceinciau ar gyfer canu cywydd deuair fyrion ac nid oes angen ymhelaethu ar eu pwysigrwydd ar gyfrif hynny, ond yr hyn sy'n arwyddocaol yma yw fod y nodyn cefndir iddynt yn eu gosod mewn cyd-destun cymdeithasol pendant. Dyma ychwanegiad pwysig mewn astudiaethau gwerin o bob math ac un o ddiffygion pennaf gweithwyr cynnar yn y gwahanol feysydd yw eu methiant i weld pwysigrwydd yr egwyddor hon. Fe welodd Ifor Ceri hynny yng nghyswllt y ceinciau byr hyn ac nid yw'n diolch yn llai iddo er iddo anwybyddu'r egwyddor mor aml mewn cysylltiadau eraill. Dyma ei sylw:

In the Vicinity of Cardigan the following Singular Custom prevails and which is probably of Druidical origin: On the Night of the Fifth of January a certain number of young men, generally four, take a Wren which is considered a Sacred Bird, and confine him in a cage (which they call his [elor] Bier) decked with all the Ribbons they can procure from the Girls of the neighbourhood. With the Wren thus gaudily housed they visit the Families of the District, singing alternate Stanzas in his praise as King of the Birds and as procuring for them many Blessings during the ensuing year on account of his being made a Captive and a Victim.[34]

Wele gysylltu'r ceinciau, felly, â defod Hela'r Dryw, defod yr oedd Ifor Ceri yn gyfarwydd â hi gan ei fod yn ei lleoli yn ei fro enedigol. Ar gorn hynny gallwn gasglu'n deg fod yr hen arfer hwn mewn llawn bri yn Ne Ceredigion o gwmpas saithdegau'r ddeunawfed ganrif. Yn anffodus, ni farnodd y cofnodwr yn dda roi geiriau inni ar gyfer y ceinciau.

Fel y gwelsom, gŵr a gasglai geinciau a chaneuon o ran diddordeb oedd cynullydd M-G. Felly hefyd, bid siŵr, gynullydd M-s a luniwyd, yn ôl Daniel Huws, 'yn ystod 1817–20 ond bod ychwanegu ati hyd 1825'. Erbyn hynny, fodd bynnag, roedd un egwyddor lywodraethol yn llywio ei gasglu: cofnodi cymaint ag a fedrai o'r ceinciau a nodwyd ar gyfer canu cerddi iddynt mewn cyfrolau megis *Carolau a Dyrïau Duwiol* (1696), *Blodeu-gerdd Cymry* (1759), *Dewisol Ganiadau yr Oes Hon* (1759), *Bardd a Byrddau* (1778), a'u tebyg. Fel y gŵyr y cyfarwydd arferai beirdd y cyfnod nodi, ar ddechrau'r gerdd, pa alaw y dylid ei chanu arni. Bwriad clodwiw, pellgyrhaeddol a thrafferthus Ifor Ceri oedd cywain yr holl alawon hyn ynghyd ac fe'i cyflawnodd gyda mesur syfrdanol o lwyddiant.

Daw hyn oll i'r amlwg mewn llythyr a anfonodd at Bardd Alaw, dyddiedig 11 Chwefror 1826, gŵr y rhoddodd iddo y rhan helaethaf o'i gasgliad rhyfeddol gyda chaniatâd parod i'w ystyried fel ei eiddo ei hun a'i ddefnyddio fel y mynnai. At hynny, rhoes iddo sylwadau ar sawl cainc a gwybodaeth am amryw ffynonellau. Cynnwys y llythyr hwnnw nifer o bwyntiau arwyddocaol:

> I began my Collection about eight or nine years ago after reading the Blodeugerdd and two or three Books of the same sort. As a rapid change was taking place in the habits and manners of our country people, I thought that unless a collection was made at present of the Hên Donau, Marwnadau, Carolau &c Cymru it would be in vain to look for them in thirty years time; they would be superseded by strains of a very different description, (and in my opinion of very inferior quality,) under the name of Hymns. And perhaps the attempt to recover them was now too late. I however commenced by noting what Tunes I was myself acquainted with; and communicating my wish of preserving the old Tunes to my musical friends in different parts of Wales, I find now, contrary to my expectation, that my collection contains within a small number, (and those I shall probably recover) all the Tunes to which our Lyric poetry has been composed from the time of Queen Elizabeth downwards.[35]

Sylwer mai cyfeirio y mae ar ddechrau'r dyfyniad at ei waith yn cychwyn ar gynnull casgliad penodol ac nid at gychwyn casglu alawon fel y cyfryw. Yn ôl yr hyn a ddywedodd Bardd Alaw mewn rhagymadrodd i ail gyfrol *The Welsh Harper* (1848) roedd Ifor Ceri wedi dechrau cofnodi ceinciau a chaneuon yn negawd olaf y ddeunawfed ganrif a diamau mai cywir hynny. Sylwer, er enghraifft, iddo dderbyn y gân 'Y Saith Rhyfeddod' oddi wrth Dr John Lewes, yr ewythr y bu'n gurad iddo yn Whippingham, Ynys Wyth (1794–99) a naturiol tybio mai yno y cofnododd y gân am y tro cyntaf. Gwelsom ef yn tystio hefyd yr arferai chwarae rhai o geinciau Gwent a Morgannwg pan oedd ar fwrdd y llong ryfel *Theseus* yn 1802, a golyga hyn ei fod yn tynnu ar draddodiad cerddorol ehangach na'r un a etifeddodd yn blentyn yng Ngheredigion. Rhaid ei fod, erbyn hynny, wedi cofnodi rhai o alawon y De-Ddwyrain drosto'i hun gan nad oedd casgliadau argraffedig ohonynt i'w cael ar y pryd.

Sut bynnag am hynny, erbyn ail ddegawd y bedwaredd ganrif ar bymtheg roedd Ficer Ceri wedi'i sefydlu ei hun fel casglwr ceinciau traddodiadol mwyaf diwyd ac effeithiol Cymru. Fe'u cofnodai wrth wrando ar delynorion yn eu chwarae ac ar gantorion yn canu cerddi iddynt gan roi'r flaenoriaeth i fersiynau'r cantorion oherwydd mai ganddynt hwy y byddai debycaf o'u cael ar eu ffurf symlaf a gwreiddiol. Gwyddai'n burion am duedd offerynwyr i addurno cainc a phan droai at gasgliadau o geinciau cyhoeddedig gan delynorion megis John Parry, Rhiwabon, ac Edward Jones, fe'i câi yn amhosibl ar brydiau i osod cerddi ar rai ohonynt, er gwaetha'r ffaith fod y beirdd wedi llunio eu cerddi'n unswydd ar gyfer eu canu ar yr union geinciau hynny. Gyda'r blynyddoedd hefyd, yn bennaf trwy lythyru mae'n debyg, ehangodd ei rwydwaith o gyfeillion a chydnabod cerddorol y medrai droi atynt i ofyn am geinciau na lwyddai ef ei hun i gael gafael ynddynt ar y pryd. At hyn, gwahoddai nifer ohonynt i aelwyd groesawgar ei briod ac yntau, yn enwedig o gwmpas dechrau'r flwyddyn newydd, ac arhosai'r rheiny yno am rai dyddiau yn trafod 'pethe' y cyfnod, yn canu, telynora a barddoni, a diamau fod hynny'n gyfle rhagorol i gael gafael ar ragor o alawon ar gyfer y casgliad mawr.

Diddorol yw cyfeiriad Ifor Ceri yn ei lythyr at y cyfnewidiadau a welai'n dod ar arfer a moes Cymry gwledig ei gyfnod. Yr hyn a welai, yn bennaf, oedd dylanwad sylweddol y Diwygiad Methodistaidd ac yn sgil hwnnw cynnydd eithriadol yn nifer yr emyn-donau a genid ar bob llaw. A does ryfedd iddo ddatgan ei farn mor blaen am ansawdd isradd y tonau hynny. Dengys tystiolaeth mai canu coch ar y naw, o safbwynt cerddorol ffurfiol, oedd canu cynulleidfaol y cyfnod, yn enwedig yng nghapeli'r anghydffurfwyr, ac ofnai'r Ficer y boddid gwaith beirdd y canu rhydd ganddo. Nid oedd ymhell o'i le ac oni bai am ddylanwad sefydliad arall y bu gan Ifor Ceri ran bwysig yn ei hybu, sef yr eisteddfod, byddai wedi bod yn ddiwrnod tywyll ar lawer o'n ceinciau a'n canu traddodiadol. A chystal nodi, wrth fynd heibio, mai traddodiad llafar a fu i'r emyn-dôn hithau yn ein hanes ni'r Cymry am gyfnod gweddol hir. Ni sefydlogwyd ei ffurf hyd tua hanner olaf y bedwaredd ganrif ar bymtheg ac i fudiad y tonic-sol-ffa y bu'r diolch am hynny i raddau pell. Gwaith ar gyfer haneswyr cerdd y dyfodol fydd dilyn trywydd dylanwad y cyfnod llafar hwn yn hynt ddiweddarach yr emyn-dôn ac ni chyffyrddir â'r pwnc o gwbl yng nghorff y gyfrol bresennol.[36]

'MELUS-SEINIAU CYMRU'

Rhaid troi, bellach, at beth o gynnwys llawysgrifau diweddarach Ifor Ceri, 'Melus-seiniau Cymru a Per-seiniau Cymru' (lluniwyd yn ystod 1824–5). Trafodwyd y berthynas rhyngddynt yn drylwyr gan Daniel Huws yn yr ymdriniaeth y cyfeiriwyd ati eisoes a cheir ganddo, yn ogystal, ddisgrifiad o'u cynnwys ynghyd â rhestr werthfawr o'r holl eitemau sydd ynddynt; cymorth amheuthun i ymchwilwyr. Nid oes angen, felly, fanylu ar y materion hynny yma.

Y brif swyddogaeth yn y cyd-destun presennol yw trafod caneuon y traddodiad llafar a cheisio cloriannu cyfraniad Ifor Ceri yn y cyfeiriad hwnnw. Nid gwaith rhwydd mo hynny. Yr anhawster sylfaenol yw na allwn fod yn siŵr, o berthynas i'r eitemau hynny lle cyfunir cainc â cherdd, pa eiriau y digwyddodd ef, neu ei gyfeillion cerddorol, glywed cantorion yn eu canu. Rhaid cofio mai chwilio yr oedd yn arbennig am geinciau ar gyfer y cerddi y deuai ar eu traws yn y llyfrau a ddarllenai ac yr oedd ganddo, felly, ddiddordeb mawr mewn gweld a ellid canu'r rheiny ar y ceinciau a nodid gan y beirdd. Roedd profi bod hynny'n bosibl yn brif amcan ganddo, a'i duedd naturiol oedd sefydlu'r mater hwnnw bob cyfle a gâi. O ganlyniad, nid oedd o bwys allweddol yn ei olwg i osod ar glawr yr union eiriau a genid gan ganwr neilltuol ac yn hyn o beth, wrth gwrs, roedd yn bur wahanol i gasglwyr caneuon llafar gwlad ein cyfnod ni sy'n derbyn yr egwyddor hon fel un sylfaenol. Eto, mae'n ddiymwad iddo gofnodi yn ei lawysgrifau nifer dda o ganeuon felly a rhaid ceisio didoli rhai ohonynt, o leiaf, oddi wrth yr ugeiniau o eitemau a welir yn y llawysgrifau dan sylw. Cynnwys M-s (rhannau 2 a 3) gymaint â 124 o eitemau ac nid oes amheuaeth nad y llawysgrif hon sydd fwyaf perthnasol o bell ffordd, yn y cyswllt hwn. Ceinciau yn unig yw ychydig dros hanner o gynnwys eitemau P-S (tua 101 ohonynt) ac am y gweddill rhaid sylwi bod y cerddi a gysylltir â'r ceinciau bron i gyd wedi eu codi o lyfrau argraffedig: mewn amgylchiadau o'r fath, doethach a fyddai ymatal rhag honni i gân gael ei chofnodi ar lafar.

Trosglwyddwyd naw cân o M-G i M-s a chyda'r rheiny y dylid dechrau. Mae 'Tôn Bugeilgerdd' (y pennawd yn M-G) yn werth sylwi arni pe ond am y rheswm ei bod yn bwrw goleuni ar un o'r canllawiau y mae'n rhaid dibynnu arnynt wrth geisio didoli'r caneuon sydd o ddiddordeb yma. Yn ei ohebiaeth â Bardd Alaw cynhwysodd Ifor Ceri, o bryd i'w gilydd, rai nodiadau cefndir i'r ceinciau a'r caneuon a gasglodd.[37] Mae'r un ar y gân hon yn ddadlennol:

To this ancient Air Mr Edward Richard the worthy and learned Founder of Ystradmeurig School composed his admired pastorals. This was noted down from the Singing of an Old Gentleman who was his pupil at that time.

Newidiwyd pennawd y gân i 'Y Tri tharawiad Deheubarth' a nododd mai ef ei hun a'i cofnododd ond y pwynt allweddol yw fod yr 'Old Gentleman' a'i canodd yn ddisgybl i Edward Richard, awdur y pennill a gysylltir â'r gainc. Rhesymol casglu felly mai'r pennill hwnnw a ganwyd ganddo. Yn anffodus, prin yw tystiolaeth uniongyrchol o'r math hwn yng ngwaith Ifor Ceri.

Teg casglu bod y gân 'Lliw'r Ceirios' ('Ceiroes' yn y llawysgrif ddiweddarach) wedi ei henwi ar ôl dau air agoriadol llinell gyntaf y pennill sydd iddi: 'Lliw'r Ceirios clyw fy'm cwyn ar penyd 'r wyf i'n ddwyn' a dyna glymu'r geiriau wrth y gainc yn ddigon pendant. Dyma hefyd ganllaw-uniaethu arall y gellir ei ddefnyddio ar brydiau. Eithr mae ffurfiau gwahanol arni yn y ddwy lawysgrif gyda'r un yn M-G yn cynnwys chwe bar ychwanegol. At hynny, ceir peth gwahaniaeth yn y geiriau. Y sefyllfa anffodus yw fod geiriau ffurf M-G yn gorffwys yn esmwythach ar y cymalau cerddorol (o gymharu â geiriau ail ran ffurf M-s) ond na ellir bod yn siŵr sut yn union y cenid nhw ar y gainc yn ei chyfanrwydd. Dyma fel yr ymddengys y tro cyntaf:

'Lliw'r Ceirios'

O osod y geiriau ar y gainc gwelir bod dwy ffordd bosibl o wneud hynny, sef:

(i) Terfynu ar ddechrau'r seithfed bar o'r diwedd ac ystyried y nodiant o ail hanner-curiad y saith bar olaf ymlaen fel clo offerynnol.

(ii) Cyfrif barrau saith/chwech/pump/a hanner cyntaf y pedwerydd o'r terfyn/ fel rhai offerynnol ac yna ailganu'r llinell olaf.

Does wybod pa un o'r posibiliadau hyn yw'r mwyaf tebygol. Beth bynnag am hynny, erbyn i Ifor Ceri drosglwyddo'r gân i'r llawysgrif ddiweddarach roedd wedi dileu'r barrau ychwanegol yn llwyr ond, fel y sylwyd eisoes, gan newid y geiriau. Gwnaeth gyfnewidiad bychan mewn un bar o'r gainc yn ogystal ond ni welodd yn dda roi unrhyw esboniad am y cyfnewidiadau. Pan aeth J. Lloyd Williams ati i gyhoeddi'r gân dewisodd fersiwn M-s eithr ni chofnododd y pennill yn gywir.[38]

Gyda newid cywair a symleiddio un addurn bychan yn yr alaw nid oes ond mân wahaniaethau cerddorol rhwng y ddwy ffurf ar 'Clod Gwen' (M-G) a 'Lliw'r Gwinwydd'/Clod Gwen (M-s) ond dengys y gwahaniaethau geiriol rhyngddynt i'r gân gael ei chodi'n wreiddiol ar lafar. Cyhoeddwyd hon, hithau, gan J. Lloyd Williams eithr trwy amryfusedd, mi dybiwn, gadawodd gwpled cyfan a chryn bedwar bar o'r gân heb eu hatgynhyrchu.[39]

Agos iawn at ei gilydd yn y ddwy lawysgrif yw 'Y Siaced fral', 'Mi welais Rhyfeddod' (y ddwy gân yn gyhoeddedig)[40] a 'Gweddus yw'r Gwedd-dod' ac er y medrir dweud yr un peth am alaw 'Gwrando'r Derin du adeiniog' mae ei geiriau'n bur wahanol, gyda'r pennill gwreiddiol yn M-G, lle mae'r prydydd yn anfon aderyn yn llatai at gariad, yn cael ei ddisodli yn M-s gan bennill yn mynegi 'Galargwyn Hen Ferch'. Wrth ei chynnwys yn ei gylchgrawn gofalodd J. Lloyd Williams gadw at y geiriau traddodiadol.[41]

Nodwyd yn gynharach i un o'r caneuon a drosglwyddwyd o'r naill lawysgrif i'r llall ymddangos yn M-s o dan bennawd gwahanol: trodd 'Siani aeth am Serch' yn 'Ffilena Deheubarth'. Eithr cadwyd at yr un pennill, bron iawn, gydag ychwanegu iddo gael ei lunio gan fardd 'Dienw' a bod y geiriau ar gael mewn llawysgrif ym meddiant Ifor Ceri ei hun. Mae'n debygol iawn fod y gân yn perthyn i'r traddodiad llafar ac ar wahân i fân amrywiadau does ond un newid amlwg yn y pennill. Yn M-G fel hyn y saif y llinell agoriadol:

'Mi roes fy mryd mewn parch ar garu'r fanol Ferch

Newidiwyd hyn yn M-s i:

'Mi roes fy mryd a'm serch ar garu'r fanol ferch...'

Diamau mai clust am odl a barodd i Ifor Ceri, yn y pen draw, newid y llinell ond pam y tybiodd y tro cyntaf mai 'mewn parch' oedd y geiriau iawn? Mae awgrym yn M-G ei fod yn ansicr ynglŷn â pha ymadrodd y dylid ei gynnwys gan fod 'mewn parch' wedi ei sgrifennu mewn inc sydd beth yn dduach nag yw yng ngweddill y geiriau. Ymhellach, y pennawd gwreiddiol oedd 'Mi roes fy mryd mewn parch' ond yna dilewyd hwnnw a'i ddisodli gan 'Siani aeth am Serch'. A'r hyn a ddyfnha'r benbleth yw mai Ifor Ceri ei hun a gasglodd y gân. Pe bai'r llawysgrif a gynhwysai'r pennill ar gael, efallai y caem oleuni ar y mater ond, gwaetha'r modd, aeth honno ar ddisberod i bob golwg.

Mae'r gainc, heb eiriau wrth gwrs, i'w chael yn WH2 dan yr enw 'Deheubarth', wedi ei chodi gan Bardd Alaw o'r casgliad o eitemau a roed iddo gan Ifor Ceri. Felly hefyd y'i ceir mewn llawysgrif yn perthyn i John Gwynne, Darowen, dogfen y cawn sylwi'n fyr arni ar ddiwedd y bennod hon, ac y mae rheswm digonol dros gredu i'r alaw ddod i'w feddiant yn wreiddiol o M-G.

'Siani aeth am serch'

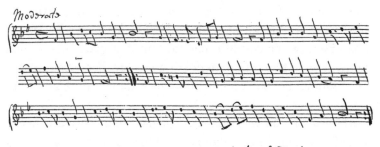

49

Erys un gân arall o'r rhai trosglwyddedig i'w hystyried, sef 'Cân y Cathreinwr' (a enwir bellach yn 'Triban y Cathreinwr') a gwelir hi ynghyd â dwy gân gyffelyb yn M-s. Ceir dau bennill triban gwahanol yn y ddwy lawysgrif ond yr un yw'r gainc ac Ifor Ceri ei hun a gasglodd yr amrywiad arbennig hwn. Dwy frawddeg gerddorol yn unig sydd iddi gydag un o'r rheiny'n cael ei chanu deirgwaith drosodd (ffurf AABA) gyda'r llais yn cadw o fewn cwmpawd chwe nodyn – ac anwybyddu'r alwad anogaethol i'r ychen ar y diwedd un. Mae'n hyfryd o syml:

'Cân y Cathreinwr'

Yn ychwanegol at y naw cân flaenorol gellir yn hyderus amcangyfrif bod o leiaf 40 o ganeuon llafar gwlad yn M-s ynghyd â rhyw ddwsin o geinciau y gwyddom amdanynt fod geiriau yn gysylltiedig â nhw yn y traddodiad llafar. Canolwn sylw, bellach, ar rai o'r caneuon hyn.

Derbyniodd Ifor Ceri ddeg eitem i'w gasgliad oddi wrth John Parry, Caerfyrddin, ac ni wyddom ragor am y gŵr hwnnw ar wahân i'w enw. Yn eu plith mae (a) tair alaw gyda rhan o linell ynghlwm wrth bob un ohonynt (b) dwy alaw heb eiriau o gwbl ac (c) pum cân gyflawn, dwy ohonynt gyda geiriau a godwyd o lyfr.

(a) Am y tair cân anghyflawn, gyda'u geiriau agoriadol, ni ellir ond dyfalu sut yn union y dylid eu cwblhau a does ond gobeithio y daw gweddill y penillion i'r fei rywbryd.

(b) Alaw ar gyfer canu tribannau yw un o'r rhai dieiriau ac

ar gyfer un o fydrau'r canu carolaidd, 'Y Galon Drom', y mae'r llall.

(c) Gyda cherddi o BoB y cysylltir dwy o'r caneuon cyflawn ac fe'u disgrifir fel: 'as sung in Carmarthenshire' a diddorol sylwi bod alaw un ohonynt, 'Merched Glan Teifi', yn perthyn i'r un teulu alawol â 'Craig y Ddinas', alaw a ddysgodd Maria Jane Williams, meddai, gan frodor o Gwm Nedd, a arferai arwain ymwelwyr o gwmpas rhaeadrau'r rhan honno o'r wlad.

Erys tair cân a gofnodwyd gyda'u geiriau gwreiddiol. Ifor Ceri ei hun a fedyddiodd un ohonynt â'r pennawd 'Caingc y Fflemynes' a hynny, fe ymddengys, oherwydd i J. Parry ei hanfon iddo yn ddi-bennawd ond gyda'r wybodaeth ei bod yn hanfod o Sir Benfro. Mewn llythyr at Bardd Alaw, dyddiedig 11 Chwefror 1828, dywed Ifor Ceri:

> The Names of Mwynen Trichwmwd and Caingc y Fflemynes were imposed by me, a liberty I take for my own convenience whenever I find a Nameless Tune.

Ei arfer wrth gofnodi'r caneuon yw cadw'r gerddoriaeth a'r geiriau yn gwbl ar wahân. Yn yr holl lawysgrifau, yn wir, nid oes ond rhyw ddeg enghraifft o ganeuon lle ceir geiriau penillion wedi eu sgrifennu o dan y nodiant cerddorol. Fel rheol nid yw hyn yn achosi unrhyw benbleth ond mae 'Caingc y Fflemynes' yn eithriad gan fod tri phennill yn ymddangos ar y dudalen nesaf ac wedi eu gosod o dan gerddoriaeth 'Will a'i Fam'. Yn ffodus gellir gweld ar unwaith nad ydynt yn gorffwys ar yr alaw honno ac y mae i benillion 'Y Fflemynes', sut bynnag, fyrdwn hawdd ei ganfod. Y canlyniad yw fod gennym yma, felly, gân werin gyflawn.[42]

Ffurf ar 'Y Saith Rhyfeddod' yw un arall o'r caneuon hyn a chysylltwyd cymaint â thri phennill gyda'r gainc. O ran alaw mae'n hollol wahanol i ddwy gyhoeddedig sy'n dwyn yr un enw.[43] Fe'i hargraffwyd gan Bardd Alaw yn WH1 dan y pennawd 'Llandovery' ac o'r fan honno y codwyd hi gan Brinley Richards ar gyfer ei *Songs of Wales* wedi iddo newid ychydig arni a sicrhau geiriau Saesneg ar ei chyfer, 'Adieu to dear Cambria'. Yn ffodus ymgadwodd Ceiriog rhag cyfieithu'r rheiny ond fe gadwodd at y pennawd a dyna pam y cyfeiriwn ni ati bellach fel 'Yn iach i ti Gymru'.

Yr olaf o'r caneuon yw 'Dydd da fo i'r eneth lân' ac iddi ffurf ymddiddan rhwng mab a merch, gyda dweud, wrth odre'r pennill, iddo gael ei godi o lawysgrif a berthynai iddo ef ei hun.[44] Eithr rhaid sylwi yma i'r gainc gael ei nodi'n gynharach yn M-G heb gynnwys geiriau o gwbl a rhaid casglu felly nad oedd ganddo ddim ond y gainc yn unig yn ei feddiant ar y pryd. Ac o berthynas i'r llawysgrif y nodir iddi fod yn perthyn iddo ef ei hun ('M.S. penes JJ') mae'n anffodus nad yw honno, bellach, ar gael a hithau'n ffynhonnell o leiaf chwe cherdd a gynhwyswyd ganddo yn ei gasgliad. Nodir i rai cerddi eraill hefyd gael eu codi o ryw 'MS' neu'i gilydd ond aeth y rheiny, hwythau, ar ddifancoll i bob golwg.

Gŵr arall a fu o gymorth i Ifor Ceri (un y daeth i gysylltiad ag ef gyntaf yn 1820) oedd John Howell, bardd, cerddor, ysgolfeistr a golygydd cyfrol o farddoniaeth, *Blodau Dyfed* (1824), y tynnodd yr offeiriad cerddgar yn helaeth arni ar gyfer ei gasgliad. Derbyniodd o leiaf ddeg cân oddi wrth John Howells a haedda rhai ohonynt sylw yma.

Yn Sir Gaerfyrddin y bu'r gwrda hwnnw yn casglu'n bennaf ond nododd fod un o'i ganeuon yn perthyn yn benodol i sir arall: 'Fel y cenir Mesur Triban yn gyffredin yn awr yn Morganwg'. Fersiwn ydyw o'r 'Triban Morganwg' y gwelsom ei argraffu'n gynharach wrth drafod Iolo Morganwg a dyna'r unig esiampl ddigamsyniol o'r math hwn ar gân sydd ar gael yng nghasgliad Ifor Ceri.[45] Gwir i mi awgrymu, wrth ymdrin â ffurf ar 'Y Dôn Fechan' ganddo, y gallai honno fod yn enghraifft o'r un peth ond nid yw yno, fel y mae yma, yn nodi'r cymalau offerynnol yn hollol eglur gyda'r talfyriad 'Sym' am 'symphony'. Y mae hefyd enghraifft o gymal byr a neilltuir fel un ar gyfer 'Y Delyn', sydd i'w weld mewn un fersiwn o 'Mwynen Mai' (gw. P-S, rhif 22) ond unig swyddogaeth hwnnw yw pontio o'r naill bennill i'r llall. Nid yw yn ymyrryd, fel petai, â'r llais.

Lleolir y gân 'Gorweddwch eich hun or Consumption' gan John Howell yn 'Deheubarth' a dichon i'r gair Saesneg sy'n y pennawd beri i rai gasglu mai cainc Seisnig sydd yma. Doethach arafu, fodd bynnag, gan na welwyd hyd yma alaw Seisnig yn dwyn yr enw hwn. Eithr mwy perthnasol na hynny yw'r ffaith mai testun y gerdd a gysylltir â hi yw 'Ymgomio rhwng y Claf ar Darfodedigaeth neu'r Consumption', un o gerddi Huw Morys, ac fe argraffwyd honno gyntaf yn CDD. Y tebyg yw fod y geiriau hyn ynghlwm wrth yr alaw ers yr ail ganrif ar bymtheg a dyna beth sail, o leiaf, dros inni ei hystyried yma fel cân lafar.

Yn dilyn arni yn syth, ond heb eiriau cysylltiedig, ceir amrywiad o dan yr un pennawd, un a gasglwyd gan ŵr a'i geilw ei hun 'Jehu', o Bowys. Awgryma Daniel Huws mai Timothy Jehu ydoedd, athro ysgol ym Meifod. Cyfrannodd yntau wyth eitem i'r casgliad ond ni ellir mentro honni bod y geiriau a gysylltir â'r saith gainc sy'n weddill yn wreiddiol glwm wrthynt. Gwir i J. Lloyd Williams ddarganfod yn ddiweddarach eiriau sy'n cydfynd i'r dim ag un o'r ceinciau hynny, sef honno sy'n dwyn y pennawd 'Neithiwr a Echnos'[46] ond pennill o gerdd gan Jonathan Hughes yn diolch am gyfrwy i dri uchelwr o Langollen yw'r un a gysylltwyd â hi gan Ifor Ceri. Efallai, yn wir, mai ceinciau yn unig a anfonwyd gan Jehu i Ifor Ceri.

Ymysg y ceinciau Carolau Mai sydd yn y casgliad (ac y mae cryn chwech ohonynt yn geinciau gwahanol) mae honno a anfonwyd gan John Howell, dan y pennawd 'Caingc Llanfihangel Ystrad' yn haeddu sylw oherwydd fe'i disgrifir hi fel un ar fesur 'Mwynen Mai ddwbl'. Fel rheol, cyfeiria'r ymadrodd 'Mwynen Mai' at y math ar gân a genid o gwmpas Calanmai gan lanciau a grwydrai eu broydd er mwyn dymuno'n dda i deuluoedd gweddol gefnog. Carolau moesol eu naws oeddynt (ac eithrio y caneuon 'Cadi Ha') yn croesawu dyfodiad yr haf, yn canmol Duw am ei fawr haelioni tuag at ddynion, yn erfyn ei fendith ar gyfer y dyfodol ac yn galw ar ddynion i edifarhau. Eithr nid geiriau felly a gawn yn y cyd-destun presennol. I'r gwrthwyneb. Cerdd a luniwyd gan John Evans o Lanfihangel Ystrad, Ceredigion, a geir, gyda'r pennawd 'Cyffes ac achwyniad mab ieuanc, a siomwyd mewn carwriaeth', a'r tebyg yw mai ei phoblogrwydd yn y rhan honno o'r wlad sy'n cyfrif am ei henw. Sut bynnag am hynny, cyhoeddodd John Howell y gerdd yn gyflawn yn ei gyfrol yn ddiweddarach. Eithr y peth tebycaf yw fod i'r gainc eiriau cynharach ar batrwm arferol y Carolau Mai ac mai dyna sy'n esbonio'r disgrifiad o'r mesur prydyddol fel 'mesur Mwynen Mai ddwbl'.

A bwrw mai dyna'r gwir dyma'r unig enghraifft arall y gwn i amdani o gainc ddwbl ar gyfer canu carol haf; hynny yw, yn ychwanegol at yr esiampl bosibl y sylwyd arni wrth drafod Iolo. Mesur arferol 'Mwynen Mai' neu 'Llafar Haf' yw pennill wyth llinell 7776D a'r tebyg yw, fel y sylwyd yn gynharach, y byddid ar brydiau, o leiaf, yn canu'r penillion bob yn eilwers gan ddau berson neu ddau barti, gyda phawb yn ymuno mewn cytgan rhwng pob dau bennill. Gan amlaf, mae'n siŵr, yr un alaw a ddefnyddid ar gyfer pob pennill ond nid dyna'r ffurf ar ganu a amlygir yn yr achos arbennig hwn. Gan ei bod yn alaw anghyffredin, a heb ei chyhoeddi yn unman, hyd y gwn, haedda ei nodi yma, gyda chynnwys dau bennill a byrdwn (defnyddiwyd y cyntaf yn gynharach) o garol haf gan Huw Morys: 'Mai-Gân yn amser Rhyfel, rhwng y brenin Wiliam o Loegr a Lewis o Ffrainc'.[47] Awgrymaf, gyda llaw, mai ailadrodd rhan olaf y gainc a wneid ar gyfer canu'r byrdwn:

'Caingc Llanfihangel Ystrad'

Fel un o ganeuon Morgannwg y disgrifia John Howell 'Y Gofid Glas' a cheir amrywiad ar yr alaw yn *Y Caniedydd Cymreig* (1845) gan John Thomas (Ieuan Ddu). Mwy arwyddocaol na hyn yw mai geiriau gan James Turberville (Siemsyn Twrbil) a gysylltir yma â'r alaw, a diamau mai dyna'r union rai a anfonwyd ymlaen at Ifor Ceri.

Eithr y cyfraniad mwyaf arbennig, a mwyaf dyrys hefyd, a gafwyd gan John Howell oedd y gân a welir o dan y pennawd 'Cudyn Gwyn Ffrainc'. Cyfieithiad o'r enw Saesneg 'Whitelocke's Coranto' yw hwn, o bosibl; un y gallai Dafydd Jones o Drefriw fod yn gyfrifol amdano. Cyfansoddwyd alaw o'r un enw gan Bulstrode Whitelocke yn 1633 a gwelir ffurf arni yng nghyfrol Charles Burney *A General History of Music* (1782). Ceir o leiaf bum ffurf arni yng Nghymru, dwy yn gyhoeddedig a thair mewn llawysgrifau. Ond, ac ystyried yn benodol rŵan y gân a anfonwyd gan John Howell, yr hyn a ddaw'n amlwg ar unwaith i unrhyw berson sy'n gyfarwydd â chanu gyda'r tannau yw ei bod fel pe'n perthyn yn bendant i'r math hwnnw ar ganu. Cyfalaw yw, ond ei bod yn ddiangor fel petai.[48] A dyma ddechreuad gofidiau oherwydd y mae yr un mor amlwg na ellir ei 'gosod' ar unrhyw un o amrywiadau 'Cudyn Gwyn Ffrainc'. Yn un peth, mae pob un o'r rheiny mewn curiad o dri tra mae'r gyfalaw hon mewn curiad o bedwar. Eithr pwysicach na hynny yw'r ffaith nad yw'n asio o gwbl â'r gerddoriaeth hyd yn oed pan aildrefnir honno i seinio ar bedwar curiad. Y casgliad boddhaol tebycaf yw fod cân John Howell yn osodiad ar alaw arall wahanol i'r un a adwaenwn ni fel 'Cudyn Gwyn Ffrainc'. Ond sut y daethpwyd i alw'r alaw honno gyda'r enw hwn a phwy a fu'n gyfrifol am hynny? Ai John Howell ei hun ynteu Ifor Ceri? Ynteu tybed a ddylid gosod y peth wrth ddrws Dafydd Jones o Drefriw? Fe gyhoeddodd ef yn B-GC, dan y pennawd 'Cwŷn un wrth ei Gariad', yr union eiriau a geir gan John Howell ac ychwanegu amdanynt eu bod i'w canu 'ar fesur a elwir "Cudun-wynn Ffranc"'. Ar hyn o bryd mae'r cyfan yn ddirgelwch. Yr unig beth y gellir bod yn siŵr yn ei gylch yw fod enghreifftiau ar gael o gamenwi ceinciau ac efallai i hynny ddigwydd yn yr achos hwn.

Derbyniodd Ifor Ceri chwe chyfraniad oddi wrth yr athro cerddorol crwydrol hwnnw o Langrannog, Dafydd Siencyn Morgan, a haedda dau ohonynt sylw byr yma. 'Y Frwynen lâs' yw testun un gân ond mae'n amlwg mai enw ar gainc yw hwnnw ac nad oes gysylltiad rhyngddo o gwbl a'r pennill a geir o dan y gerddoriaeth: pennill cyntaf 'Cân am y Gwrthryfel 1745' sydd yno. Eithr mae i'r gainc le anrhydeddus fel emyn-dôn gyda pherthynas amlwg rhyngddi a 'Gwalia' a 'Moriah'[49] a gwyddai Ifor Ceri yn burion am y cyd-destun arbennig hwnnw, fel y dengys ei droednodyn:

> This Welsh Air was the origin of the Admired Tune called in this collection [sef M-s] "Aberteifi"; and sometimes in English Collections "Love Divine".

Camgymeriad ar ei ran, fodd bynnag, oedd cysylltu'r pennawd 'Y Frwynen lâs' â'r pennawd 'Hud y Frwynen', fel y gwnaeth yn P-S. Nid oes berthynas deuluol rhwng y ddwy gainc.

'Dydd llun y boreu' yw pennawd yr ail gân o gyfraniad Dafydd Siencyn Morgan ac y mae'n eglur yma eto mai enw ar gainc ydyw (pennill cyntaf 'Cân o anerchiad i Ferch Ieuangc' yw'r geiriau) gydag awgrym pellach mai Seisnig yw o ran ei tharddiad. Dyna, yn ddiamau, pam y cynhwysodd Ifor Ceri y geiriau 'Monday Morning' mewn cromfachau ar frig y ddalen. Beth bynnag yw'r gwir ynglŷn â hynny mae'n amlwg fod y gainc yn perthyn i'r traddodiad llafar oherwydd i J. Lloyd Williams glywed David Evans, Fourcrosses, ger Pwllheli, yn canu pennill ar amrywiad ohoni. Cyhoeddodd y gân yn ddiweddarach[50] dan y pennawd 'Cân Ifan Brydydd Lleyn' gyda dweud nad oedd, hyd at hynny, wedi llwyddo i ddarganfod gweddill y penillion. Bellach, gwyddys mai'r prydydd dan sylw oedd Evan Pritchard ('Ieuan Lleyn', 1769–1832) ac y mae'r gerdd ar gael, 'Cân i ofyn ffon', yn *Caniadau Ieuan Lleyn* (1878).

Derbyniodd Ifor Ceri amrywiad ar 'Ffanni Blodau'r Ffair' oddi wrth Gwili Glancynon, y cyfeirir ato mewn man arall fel Richard Williams, Glyn Cynon; a dichon y caniatâ hyn inni ei uniaethu ymhellach fel y datganwr a'r prydydd a'i galwai ei hun ar brydiau yn 'Dryw Bach'. Honnir mewn troednodyn i'r geiriau gael eu cyfansoddi gan Josiah Rees, Gelli-gron, ond amrywiad amlwg ar bennill cyntaf cerdd Dafydd Niclas ydynt, sef cyfieithiad neu addasiad gan y bardd hwnnw o'r gân Seisnig 'Fanny Blooming Fair'.[51] Perthyn yr alaw yn ddiamheuol i gainc 'Annerch i'r Derin du' y sylwyd arni'n gynharach, a gall y ddwy yn eu tro arddel perthynas â'r fersiwn o 'Ffanni Blodau'r Ffair' a gasglwyd yn ddiweddarach gan Maria Jane Williams, ond bod ei chofnod hi ohoni gryn dipyn yn fwy addurnedig. Anfonodd Richard Williams ddwy gân arall yn ogystal, sef un ar gainc tri thrawiad[52] ac un arall dan bennawd o eiddo'r casglwr ei hun, 'Caingc Glyn Cynon'[53] sy'n perthyn i deulu alawol 'Mwynen Merch', a ddadansoddwyd mor feistrolgar gan J. Lloyd Williams. Ymddengys yn debygol fod geiriau'r ddwy, fel y ceinciau eu hunain, yn fyw ar lafar gwlad ar y pryd.

Nodwyd yn gynharach fod Ifor Ceri yn gyfeillgar â theulu Thomas Richards, Ficer Darowen, a diamau mai o'u cartref nhw y cafodd y deunaw eitem sydd ag enw'r plwyf hwnnw ynghlwm wrthynt, ar wahân i'r ddau eithriad a gysylltir yn neilltuol â 'Mr. Mathews'. Cainc heb eiriau arni yw un ohonynt, amrywiad ar 'Ffarwel Ned Puw', ond daw geiriau'r gweddill yn ddieithriad naill ai o lyfrau printiedig neu yn uniongyrchol oddi wrth gyfaill eglwysig arall, Gwallter Mechain.

Mae wyth eitem ag enw Edward Jones wedi eu cyplysu â nhw ac annhebygol iawn yw i Ficer Ceri dderbyn geiriau o'r ffynhonnell arbennig honno. O gymharu'r ceinciau fel y gwelir nhw'n argraffedig yng nghyhoeddiadau Bardd y Brenin ac fel y'u ceir yn y llawysgrifau daw'n amlwg nad o'r cyhoeddiadau y codwyd nhw. Daethant iddo, bid siŵr, oddi wrth y cerddor ei hun a lle bu cynganeddu arnynt diamau mai i Edward Jones y dylid priodoli hynny. Dyna dystiolaeth y gymhariaeth, serch bod y gyfatebiaeth ar brydiau yn weddol lac.

Ceir y llythrennau 'J.J.' ynghlwm wrth 36 o eitemau yn M-s: John Jenkins ei hun, wrth gwrs. Gellir bod yn eithaf siŵr ei fod yn gyfrifol am lawer yn rhagor ond mae hyd yn oed y rhif hwn yn un pur sylweddol. Sylwn ar rai ohonynt.

Pan gofnododd 'Dwy Rôs gochion' y tro cyntaf yn M-G ni chysylltodd eiriau â'r gainc ond yn nes ymlaen yn M-s rhoes bennill o gerdd gan Gwilym Morganwg arni, 'Ymddiddan rhwng Mab a Merch Ieuangc'. Perthyn yn ddigamsyniol i'r traddodiad llafar. Dangosodd Phyllis Kinney fod y gainc yn aelod o deulu sy'n tarddu o alaw Wyddelig, hwnnw'n cynnwys o leiaf 21 o aelodau Cymreig, ac yn berthynas agos i'r gân, adnabyddus iawn bellach, a gasglwyd gan Maria Jane Williams, 'Y Fwyalchen'.[54] Gan nad yw wedi ei chyhoeddi hyd yma cyflwynir hi fel y'i gwelir yn M-s:

'Dwy Rôs Gochion'

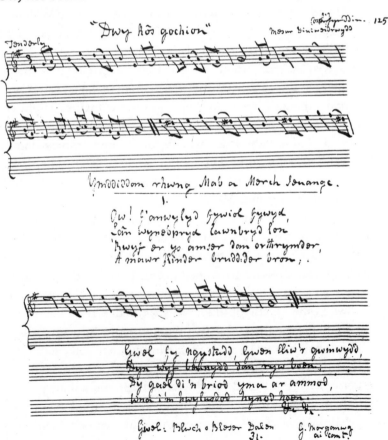

Mewn troednodyn i 'Gwegil y Fwyall' mynn Ifor Ceri fod peth tebygrwydd rhwng y gainc Ddeheuol hon a'r un a adwaenid yn y Gogledd fel 'Cil y Fwyalch' neu, yn ôl Edward Jones, 'Cur y Fwyalch' (enghraifft burion o'r cymysgu ar deitlau cainc sydd mor gyffredin yn hanes y canu carolaidd). Roedd yn llygad ei le, yn enwedig o gymharu rhannau agoriadol y ceinciau hyn, ond nid y berthynas alawol hon sy'n bwysig i ni yma. Yn hytrach, yr hyn sy'n dra diddorol yw'r gyfatebiaeth geiriau sydd rhwng fersiwn Ifor Ceri a chân a gofnodwyd gan y Fonesig Herbert Lewis o ganu henwr dall ym Mhencader ac a enwyd ganddi, 'Cwn Hela'.[55] Ceir dau bennill gan Ifor Ceri ac fe'u codwyd o gerdd gan Nathaniel Siencin, 'Cerdd Cwn y Cryngae'. Canai'r henwr dall dri phennill, gyda'r cyntaf yn cyfateb bron air am air i bennill cyntaf Nathaniel a'r ddau arall yn amlwg yn perthyn i'r un gerdd, serch eu bod yn anghysylltiol, fel sy'n digwydd yn aml mewn canu gwerin. Mae i'r ddwy gân hefyd fath ar fyrdwn ond ar wahân i'r gyfatebiaeth ffurfiol hon nid oes berthynas alawol. Eithr y peth i afael arno yw fod cerdd Nathaniel wedi goroesi yn y traddodiad llafar dros gyfnod mor sylweddol, a diamau y medrir ystyried fersiwn Ifor Ceri yn garreg filltir ar ei thaith.

Daw'r geiriau ar gyfer y gân 'Bechgyn Sir Aberteifi' o gerdd yn dwyn yr enw 'Ymroad y Meddwyn' ac y mae'r gwrthdaro rhwng y ddau bennawd yn taro dyn ar unwaith. Nid yw gwrthdaro o'r fath yn anghyffredin yn llawysgrifau Ifor Ceri. Er enghraifft, lle gelwir un gân yn 'Merched Glan Teifi' enw'r gerdd yw 'Can o gwynfan Mab ieuanc pan ydoedd yn gorfod ymadael ai anwylyd' ac mewn man arall cysylltir geiriau difrifddwys gan Huw Jones o Langwm â'r gainc 'Hoffedd Merched Glan Tywi'. Mewn achos arall eto 'Cyffes y Meddwyn' yw'r gerdd a roddir ar gyfer 'Mwynen Lan Gwili'. Hyn sy'n peri inni feddwl mai geiriau eraill a glywyd yn wreiddiol gan gasglwyr y caneuon hyn, Ifor Ceri yn eu plith, a hyn hefyd sy'n ein tueddu i gredu mewn rhai achosion mai caneuon llafar ydynt yn y bôn. Eithr y mae i gainc 'Bechgyn Sir Aberteifi' ddiddordeb pellach pan eir ati i ystyried ei modd cerddorol.[56] Cofier imi bwysleisio ar gychwyn y drafodaeth hon ar gasgliad Ifor Ceri ei fod, wrth gofnodi'r alawon, yn eu gosod naill ai yn y modd mwyaf neu'r modd lleiaf a'i fod ar brydiau, felly, mewn perygl o newid peth ar eu cymeriad. Yn yr achos hwn aiff o'i ffordd i osgoi'r fath berygl trwy leihau un nodyn, gan arwyddo hynny'n eglur, ond pe gwyddai am yr hen foddau byddai wedi sylweddoli mai cainc yn y modd soh oedd wrth law iddo (ar wahân i'r frawddeg gerddorol olaf). Aeth ef ati, yn hytrach, i'w chofnodi yn F fwyaf.

Dywed am eiriau 'Sali Blodau'r Fro' eu bod yn gyfieithiad gan brydydd anadnabyddus o 'No nymphs that tread the verdant plain' a'u bod ar gael ganddo mewn rhyw 'M.S.' neu'i gilydd. Hawdd y gellir derbyn hyn gan fod yr alaw yn swnio'n Eingl-Wyddelig ond, ar yr un pryd, mae'r un mor hawdd credu iddo glywed y geiriau Cymraeg yn cael eu canu arni, yn rhywle yng Ngheredigion i bob golwg. Yn yr un sir hefyd y cododd 'Gweddus yw'r Gwedd-dod lle bo' ac y mae'r ffaith mai dyna linell glo y pennill yn clymu'r geiriau wrth y gainc yn bendant ddigon.

Pennill cyntaf cerdd ddychan Huw Morys, 'Marwnad Gwyr Olifer, yn y fl. 1660' sydd ynghlwm wrth y gân a enwir 'Y Crwtyn llwyd' ac ymddengys y gallai fod gwrthdaro yma eto rhwng cainc a cherdd fel y gellid tybio nad geiriau Huw Morus oedd y rhai y clywyd eu canu'n wreiddiol gan Ifor Ceri. Yn wir, sgrifennodd y geiriau hyn tua brig y dudalen: 'Y llaw Bwt o Henllan' ac efallai fod a wnelo'r ymadrodd rhyfedd hwnnw rywbeth â'r geiriau a ganwyd yn wreiddiol (am ei werth, dyry *Geiriadur Prifysgol Cymru* 'left-handed' am 'llaw bwt'). Eithr nid yw'n dilyn na chanwyd cerdd Huw Morys ar y gainc rywbryd. Cynnwys un pennill o'r gerdd y llinellau canlynol:

A'r cleddyf llym, mewn grym a gras,
Curo'i feistr a allai'r gwas,
A chym'ryd meddiant yn ei blas,
Yn ddigon bras ei breseb;
Ond bellach mae a'i ddwylaw 'mhleth
Heb gael derbyn dim o'r dreth,
Yn llwyd ei bryd, a'i fyd ar feth,
Yn wanach beth ei wyneb!

Derbynier awgrymiadau'r geiriau 'gwas' a 'llwyd' gyda'i gilydd ac ond odid na cheid 'Y Crwtyn llwyd' yn enw hwylus ar y gân gyfan. A bwrw bod hyn yn dderbyniol rhoddai hynny enghraifft arall inni o gân ar eiriau gan Huw Morys a allai fod wedi goroesi o'r ail ganrif ar bymtheg.

Bellach, ystyriwn yr alaw. Ym mhennill cyntaf y gerdd cawn y cwpled hwn:

> O waith eurgledd arglwydd Mwnc,
> Mi a ymrois i ganu Barna Bwnc,...

Y tebyg yw mai llygriad o 'Marwnad Mwnc' yw 'Barna Bwnc' (cymharer â 'Barnad/Marwnad yr Heliwr') a'r Mwnc dan sylw oedd y cadfridog hyblyg ei egwyddorion hwnnw, George Monk, a wasanaethodd, yn eu tro, Siarl I, Cromwell a Siarl II. Eithr beth a olygai Huw Morys wrth ddweud iddo ymroi 'i ganu Barna Bwnc'? Ai canu ar gainc o'r enw hwnnw a wnaeth?

Hyd y gwyddys nid oes ar gael gainc Seisnig o'r cyfnod yn dwyn enw megis 'Monk's Elegy/Lament' ond y mae dwy gainc Gymreig o'r enw 'Barna Bwnc' wedi goroesi, y naill mewn llawysgrif o'r ddeunawfed ganrif a'r llall yng nghyfrol Nicholas Bennett o'r ganrif ddilynol.[57] Perthyn y ddwy i'w gilydd ac y mae lle i gredu iddynt darddu o alaw Seisnig a adwaenir fel 'Stingo or Oil of Barley, or Cold and Raw'. Tybed a ddefnyddiwyd ffurf ar honno i ganu marwnad i'r Cadfridog Monk ac iddi gael ei hadwaen yng Nghymru, ymhen amser, fel 'Barna Bwnc'? Beth bynnag am hynny, mae'n amlwg fod Huw Morys yn gyfarwydd â'r enw ond nid yw'n dilyn mai ar gyfer y gainc benodol honno (a rhagdybio ei bodolaeth) y lluniodd ei gerdd ddychan i 'wyr Olifer'. Dichon mai'r allwedd i'r dryswch yw'r ffaith y gellir canu ei gerdd ar unrhyw un o'r tair cainc uchod (fel y gellid hefyd ar gainc arall a anfonwyd at Ifor Ceri, 'Mwynen Lan Gwili') a'r casgliad diogelaf i ddod iddo felly yw mai ymroi a wnaeth y prydydd o Ddyffryn Ceiriog i ganu ar fydr barddonol 'Barna Bwnc'. Yn y cyfamser, sylwer yn arbennig nad oes perthynas gerddorol arwyddocaol o unrhyw fath rhwng cainc 'Y Crwtyn llwyd' a'r ffurfiau o 'Barna Bwnc' a grybwyllwyd. Saif cainc Ifor Ceri ar ei phen ei hun a haedda gyhoeddusrwydd:

'Y Crwtyn llwyd'

Gellir derbyn y gân a elwir 'Limbo' (enw'r alaw) neu 'Rhan y Hen Ferched' (pennawd y gerdd) yn ogystal â fersiwn Ceredigion o 'Nos galan' fel caneuon llafar, a dyna a wnaeth J. Lloyd Williams[58] ond amheuaf yn fawr fy hun mai geiriau Huw Morys, 'Cyffes y Gof Du', a glywodd Ifor Ceri yn cael eu canu ar gainc 'Difyrrwch

Gwyr Emlyn'; fe'i cyhoeddwyd, hithau, yn yr un rhifyn o CIII. Go brin y byddai'r bardd hwnnw wedi canu dau bennill gwahanedig ar un gainc. Ei arfer ef, yn hytrach, oedd ymestyn cainc trwy ailadrodd rhan ohoni ar gyfer un pennill cyfan: cymhlethu ac nid symleiddio. Yn wir, mae'n ddigon tebyg na chlywodd Ifor Ceri eiriau o unrhyw fath yn cael eu canu ar 'Difyrrwch Gwyr Emlyn', na 'Difyrrwch Gwyr Dyfi' o ran hynny, gan fod naws alawon dawns Gwyddelig iddynt a gallai dawns fod mor ddifyr i wŷr y parthau hynny â chân!

Ni chredaf iddo glywed geiriau, chwaith, yn achos y gân a elwir ganddo yn 'Philomela' ac y mae hon yn enghraifft gyda'r orau y gellid ei defnyddio i ddangos sut yr âi ati yn gyffredinol i ymdrin â llawer o'r deunydd a ddeuai i law. Ef, mi dybiwn, biau'r teitl 'Philomela' a daeth ar draws y gair yn llinell gyntaf cerdd a welodd yn *Cerddlyfr* Ffoulke Owen (1686) neu yn CDD, cerdd foesol, ddifrifol ryfeddol gan Siôn Llwyd. Egyr ei phennill cyntaf gyda'r cwpled telynegol:

> Pan oedd y Philomela fain,
> Yn cwafrio yn pyngcio ar y Drain,...

Eir ymlaen yn alegorïaidd i sôn am galon dyn fel castell yn cael ei amddiffyn gan ffydd, gobaith a chariad rhag ymosodiadau diafol, cnawd a byd. Awgrymaf i Ifor Ceri sylwi bod y pennill cyfan yn mynd yn hwylus ar yr alaw a gododd rywle yn 'Deheubarth', a dyna'i bedyddio â'r enw clasurol am yr eos. Eithr fe'i galwodd hefyd yn 'William a Susan' ac efallai mai hwn oedd yr enw a gafodd arni pan glywodd hi am y tro cyntaf ond na wyddai nac yntau, na'i ffynhonnell, am unrhyw gerdd yn dwyn y teitl hwn. Y gwir yw, fodd bynnag, fod un ar gael erbyn hyn yng nghasgliad baledi y Llyfrgell Genedlaethol a gellir ei chanu'n rhwydd ar y gainc dan sylw yma. Yn wir, fe oroesodd alaw o'r enw 'Susan a William'[59] ac fe'i cyhoeddwyd gan J. Lloyd Williams yn C er mwyn ei chymharu â 'Philomela'.[60] Mae'r berthynas rhyngddynt yn gwbl amlwg.

Bellach, rhaid dirwyn i ben y gwaith o ymdrin yn gyffredinol
â chyfraniad Ifor Ceri i'n canu gwerin. Yn ystod yr ymdriniaeth
dewiswyd canoli sylw ar y caneuon ond heb lwyr anwybyddu'r
ceinciau hynny nad oes eiriau gwreiddiol ynghlwm wrthynt.
Tebyg i ugeiniau lawer o'r rheiny ddod i'w ran ac iddo yntau
wedyn ddethol cerddi ar eu cyfer o lyfrau print ei lyfrgell. Eithr
cofnododd nifer o alawon heb fod iddynt gysylltiad o gwbl â
geiriau ac mewn unrhyw ymdriniaeth lawn ar ei waith byddai'n
rhaid talu sylw manwl iddynt hwythau, gan fod ceinciau a
chaneuon fel ei gilydd yn medru bod yn rhan o'r traddodiad llafar,
ond rhaid cwtogi ar y drafodaeth yn y fan yma gan obeithio bod
digon wedi ei wneud i ddangos pa mor sylweddol oedd cyfraniad
Ifor Ceri yn ei ddydd.

*   *   *

Yn Eisteddfod Daleithiol Cymdeithas Cymmrodorion Powys a
gynhaliwyd yn y Trallwng yn 1824 cynigiwyd gwobr am 'The best
Collection of Old Welsh Tunes' gyda'r amod nad oeddynt wedi
eu cyhoeddi o'r blaen. Ifor Ceri oedd noddwr y gystadleuaeth a'i
beirniad, a dyma'r tro cyntaf i'r eisteddfod yng Nghymru gael
ei defnyddio er mwyn hyrwyddo casglu ceinciau a chaneuon
traddodiadol. Dau gystadleuydd a ddaeth i'r maes sef Aneurin
Owen o Nantglyn, mab William Owen Pughe, a John Gwynne,
Gwastadgoed, Darowen.

O safbwynt hanesydd ceinciau traddodiadol mae'r ddau
gasgliad, y naill yn cynnwys 105 a'r llall 103 o eitemau, yn
bwysig a byddai'n rhaid talu sylw gofalus iddynt wrth geisio
dilyn trywydd y ceinciau hynny i'w hamryfal ffynonellau, eu
dadansoddi a chymharu eu perthynas â'i gilydd, ond tenau yw'r
cynhaeaf i'r sawl sydd â'i lygaid yn bennaf ar gorff y caneuon
llafar. Yn wir, nid oes cymaint ag un gainc a gysylltwyd â geiriau
yma nac ychwaith nodiadau cefndir o unrhyw fath.

Aneurin Owen a wobrwywyd, a hynny'n ddigon teilwng,
oherwydd bod ei gasgliad ef yn cynnwys nifer fawr o geinciau

oedd yn newydd i gasglwyr y cyfnod ac sydd, hyd heddiw, yn rhwym o ddeffro chwilfrydedd ein haneswyr cerdd a chynnig her iddynt. Dim ond tair cainc sy'n rhan o ganeuon llafar cyhoeddedig a welais yn y casgliad, sef amrywiadau ar 'Distyll y Don' ('Tarawiad y graig'), 'Hob y deri dando' ('Sian vwyn'), a 'Mel wevus'.

Beirniadwyd John Gwynne, neu 'Philomusus' yn ôl ei ffugenw, ar gyfrif ei 'inaccurancy of notation, and many of the tunes being already published'. Gyda bod yn rhyddfrydig mae saith o geinciau cysylltiedig â chaneuon llafar yn ei gasgliad ef, yn cynnwys 'Dydd Llun y Bore', 'Yr Hen Wr o'r Coed', 'Mel Wefus', 'Neithiwr ac echnos', gyda thair arall sydd yn amlwg wedi eu codi o M-G Ifor Ceri. Sut y cafodd olwg ar y casgliad hwnnw? Yr ateb tebycaf yw iddo ei weld rywbryd yn ei ardal ei hun. Cofier i'r llawysgrif honno fod ym meddiant Mair Richards yn 1820 ac yr oedd hi a John Gwynne yn gyd-frodorion yn Narowen. Ond pam y mentrodd anfon tair cainc i'r union feirniad oedd wedi eu cofnodi yn wreiddiol? Gallai fod wedi anghofio o ble y cododd nhw neu efallai na wyddai pwy oedd awdur y llawysgrif dan sylw. Nid yw enw John Jenkins i'w gael ar na chlawr na thudalen ohoni. Beth bynnag y rheswm, erys y ffaith.

Ac ystyried ceinciau'r ddau gasgliad yn gyffredinol ni fyddwn ymhell o'm lle pe disgrifiwn y mwyafrif llethol ohonynt fel ceinciau telynorion, gyda'r dilyniannau, cordiau toredig ac addurniadau sydd mor nodweddiadol o'r rheiny. Dyma alawon a anelai at ddiddanu gwrandawyr, ysbrydoli dawnswyr a denu datgeiniaid i ganu penillion iddynt, alawon hefyd a godid ar glust gan lawer telynor a ffidler. Mae iddynt le arwyddocaol yn ein cerddoriaeth offerynnol draddodiadol ond nid y gyfrol hon yw'r lle i'w cloriannu.

NODIADAU

1. Daniel Huws, *Caneuon Llafar Gwlad ac Iolo a'i fath*: Darlith Goffa Amy Parry-Williams, Cymdeithas Alawon Gwerin Cymru, 1993.

2. LlGC 13221E, tt.92–3.

3. LlGC 13146A, tt.421–36

4. C III, 180.

5. Ibid, 78.

6. C IV, 19.

7. G. J. Williams, *Traddodiad Llenyddol Morgannwg* (Caerdydd, 1948), t.296.

8. BBCS II, 148; 150; 153.

9. G. J. Williams, *Iolo Morganwg* (Caerdydd, 1956), t.43.

10. LlGC IAW 145, 7.

11. LlGC 21421E, t.4.

12. Ceir yr un peth yn 'Triban y Gadlas Morganwg'.

13. 'Vocal and Instrumental Interaction in earlier "Canu Penillion"', Phyllis Kinney, CG 7/1984, 31–3.

14. LLGC 13174A.

15. LlGC IAW 145, 10.

16. LlGC 13146A, t.173, C.V, 180.

17. LlGC 13089, t.419

18. G. J.Williams, *Iolo Morganwg*, tt.45–6.

19. *Llên Cymru*, cyf III, rhifyn 1 (1954) tt.50–2.

20. LlGC IAW 145, 1.

21. John Parry, *Antient British Music*, 1742; Llawysgrif Maurice Edwards, Bangor Ms 2294; Edward Jones, *The Bardic Museum*,1802.

22. T. H. Parry-Williams, (gol.), *Llawysgrif Richard Morris o Gerddi* (Caerdydd, 1931), t.9. Am gerdd serch ar y mesur gweler T.H. Parry-Williams, *Canu Rhydd Cynnar* (Caerdydd, 1932), rhif 6.

23. LlGC IAW: dalennau rhydd rhwymedig mewn papur: 'Music put up by Iolo – 1816 few loose pieces music included of Iolo's').

24. LlGC IAW 145, 10.

25. Er enghraifft, gw. C III, 61–8.

26. G. J. Williams, *Iolo Morganwg*, t.58.

27. LlGC IAW 145, 15.
28. LlGC IAW – fel yn ôl-nodyn 23 uchod).
29. Trafodais y cyfan ohonynt, hyd y gallwn farnu ar y pryd, mewn darlith a gyhoeddwyd yn ddiweddarach yn CG 8/1985. Ceir dadansoddiad llawer manylach yno nag yr amcenir ato yma.
30. Ibid. t.18.
31. 'Melus-Seiniau Cymru', (CG 8/1985) a 'Melus-Seiniau Cymru – Atodiadau' (CG 9/1986). Cynnwys yr olaf fynegai o deitlau'r alawon a'r caneuon a geir ym mhrif lawysgrifau Ifor Ceri gyda chofnod o'u lleoliad ynddynt. Bydd o gymorth mawr i ymchwilydd chwilfrydig – ac i gyfeiriadaeth y bennod hon.
32. C II, 226.
33. C III, 44.
34. C II, 281–2.
35. LlGC 1882B, tt.8–9.
36. Sylwer na fyddir yn ystyried, yn y drafodaeth ddilynol, y rhan gyntaf o M-s sy'n cynnwys casgliad o emyn-donau.
37. Er enghraifft gw. LlGC 1936B.
38. Gw. C III, 179.
39. Ibid. 131.
40. Ibid. 178 ac 182.
41. C II, 227.
42. Cyhoeddwyd yn Phyllis Kinney a Meredydd Evans, *Canu'r Cymry, II* (Argraffdy Arfon), 1987, t.11.
43. C I, 143 ac 145.
44. A gw. C. III, 129.
45. Ibid. III, 184.
46. Ibid. III, 186.
47. *Eos Ceiriog, sef casgliad o Bêr Ganiadau Huw Morus; ... o Gynnulliad a diwygiad W.D.* (Wrecsam, 1823), cyf. II, 161–4. Cofnododd J. Lloyd Williams bennill cyntaf y gerdd o ganu Robert Evans, bugail o Sir Drefaldwyn, yng Ngarndolbenmaen tuag 1890 ond ar alaw wahanol. Mae'r alaw honno, yn ei thro, i'w chael yng nghasgliad Ifor Ceri o dan y pennawd 'Gwiliwch a Gweddiwch' ac fe'i cyhoeddwyd yn C III, 62 gyda mân amrywiadau.

48. Cymh. C IV, 44–5.

49. *Llyfr Emynau a Thonau* (1929), rhifau 173 a 250.

50. C III, 34.

51. Gw. sylwadau Daniel Huws ar y gân honno yn *Ancient National Airs of Gwent and Morganwg: Ffacsimile o argraffiad 1884* (Argraffwyd yn Llyfrgell Genedlaethol Cymru,1988), tt.[17]–[18] yng nghefn y gyfrol.

52. C III, 185.

53. C II, 100.

54. 'An Irish/Welsh Tune Family' : 'Teulu o Alawon Gwyddelig/ Cymreig' yn *Hanes Cerddoriaeth Cymru / Welsh Music History, 1*, (Caerdydd, 1996).

55. *Second Collection of Welsh Folk-Songs* (Caerdydd, 1934).

56. Perthynas i'r alaw hon yw 'Y Deryn Du Pigfelyn' yn ANAGM.

57. LlGC JLlW AH1/36 ac *Alawon fy Ngwlad*.

58. C III, 177 ('Yr Hen Ferched') a 181.

59. AfNg. I, 60

60. C III, 81–3.

2

YR AIL DO O GASGLWYR

YM MIS TACHWEDD, 1833, sefydlwyd Cymdeithas Cymreigyddion y Fenni ac o fewn dim aeth ei swyddogion ati i drefnu eisteddfod flynyddol. Erbyn 1837 roedd yr eisteddfod honno mewn cyflwr graenus gyda bonedd yn ei noddi a gwreng yn ei chefnogi wrth y degau a'r cannoedd. Un o'r cystadlaethau a osodwyd ar gyfer rhaglen 1837 oedd *'For the best collection of original unpublished Welsh airs, with the words as sung by the peasantry of Wales'*. Y wraig a roes y wobr, sef tlws a dwy gini mewn arian, oedd yr Arglwyddes Coffin Greenly, Llys Titley, Sir Henffordd. Daliai ei theulu diroedd ym Mynwy, roedd yn gyfeillgar ag Arglwyddes Llanofer, neu Gwenynen Gwent (un o brif noddwyr yr eisteddfodau hyn) ac fel y wraig ryfeddol honno wedi dysgu'r Gymraeg. O'r un haen gymdeithasol y deuai'r enillydd, Maria Jane Williams, un o ferched teulu stad Aberpergwm yng Nglyn Nedd ac o gwmpas cnewyllyn y casgliad a anfonodd hi i'r gystadleuaeth y datblygodd, ymhen amser, y gyfrol gyntaf o ganeuon gwerin Cymraeg: *Ancient National Airs of Gwent and Morganwg*. Fe'i cyhoeddwyd yn 1844 gan William Rees, Llanymddyfri, yn llyfr cymen, deniadol ond ar gyfer cylch cyfyngedig o danysgrifwyr ac am bris a fuasai, sut bynnag, tu hwnt i gyrraedd poced mwyafrif enfawr Cymry'r cyfnod.

Bu'n gyfrol anodd cael gafael arni ar hyd y blynyddoedd ond yn 1988 cyhoeddwyd ffacsimili ohoni gan Gymdeithas Alawon

Gwerin Cymru (gydag argraffiad pellach yn 1994) dan olygiaeth Daniel Huws. Cynnwys hwnnw ragymadrodd goleuedig a nodiadau cynhwysfawr ar bob cân yn y casgliad. Mae'r cyfan yn feistrolgar a chyrchu dŵr dros afon a fyddai i mi geisio bwrw iddi yn annibynnol i drafod y caneuon yn fanwl. Bodlonaf felly ar roi disgrifiad cyffredinol o gynnwys y gyfrol gan grynhoi hefyd ambell agwedd ar ymdriniaeth Daniel Huws ar yr un pryd. Yr hyn a wna'r doeth yw cyrchu'n union at lygad y ffynnon.

Cynnwys y gyfrol 43 o ganeuon traddodiadol a thynnwyd arni yn helaeth gan gyhoeddwyr diweddarach gyda'r canlyniad fod sawl un o'r caneuon hyn wedi dod yn eithriadol o boblogaidd, er enghraifft, 'Y Deryn Pur', 'Ŷ Bore Glas', 'Merch y Melinydd', 'Ffanni Blodau'r Ffair', 'Bugeila'r Gwenith Gwyn', 'Y Ferch o'r Scer', 'Pan o'wn i'n rhodio', 'Y Fwyalchen' a 'Clychau Aberdyfi'. Manteisiodd H. Brinley Richards, a Chymru gyfan, ar gyhoeddi pob un o'r rhain yn SW a chanwyd nhw mewn llu o gyngherddau ac eisteddfodau wedi ymddangosiad y gyfrol honno yn 1873. At hynny mae yn ANAGM sawl cân hyfryd arall yn ogystal â rhai sy'n ddiddorol yn rhinwedd eu cefndir cymdeithasol.

Caneuon serch yw cymaint â 29 ohonynt – tua deuparth o'r cyfan – tra bo'r 14 sy'n weddill yn codi o fyfyrdod ar fywyd, yn moli gwŷr a bro, un o bosibl yn alwad i frwydr, un arall yn gyfrwng diddanu plant ac eraill eto yn ganeuon ar gyfer rhai o wyliau'r flwyddyn. Ceir tair o'r rhai olaf hyn, dwy yn ganeuon gwasael cysylltiedig â defod y Fari Lwyd, defod yr oedd Maria Jane Williams ei hun yn gyfarwydd â hi. Ni wyddai am gysylltiadau defodol y drydedd gân, sef amrywiad ar 'Cyfri'r Geifr'; yn ôl y nodyn cefndir soniai amdani fel 'one of the early Welsh nursery songs'.

Er mor swta a chyffredinol yw'r mwyafrif o'r nodiadau cefndir nid oes lle i amau nad caneuon yn perthyn i draddodiad llafar ydynt. Serch hynny, dylid nodi fod o leiaf saith alaw heb fod â'u geiriau gwreiddiol ynghlwm wrthynt a dwy gyda geiriau wedi eu hychwanegu at y rhai gwreiddiol. Disgrifir cryn bymtheg ohonynt fel rhai a genid yn gyffredinol – mor boblogaidd fel na theimlai'r

casglwr fod angen nodi ffynhonnell unigol ar eu cyfer – eithr y
mae ffynonellau felly i'w cael ar gyfer tuag ugain yn ychwanegol,
heb enwi'r cantorion, ar wahân i Iolo Morganwg. Un gân yn unig,
fel y sylwa Daniel Huws, sy'n peri peth anesmwythyd a honno
yw 'Clychau Aberdyfi'. Eto, hyd yn oed yma, nid oes rheswm
dros amau iddi gael ei chodi ar lafar.

Mae rhai rhesymau dros gredu bod Maria Jane Williams wedi
golygu peth ar y gerddoriaeth a bod eraill o'i chynorthwywyr
llenyddol, megis Taliesin ab Iolo a Thegid (y cyntaf yn neilltuol
felly) wedi golygu llawer ar y geiriau. Yn y mater olaf hwn, y
person allweddol oedd Arglwyddes Llanofer (Gwenynen Gwent)
a rhaid cofio hynny wrth gloriannu gwaith merch Aberpergwm
fel casglwr caneuon traddodiadol. O'i rhan hi ei hun byddai'r
gyfrol wedi ei chyhoeddi naill ai fel casgliad o alawon yn unig neu
fel un gyda chyfieithiadau i'r Saesneg o'r gwreiddiol a'r rheiny yn
ddiamau wedi eu gloywi ar gyfer y dosbarth breintiedig. Mynnai
Gwenynen Gwent mai fel arall y dylai pethau fod a defnyddiodd
bob modd o fewn ei gallu i sicrhau mai caneuon Cymraeg a
gyhoeddid. Coron ei hymdrechion oedd troi at y Goron, fel y
dengys y dyfyniad canlynol o lythyr a anfonodd at Taliesin ab
Iolo ar 24 Mawrth 1840 ac a ddyfynnir yn ANAGM:

> Miss Wms induced me to take a good deal of pains to obtain
> the Queen's permission to dedicate a Vol. of her MSS. collection
> of Welsh melodies. I did so on *express promise* - Welsh words
> should be added, and her Majesty gave leave for Miss W.
> to dedicate Welsh airs *with Welsh words* to her, and sent a
> gracious message about her recollection of her Welsh subjects.

Gydag amod caniatâd mor ddigamsyniol nid oedd dewis arall yn
agored i'r 'Welsh subjects' ond plygu i'r drefn!

Dengys Daniel Huws nad yw'r dystiolaeth fod Maria Jane
Williams wedi golygu'r gerddoriaeth mor gadarn o gryn dipyn
ag ydyw yn achos y geiriau ond canlyniad ei ymdriniaeth o'r
mater yn y 'Rhagymadrodd' ac yn y 'Nodiadau Ar Y Caneuon',

yn arbennig, yw ein hargyhoeddi fod hynny wedi digwydd.

A throi at natur yr alawon eu hunain yr ystadegyn mwyaf trawiadol, o bosibl, yw nifer uchel y rhai sydd dros wythfed o ran eu rhychwant: mae cymaint â 36 ohonynt felly, gyda 22 o'r rheiny wedyn yn ymestyn o ddeg hyd at dri ar ddeg o nodau. O'u hystyried yn foddol ceir 29 yn y modd mwyaf, dwy yn y lleiaf, wyth yn y modd re, tair yn y modd lah ac un yn re/lah. Nid fel hyn, wrth gwrs, y byddai Maria Jane Williams ei hun wedi dadansoddi ei defnyddiau. Fel y gweddill o'i chyfoeswyr cerddorol fe'i cyflyrwyd i ystyried nad oedd ond dau fodd mewn bod, sef y mwyaf a'r lleiaf.

A bwrw golwg gyffredinol dros ei gwaith fel casglwr caneuon gwerin rhaid derbyn bod iddi gyfyngiadau pendant ond gyda chydnabod hynny'n barod ddigon rhaid hefyd talu teyrnged ddiffuant iddi am yr orchest a gyflawnodd. Hyd y dydd heddiw go brin bod unrhyw gasglwr unigol wedi llwyddo i gyhoeddi cyfrol mor gyfoethog a deniadol ei chynnwys cerddorol â hon.

*　　*　　*

Y gŵr a ddaeth yn ail i Maria Jane Williams yng nghystadleuaeth casgliad caneuon gwerin Eisteddfod y Fenni, 1837, oedd John Thomas (Ieuan Ddu) ac yn 1845 ymddangosodd casgliad o ganeuon wedi eu cynnull ganddo yn dwyn y pennawd *Y Caniedydd Cymreig: The Cambrian Minstrel*, a gyhoeddwyd ym Merthyr Tudful. Nid yw ei gyfraniad ef i fyd canu gwerin yn gyfwerth o gryn dipyn â chyfraniad y ferch o Aberpergwm ac adlewyrchir hynny yn y sylw helaeth a dalwyd iddi hi o gymharu â'r driniaeth arwynebol a gafodd ef. O ganlyniad, ni ellir bodloni yma, fel y gwnaed yn ei hachos hi, ar grynhoad byr o astudiaeth drylwyr gan ymchwilydd fel Daniel Huws a rhaid felly roi mwy o ofod iddo yn hyn o drafodaeth nag a roddwyd i Maria Jane Williams; gyda phwysleisio nad yw maint cymharol y gofod yn arwyddocáu ei fod yn bwysicach casglwr na hi. I'r gwrthwyneb. Serch hynny, haedda sylw trylwyrach nag a gafodd hyd yma gan ymchwilwyr canu llafar gwlad Cymru. Bellach, mae dwy erthygl hir arno gan Nigel Ruddock wedi eu cyhoeddi yn *Canu Gwerin* 30 (2007) a 31 (2008).

Fe'i ganwyd yn ffermdy Pibwr Lwyd, Caerfyrddin, yn 1795, yr un flwyddyn â'r ferch a enillodd y blaen arno yn Eisteddfod Y Fenni ac y mae'n amlwg iddo gael addysg dda, yn cynnwys peth hyfforddiant cerddorol ffurfiol. Dywedir amdano, er enghraifft, ei fod yn arwain seindorf pan oedd yn un ar bymtheg oed. Ymddengys iddo gadw ysgol yn y cylch am rai blynyddoedd ond yna, tua 1830, symudodd i bair diwydiannol Merthyr Tudful. Byr fu ei arhosiad cyntaf yn y dref gynhyrfus honno gan iddo fynd i Went, yn ôl un stori, i weithio fel clerc mewn pwll glo a berthynai i Zephaniah Williams, y Siartydd, a byw ym Machen. A dilyn trywydd adroddiad arall dywedir mai mynd i Fachen i gadw ysgol a wnaeth a bod yn y cylch hwnnw bwll glo yr oedd Zephaniah Williams yn brif oruchwyliwr arno. Beth bynnag yw'r union wir mae'n sicr iddo ddychwelyd ymhen amser i Ferthyr i olynu Taliesin ab Iolo yn yr ysgol breifat a sefydlwyd gan y gŵr hwnnw yn 1816. O hynny hyd ddiwedd ei oes, ysgolfeistr a fu Ieuan Ddu a threuliodd un mlynedd ar hugain olaf ei oes yn ardaloedd Pontypridd a Threfforest. Bu farw ar 30 Mehefin 1871, ychydig dros ddwy flynedd o flaen Maria Jane Williams a'i gladdu ym mynwent Glantaf.

Ni allai fod wedi mynd i ardal Gymreig fwy diwylliannol a gwleidyddol fywiog na Merthyr Tudful yn hanner cyntaf y ganrif ddiwethaf. Cynyddai'r boblogaeth yn gyflym yno gyda mewnlifiad cyson o ardaloedd gwledig Cymru, ac yr oedd y lle yn ferw o fân eisteddfodau a chymdeithasau llenyddol, rhai yn canoli ar y capel ac eraill ar y dafarn, gyda'u haelodau i bob golwg yn symud yn rhwydd ddigon rhwng y naill a'r llall. Canu corawl, partïon ac unawdwyr, canu penillion a baledi ffair, egin-gerddorfeydd, a chyn bo hir, cymanfaoedd dirwest a chyngherddau cyhoeddus. Bwriodd Ieuan Ddu ei hun i ganol y gweithgaredd hwn fel bardd, cerddor, hyfforddwr lleisiol, lluniwr traethodau, beirniad a chystadleuydd eisteddfodol. Casglodd alawon hefyd o'u clywed yn cael eu canu gan gydnabod a chymdogion: rhai megis Edward Thomas, Cefn Penar; Rees Evans, Ton Coch; Robert Roberts, Merthyr Tudful a John Price, Cyfarthfa. Gan yr olaf, meddai, y cafodd y mwyafrif o'r alawon o Ddyfed a gyhoeddwyd ganddo a theg casglu felly mai un o'r mewnfudwyr gwledig oedd y brawd hwnnw. Yn anffodus, ni roddodd Ieuan Ddu unrhyw fanylion pellach am y gwyrda hyn. Eithr y peth i ddal gafael arno yma yw fod yr Ieuan hwn mewn sefyllfa ffafriol dros ben, ac yntau'n byw yn nhref ddiwydiannol fwyaf trwyadl Gymreig Cymru ar y pryd, i gasglu caneuon llafar gwlad a'i fod, yn wir, mewn gwell sefyllfa i wneud hynny'n llwyddiannus na merch Plas Aberpergwm. Y gresyn yw na fanteisiodd yn llawn ar ei gyfle ac na wnaeth gystal gwaith ag a wnaeth hi, o bell ffordd, fel cofnodwr a chyhoeddwr caneuon y bobl.

Un rheswm am hynny yw fod ei amcan cyffredinol ef, fel cyhoeddwr caneuon, yn wahanol i un Maria Jane Williams a daw hynny'n amlwg ar unwaith wrth inni ddarllen y rhagymadrodd i'w gyfrol. Anghenion cantorion yn yr eisteddfodau a'r cyngherddau oedd y dynfa amlwg iddo a phenderfynodd felly lunio cyfrol a fyddai'n cynnwys nifer sylweddol o'r alawon a gyhoeddasid eisoes gan gerddorion fel John Parry, Rhiwabon, Edward Jones a John Parry (Bardd Alaw), gyda geiriau cymwys ar eu cyfer, ynghyd â chaneuon wedi eu cyfansoddi ganddo ef ei hun a rhai eraill a berthynai i'r traddodiad llafar. Roedd hefyd am i Saeson yng Nghymru fedru canu'r caneuon hyn, a bwrw bod awydd arnynt i ymuno 'in the musical enjoyment of Cambrians'. Uwchlaw popeth gwelai y byddai'n rhaid wrth gyfrol y gallai'r cantorion fforddio ei phrynu yn hytrach nag un ar gyfer llyfrgelloedd y cefnog yn unig. Diwallu peth ar anghenion diwylliant poblogaidd ei gyfnod oedd prif gymhelliad Ieuan a dyna pam y ceir yn ei gyfrol 148 o ganeuon, gyda rhai o'r rheiny wedi eu trefnu ar gyfer pedwar, tri a dau o leisiau. Arferai ef ei hun fynd â phartïon lleisiol i Eisteddfodau'r Fenni yn nhridegau a phedwardegau'r ganrif a chystadlai hefyd yn eisteddfodau Merthyr a'r cyffiniau yn ogystal ag ymddangos gyda'i 'gorau' ar lwyfannau cyngerdd.

O ganlyniad, llyfr cerddor ymarferol yw *Y Caniedydd Cymreig* ac y mae ei gyhoeddwr i'w ganmol am weld bod angen llyfr o'r fath ar Gymry'r cyfnod.

Mewn un wedd arno yn unig y mae'n diddordeb ni yn hyn o drafodaeth, sef y casgliad hwnnw o ganeuon a fyddai, chwedl yntau, 'in another half a century, if not now snatched from oblivion... in all probability be irretrievably lost'. Ceir rhestr yn cynnwys enwau 43 o'r rhain ar ddiwedd y Rhagymadrodd ond gellir yn ddiogel ychwanegu enwau tair arall atynt. Cyn bwrw iddi i'w dosbarthu'n fras, fodd bynnag, rhaid sylwi'n gyffredinol i ddechrau ar ddiffygion Ieuan Ddu fel cofnodwr a chyhoeddwr caneuon o'r fath.

Ei ddiffyg mwyaf difrifol, heb amheuaeth, oedd peidio â chyhoeddi'r geiriau y clywodd ei gantorion yn eu canu ar y ceinciau traddodiadol gan ddewis, yn hytrach, llunio ei benillion ei hun ar eu cyfer. Wrth gwrs, mae'n bosibl na chlywodd eiriau yn gysylltiedig â rhai ohonynt o gwbl ac mai'r ceinciau'n unig a gafodd ar droeon felly, eithr os felly y bu mewn rhai achosion fe allai, ac fe ddylai, fod wedi nodi hynny. A bwrw bod gwerth mewn cofnodi'r hyn a draddodwyd trwy draddodiad ar ffurf stori neu rigwm neu gân yna dylid cofnodi mor ffyddlon a chywir ag sydd bosibl. Dyna'r hyn sy'n oblygedig mewn galw'r peth a gofnodir yn 'draddodiadol'.

Mae lle hefyd i amau ei gymwysterau fel cofnodwr. Nid gwaith hawdd mo hynny yn sicr, yn neilltuol felly mewn cyfnod pan nad oedd unrhyw gymorth mecanyddol yn hwylus wrth law, ond mae arwyddion gweddol amlwg yma ac acw ei fod wedi cael trafferthion gyda gosod ar glawr ambell gainc y clywodd ei chanu gan gantorion; er enghraifft, 'Beth yw dy air?' (73), 'Y Berllan' (98) ac 'Y Fedwen Las' (195). Yn y rhain mae pennu ar y 'cywair iawn' yn boen amlwg iddo. Ymhellach, fel ei gyfoedion yn gyffredinol, fe'i cyflyrwyd i feddwl yn nhermau dau fodd cerddorol, y mwyaf a'r lleiaf, a gyrrai hyn ef ar brydiau i 'olygu' peth ar y ceinciau a glywodd. Ond yr oedd yn ddigon main ei glust serch hynny i sylweddoli bod ambell gainc yn gwrthod gorwedd yn esmwyth yn y ddau fodd arferol a dichon mai dyna sydd wrth wraidd ei ddisgrifiad o'r alaw 'Pa bryd y deui eto?'(28). Dyma a wêl ynddi:

...the easy alternation of the major and minor strains wherein no affected effort of the composer appears to have produced a note; but every transition seems purely accidental, and as spontaneous as that phrase which is most in keeping with the key announced.

Ni wyddai mai cainc yn y modd re ydoedd hon er, yn ei hachos hi, iddo'i nodi yn hollol gywir gan ei gosod yng nghywair E leiaf ac arwyddo bod pob C ynddi yn siarp. Eithr mae'n amlwg oddi wrth ei eiriau ei fod ef yn ei chlywed fel cainc a lithrai'n ôl ac ymlaen rhwng y moddau mwyaf a lleiaf.

I ychwanegu at ofidiau, bu'n flêr ryfeddol ar brydiau wrth ddarllen proflenni'r llyfr gyda'r canlyniad ei fod weithiau yn methu'n llwyr gyda nodi amseriad neu gyda gosod arwyddion cywair ar yr erwydd briodol. Mewn un achos hefyd rhoes ei enw ei hun wrth gainc draddodiadol lle dylai fod ynghlwm â chainc ar y dudalen gyferbyniol.

Gallwn bellach ystyried cynnwys ei gasgliad o geinciau traddodiadol gan ddechrau gyda sylwi ar y rheiny sydd â'u geiriau ar rai o fydrau mwyaf hynafol ein caneuon gwerin.

HEN FYDRAU

Ceir dwy gainc y gellid canu tribannau arnynt sef 'Dull o'r Triban' (2) a 'Mae dau ddrws ar y Dafarn' (74) ond dyna'r unig berthynas sydd rhwng y ddwy gainc. Hyd y gwn, gan Ieuan Ddu yn unig y ceir yr ail alaw a phwy a ŵyr na ddaw rhywun, rywbryd, ar draws pennill triban sy'n agor â'r geiriau 'Mae dau ddrws ar y Dafarn'? Digon tebyg mai dyna'r union bennill y clywodd ef ei ganu ar y gainc. Efallai, yn wir, mai hwnnw'n unig a ganwyd ar y pryd. A dyna fwrw peth goleuni, o bosibl, ar un o resymau Ieuan Ddu dros gyfansoddi geiriau ar gyfer y ceinciau hyn. Cofier mai ei fwriad oedd rhoi llyfr o ganeuon yn nwylo cantorion ei gyfnod fel y gallent eu cyflwyno ar lwyfannau cyhoeddus ac ni wnâi cân un pennill y tro o gwbl. Roedd yn rhaid wrth gerdd gyfan ac yn yr achos arbennig hwn yr hyn a gaed oedd cerdd yn moli'r ehedydd am ganu ymhob tywydd – 'solo' go iawn! Eithr esbonio ei waith yn cyfansoddi cerddi a wna awgrym fel hwn nid ei gyfiawnhau mewn unrhyw fodd. Am y gyntaf o'r ddwy alaw gellir dweud am hon hithau nad oes enghraifft arall ohoni i'w chael yn yr union ffurf sydd arni yma. Eithr y mae ffurf fyrrach arni i'w gweld yn M-s (188), 'Caingc y Cathreinwr', ac fe'i dodwyd yno fel esiampl o gân ychen gyda phennill dau glymiad awdl-gywydd i'w ganu arni.

Un gainc yn unig (72) a geir ar gyfer canu penillion ar fydr tri thrawiad sengl a diamau nad yw hynny'n achos syndod oherwydd prin iawn oedd nifer y beirdd a'i defnyddiai erbyn canol y ganrif ddiwethaf. Am ddwy ganrif cyn hynny, fel y gwelsom eisoes, roedd mewn bri mawr a saernïwyd cannoedd o gerddi arno. Felly, oherwydd prinder alawon ar gyfer ei ganu mae'r gainc bresennol i'w chroesawu.

Ceir dwy gainc ar gyfer canu mydr yr Hen Bennill (sef pennill pedair llinell-wythsill yn odli'n ddiacen) a pherthyn y ddwy i deulu niferus 'Y Dôn Fechan'. Cyfeiria Ieuan at y gyntaf fel 'Hen wr o'r coed. Yn ol dull Dyfed' (140) ac at yr ail fel 'Y Ddafad las a'i hoenyg' (158) ond geiriau Saesneg yn unig a osododd ar gyfer yr olaf (nid peth anghyffredin mo hyn yn YCddC, gyda llaw) er bod yr enw yn awgrymu'n gryf iddo glywed penillion Cymraeg yn cael eu canu ar yr alaw yn wreiddiol. Mae'r un mor debygol iddo glywed rhai o eiriau 'Cerdd yr hen wr o'r coed' yn cael eu canu ar y gainc gyntaf. Yn sicr roedd yn gyfarwydd â phennill agoriadol y gerdd honno oherwydd cynhwysodd yn ei gyfrol, hefyd, fersiwn Edward Jones o'r alaw (cyhoeddwyd yn MPR, 1794) ac y mae'r pennill hwnnw ynghlwm wrth y gerddoriaeth yng nghyfrol Bardd y Brenin. Fodd bynnag, dewis dilyn ei lwybr arferol a wnaeth.

CEINCIAU CAROL A BALED

Mae nifer eithaf sylweddol o'r ceinciau yn rhai y ceir fersiynau ohonynt mewn casgliadau eraill ac yn eu plith y mathau hynny ar alawon a ddefnyddid gan garolwyr yr eglwysi a baledwyr y ffair fel ei gilydd. Yr enghreifftiau amlycaf yma yw 'Gwêl yr Adeilad' (100), 'Y Galon Drom' (157), 'Y ddimau goch' (120), 'Cil y Fwyalch' (190), 'Mentra Gwen' (146), 'Gyda'r Wawr' (178), a 'Boreu dydd Llun' (203).

Alaw Seisnig oedd 'Gwêl yr Adeilad' yn wreiddiol, ac fe'i defnyddiwyd yn eang yn Lloegr ar gyfer canu cerddi byd ac eglwys o ddechrau'r ail ganrif ar bymtheg ymlaen ond nid ymddengys iddi gadw ei phoblogrwydd ymysg y Saeson drosodd i'r ganrif ddilynol. Yn wir, er bod fersiynau o'r gainc ar gael mewn rhai llawysgrifau Seisnig o'r cyfnod, un copi yn unig ohoni a argraffwyd yn Lloegr, hynny yn 1652 ar gyfer ymarferion offerynnol. Bu ei hanes yng Nghymru yn dra gwahanol. Daeth yn hynod o boblogaidd ymhlith y Cymry a chanwyd degau o gerddi arni dros gyfnod o ddwy ganrif, a rhagor. Fe'i defnyddiwyd mewn eglwysi, capeli, tafarndai, llwyfan anterliwt (lle mae o leiaf wyth cerdd ar ei chyfer) ac aelwydydd cefn gwlad (13 cerdd yn yr almanaciau) a gwaith hawdd yw adnabod y mydr pan welir cerdd wedi ei saernïo arno heb gainc yn gysylltiedig â hi. Ymhyfrydodd sawl bardd ynddo, ac mewn mydrau cyffelyb, wrth ddangos medr ar drin odl a chynghanedd. Gwir i ambell fardd megis Edmwnd Prys baratoi'r ffordd ar gyfer y datblygiad hwn mewn diwylliant poblogaidd ond o ail hanner yr ail ganrif ar bymtheg ymlaen hyd at ddegawdau cynnar y ganrif ddiwethaf y gwelwyd y canu hwn ar ei fwyaf ffyniannus. Am Ieuan Ddu ei hun, fel prydydd, gallai lunio penillion yn ôl y confensiwn er ei fod ymhell o fod yn feistr ar hynny fel y dengys y gerdd a ganodd ar y gainc bresennol, ond nid oedd yn frwdfrydig drosto a barnai, yn wir, fod yr hyn a alwai ef yn 'alliteration' wedi bod yn rhwystr ar ffordd datblygiad y faled storïol ymysg y Cymry. Mynnai hefyd fod mwy o le i gywreinrwydd dychymyg yng nghaneuon Dyfed am yr union reswm eu bod, fel rheol, yn amddifad o gynganeddu caeth beirdd y Gogledd. Byddai Iolo wedi ei amenio'n galonnog!

Goroesodd cymaint â 16 fersiwn o'r alaw mewn llawysgrifau a llyfrau Cymraeg gydag un wedi ei chofnodi ym Môn o gwmpas tro'r ugeinfed ganrif ac un arall wedi ei nodi tua 1920 gan ŵr o Geredigion a'i dysgodd o glywed rhai yn ei chanu yn eglwys Llanfihangel-y-Creuddyn. Yn anffodus ni wyddys o ble y daeth i Ieuan Ddu ond perthyn yn ddiamheuol i'r teulu, ac i'r gangen leiaf ohono, sydd yn y modd re: mae 14 o'r fersiynau yn amlwg yn y modd lah. Argraffwyd pedwar fersiwn yn CII,162–66 ond nid yw un Ieuan yn eu plith.

Mydr arall a ddaeth yn hynod o boblogaidd ymysg y Cymry o ddiwedd yr ail ganrif ar bymtheg ymlaen oedd 'Y Galon Drom' gyda phedair cerdd arni yn yr anterliwtiau a phymtheg yn yr almanaciau. Mae'r ffurf arni yr un mor hawdd ei hadnabod â 'Gwêl yr Adeilad' a cheir o leiaf ddeg fersiwn ar gainc yn dwyn yr un enw eithr dwy yn unig ohonynt a gyhoeddwyd, y naill gan Edward Jones[1] a'r llall gan Ieuan Ddu.[2] Rhaid nodi yma, fodd bynnag, nad oes perthynas alawol rhyngddynt a'i gilydd, tra bo mydr cerdd Ieuan Ddu yn ffitio'r gainc fel maneg am law nid yw hyn yn wir am un Edward Jones. Mae i'r gainc honno nifer dda o farrau ychwanegol. Dichon y gellid gosod mydr cerdd 'Y galon drom' arni ar ddull cerdd dant ond mater arall yw hynny.

Ceir o leiaf bum amrywiad ar gainc yn dwyn yr enw 'Y ddimai goch', un yn llawysgrif Morris Edwards (o chwarter olaf y ddeunawfed ganrif), un o'r gyfrol dan sylw yma, dwy yn AfNg ac un arall yn *Hen Alawon (casgliad John Owen, Dwyran)*, 1993. Perthyn y bedair gyntaf i'w gilydd, er nad yn agos iawn, a tharddant o gainc ddawns Seisnig o'r enw 'The Cobbler's Jig' a gyhoeddwyd yn *The Dancing Master (Playford)*, 1679. Alaw wahanol a geir gan John Owen ond gellir canu'r geiriau a luniwyd gan Ieuan Ddu ar yr alaw honno, gydag ailadrodd ambell nodyn. Y tebyg yw felly i enw'r gainc fynd yn enw ar y mydr barddonol yn ogystal. Mae dwy gerdd yn *Tri Chryfion Byd* a *Pleser a Gofid*, Twm o'r Nant, y gellid hefyd eu canu ar unrhyw un o'r ceinciau hyn. Erys yn ddirgelwch hyd yma pam yn hollol y galwyd y gainc wrth yr enw Cymraeg. Pan restrwyd hi gan Richard Morris yn ei lawysgrif o gerddi, ym mlynyddoedd cynnar y ddeunawfed ganrif, defnyddiodd ef lygriad o'r enw Saesneg arni, 'cobler Jig'.

'Cil y Fwyalch', 'Cûl/Cur y Fwyalch', Gwegil y Fwyall/ell' – mae amrywiaeth y teitlau yn tystio i fodolaeth lafar y gainc hon o'r ail ganrif ar bymtheg ymlaen ond tua chanol y ddeunawfed ganrif y cofnodwyd hi gyntaf. Mae cymaint ag wyth amrywiad arni i'w cael, pedwar mewn llawysgrifau a phedwar mewn cyfrolau argraffedig, y cyfan yn perthyn i'w gilydd yn gymharol agos.[3] Ceir llu o gerddi ar ei chyfer, yn cynnwys chwech yn B-GC, chwech yn y BWB a phedair yn yr anterliwtiau. Diddorol yw sylwi eu bod yn rhannu'n ddau ddosbarth mydryddol, y naill yn seiliedig ar linellau wyth sillaf a'r llall ar linellau un sillaf ar ddeg. Eithr mae'r cyfan yn ganadwy ar unrhyw un o'r alawon gyda dyblu ambell nodyn. Yr allwedd i hynny yw fod y llinellau wyth sillaf ar gorfan rywiog, a'r rhai un sillaf ar ddeg ar gorfan tair sillaf ac o fewn rhai o'r rheiny, wrth gwrs, y dyblir nodau. Mae'r arfer o ganu cerddi gwahanol eu mydrau ar yr un gainc yn bod mewn achosion eraill hefyd, er enghraifft, 'Anhawdd Ymadael' a 'Gadael Tir'.

Yn ei hymdriniaeth fanwl o rai ceinciau carolau Nadolig dengys Phyllis Kinney i 'Mentra Gwen' ddod yn eithriadol o boblogaidd yng Nghymru o ganol y ddeunawfed ganrif ymlaen.[4] Cyfeirir ganddi at gymaint â 24 esiampl o geinciau yn dwyn amrywiadau o dan y pennawd hwn; 13 yn y cywair mwyaf, wyth yn y lleiaf a thair yn y modd re. Ceinciau hollol wahanol yw nifer ohonynt ac amrywiant rywfaint hefyd o ran mydr. Dangosir, yn wir, eu bod yn rhannu yn dri dosbarth mydryddol. Cofnodwyd dwy esiampl gan Ieuan Ddu ('Gyda'r Wawr' yw ei enw ar yr ail) hynny ar ddwy alaw wahanol, y naill yn y cywair mwyaf a'r llall yn y lleiaf; amrywiant hwythau rywfaint o ran mydr.

Awgryma'r pennawd 'Gyda'r Wawr' y gallai fod wedi clywed rhywun yn canu geiriau gyda hwn yn fyrdwn yn y penillion a dichon fod rhai felly ar gael rhywle ymysg dogfennau'r cyfnod ond dyna cyn agosed ag y gellid gobeithio dod at y gwreiddiol mae'n debyg. Yn rhyfedd iawn nid oes galw amdani o gwbl yn yr anterliwtiau a'r almanaciau.

Erys un arall o'r ceinciau 'carolaidd' hyn a godwyd ar lafar gan Ieuan Ddu i'w hystyried sef 'Boreu dydd Llun', neu 'Dydd Llun y bore'/'Monday Morning' fel y'i gelwir yn aml yn y gwahanol gasgliadau. Mae cerddi ar ei chyfer yn yr anterliwtiau (saith) ac yn yr almanaciau (dwy) yn ogystal â'r taflenni-baled (cyfryngau lledaenu poblogrwydd effeithiol yn achos pob un o'r ceinciau a drafodwyd eisoes) ond nid yw'r gainc ar gael yn unrhyw un o lawysgrifau a llyfrau argraffedig y ddeunawfed ganrif. Ceir ceinciau o'r enw yn *Newyddion Da am Enedigaeth Ceidwad (*R.O. Williams*),* c.1854–56, ac yn AfNg ond ni ellir canu'r mydr arferol arnynt. Fel yr ymddengys pethau, ar hyn o bryd, gan Ieuan Ddu y cofnodwyd mewn print yr esiampl gyntaf o gainc ar gyfer y mydr hwnnw ac y mae dau amrywiad diweddarach arni i'w gweld yn HA a CIII,34, er bod y rheiny yn perthyn yn nes i'w gilydd nag i'r un gynharach. Serch hynny, maent o fewn yr un teulu a gellir ychwanegu bod o leiaf hanner dwsin o berthnasau eraill i'w cael mewn llawysgrifau.

CEINCIAU GWERIN CYFATEBOL

Symudwn rŵan i ystyried rhai alawon gwerin y mae ffurfiau arnynt i'w cael mewn casgliadau eraill ond eu bod, yn y mannau hynny, wedi eu cofnodi gyda'r geiriau a godwyd oddi wrth y cantorion gwreiddiol, er bod yr alawon hynny wedi eu golygu mewn ambell achos. Felly gwelwn, er enghraifft, fod perthynas rhwng 'Y Gelynen' (22) a 'Bugeila'r Gwenith Gwyn'; rhwng 'Seren Llanedi' (75) a hanner olaf 'Y Fwyalchen'; rhwng 'Mae genyf fi Fwthyn a Gardd' (118) a 'Mab Addfwyn'; rhwng 'Y Bachgen Tawel' (153) a 'Glyn Nedd'; hefyd rhwng 'Pa bryd y deui eto?' (28) a 'Gwen Lliw'r Lili': yr ail alaw ymhob pâr wedi eu cyhoeddi yng nghyfrol Maria Jane Williams. Ac ystyried bod Ieuan a hithau yn casglu fwy neu lai yn yr un rhan o'r wlad nid rhyfedd eu bod wedi taro ar ganeuon perthynol i'w gilydd. Gwêl rhai berthynas, yn ogystal, o fewn i gyfrol Ieuan Ddu ei hun rhwng 'Pa bryd y deui eto?' ac 'Ar Foreu Teg' (82) ond go brin fod cyffelybiaeth diweddebau byr, ynddi ei hun, yn ddigon i gyfiawnhau perthynas deuluol. Ar y llaw arall y mae perthynas amlwg rhwng yr olaf a nodwyd a 'Ni waeth i mi pa ffordd bo'r gwynt' (154) gan mai cyfuniad yw honno o bedwar bar agoriadol a phedwar bar clo 'Ar Foreu Teg'. A minnau wedi cyfeirio at 'Pa bryd y deui eto?' cystal gwneud yn gwbl eglur nad Ieuan Ddu yw awdur y geiriau a genir o dan y pennawd hwnnw bellach. Geiriau cwynfanllyd dros ben sydd ganddo ef i'w cynnig; protest ysgolfeistr y trethwyd ar ei amynedd gan blant annosbarthus! Tra gwahanol yw penillion hyfryd Wil Ifan a luniwyd ganddo yn unswydd ar gyfer *Old Welsh Folk-Songs* (W.S. Gwynn Williams), 1927.

Geiriau Saesneg yn unig a gyfansoddwyd gan Ieuan Ddu ar gyfer 'Pam y canaf?' (104) ond ceir perthynas i'r gainc yn M-G ac M-s dan yr enw 'Lliw'r Ceirios' a gyhoeddwyd yn ddiweddarach, fel y nodwyd yn barod, yn CIII,179. Lluniodd eiriau Saesneg a Chymraeg ar gyfer 'Y Dyddiau ni ddont 'nol' (46) a ffurf ar alaw Seisnig o'r enw 'Peggy Band' (neu, weithiau, 'Peggy Bawn') ydyw.[5]

Ar gainc 'Y Garreg Lwyd' (172) lluniodd Ieuan Ddu gerdd o foliant i 'Lisa Dal y Sarn' ac erbyn hyn ei eiriau ef a genir yn arferol arni ond fel y cawn weld yn y man mae'n bosibl i ddryll o eiriau gwreiddiol oroesi hyd chwarter cyntaf y ganrif hon. Cyn manylu ar hynny, fodd bynnag, sylwer i'r ffurf arferol ar y gân, bellach dan yr enw 'Lisa Dal y Sarn', gael ei chasglu gan J. Ffos Davies yng Nghribyn, Ceredigion, yn weddol gynnar wedi diwedd y Rhyfel Byd Cyntaf ac yn ei nodyn cefndirol dywed iddo gael yr alaw gan un canwr a'r geiriau gan rywun arall. Yna, ychwanega iddo fenthyca copi o gyfrol Ieuan Ddu a thrwy hynny gael gafael ar 'y dôn a'r geiriau yn llawn'. Awgryma hyn mai cân anghyflawn a gofnodwyd ganddo yn wreiddiol ac mai o'r gyfrol argraffedig y codwyd y copi cyflawn a wnaed ganddo. Sut bynnag am hynny, gyda rhai cyfnewidiadau orgraff a gair, fe'i cyhoeddwyd yn *Forty Welsh Traditional Tunes (Issued by The Cardiganshire Antiquarian Society)*,1931, a bu hynny'n gymorth i boblogeiddio peth arni yn ddiamau. Yn yr un ffurf arni hefyd, gyda mân wahaniaethau, y cyhoeddwyd hi'n gynharach, yn 1925, yn CII, 224, a'r tro hwnnw yn uniongyrchol o gyfrol Ieuan Ddu ei hun. Daw hyn â mi at y pwynt a wnaed ar ddechrau'r paragraff hwn sef mater goroesiad posibl y gân wreiddiol. Y ffaith yw i J. Lloyd Williams nodi yn y rhifyn penodol hwn o'r cylchgrawn iddo dderbyn amrywiad ar y gainc dan sylw oddi wrth Phillip Thomas, Castell-Nedd, ynghyd â rhannau o un pennill (dwy linell yn eisiau) a allai fod ymhlith y rhai gwreiddiol a glywodd Ieuan Ddu pan gofnododd y gân. Yr hyn sy'n dra awgrymog yw fod y canwr, Thomas Roberts, y cododd Phillip Thomas y pennill drylliog oddi wrtho, yn dod o Droed-y-rhiw, Merthyr Tudful, a rhag digwydd i rywun daro ar ei ffurf gyflawn yn rhywle dyma osod ei sgerbwd yma fel y'i ceir yn y *Cylchgrawn*:

Y deryn du a'r gân
Sy'n tiwnio yn y llwyn
....
Mae heddyw'n fore mwyn;
A'r llong ar donnau'r llif
....
Mi dy gara di Gwen, tra bo brigyn yn y pren;
Ffarwel fy Lili lon.

I'r sawl sy'n gyfarwydd â'r gainc fel y'i cofnodwyd gan Ieuan Ddu gellir yn rhwydd ganu'r llinell olaf ond un trwy ddyblu dau nodyn yn unig.

O ystyried y gyfrol gyfan o un cwr i'r llall, yn achos un gainc yn unig, sef 'Pe cawn i hon' (47), y dyfynnwyd pennill oedd yn wreiddiol glwm wrthi, a phennill oedd hwnnw y clywodd Ieuan Ddu ei fam yn ei ganu. Y pennill hwn yn unig a arhosodd ar gof a chadw ganddo ac efallai, fel yr awgrymwyd yn gynharach, mai dyna un peth a'i harweiniodd yn yr achos hwn, fel mewn achosion eraill, i gyfansoddi cerddi o'i eiddo'i hun ar gyfer y gyfrol. Diamau hefyd y barnai nad oedd yn bennill digon 'barddonol', yn arbennig felly gan ei fod yn cynnwys rhai geiriau Saesneg braidd yn sathredig a bod lled-odlau ynddo:

Pe cawn i hon 'r un g'ruaidd gron
Pe meddwn i ar filoedd,
Cymerwn hi yn wraig i mi –
Cymerwn heb un geiniog.
Dau lygad lon sydd gan 'r un gron
Dwy wefus fel y *cherries*,
A'i dannedd mân heb un ar w'an,
A'i gruddiau fel y *roses*.

Rhoes yr ymadrodd agoriadol yn enw ar y gainc ac ailadroddodd y llinell gyntaf ar ddechrau ei gerdd ei hun ond ni chlywyd sôn am y gerdd honno wedyn, druan bach. Pe byddai wedi llwyddo i ddal peth ar sioncrwydd ail hanner pennill ei fam yn ei gerdd ei hun byddai gwell gobaith wedi bod iddo, eithr nid felly y bu. Daeth enw'r gainc, fodd bynnag, yn enw ar gân a daeth hithau, yn ei thro, yn bur boblogaidd oherwydd i Brinley Richards ei chynnwys yn SW, wedi iddo sicrhau geiriau ar gyfer yr alaw oddi wrth Ceiriog.

O'r 21 cainc sy'n weddill ac na chyfeiriwyd atynt yn barod mae un ar ddeg a allai fod yn ychwanegiad gwerthfawr at gorff ein canu traddodiadol ('gwerthfawr' yn yr ystyr y byddent yn debyg o apelio at rai sy'n hoffi canu ac ymchwilio i gefndir caneuon o'r math hwn) gyda'r rheiny, hyd y gwyddys, heb fod ag amrywiadau perthynol iddynt mewn casgliadau eraill, ond gan mai am y ceinciau yn unig y sonnir nid oes cyfiawnhad dros fanylu. Gellir eu rhestru'n foel fel a ganlyn: 'Dros yr Afon' (14), 'Blodau'r Cwm' (64), 'Wil a'i Fam' (92), 'Pan o'wn i ar frig noswaith' (147), 'Mi a af tua glan yr afon' (149), 'Gofid Gwynau' (151), 'Beth 'wedy di am fab i Ffarmwr?' (152), 'Mae'n dda gan scwarnog gael twll o flaen ci' (162), 'A mi yn dod Adre' (173), 'Y Deryn Glas sydd ar y Ty' (200), a 'Beth wneir o'r llaes ei afael?' (203). Yr unig un o'r rhain a gyhoeddwyd eisoes yw 'Wil a'i Fam' a hynny oherwydd bod rheswm da dros gredu mai cerdd o'r enw 'Ymddiddan digrif rhwng Wil a'i fam yng nghylch ei gariad' oedd yr un a genid ar y gainc yn y cyfnod perthnasol.[6] Yn yr achos hwn, arweiniodd y pennawd at y geiriau priodol a gallai hynny ddigwydd yn rhai o'r achosion eraill. Teg tybio, er enghraifft, fod rhai o'r penawdau blaenorol yn llinellau cyntaf cerddi penodol ac efallai y deuir ar eu traws rywdro.[7]

O safbwynt dadansoddi graddfeydd y ceinciau, a bwrw bod 46 ohonynt, ceir 23 yn y cywair mwyaf, deg yn y cywair lleiaf, chwech yn y modd lah, pump yn y modd re a dwy mewn graddfeydd bylchog a allai fod yn foddol. O ran eu rhychwant mae 13 o fewn wythfed a 36 dros wythfed.

Pe mesurid cyfraniad Ieuan Ddu fel casglwr caneuon gwerin yn ôl safonau casglwyr a golygyddion diweddarach byddai'r canlyniad yn un digon trist ond tecach o lawer a fyddai ei fesur yng nghefndir ei gyfnod ac o'i gymharu â'i gyfoedion ym Mhrydain, prin mewn nifer, ar ei orau nid oedd fawr gwaeth na'r gorau ohonynt. Dylai fod yn amlwg bellach mai ei ddiffyg gwirioneddol affwysol oedd dewis llunio ei gerddi ei hun ar gyfer y ceinciau llafar a gyhoeddwyd ganddo. Pe byddai wedi cynnwys y geiriau gwreiddiol byddai'n dyled iddo yn ddyfnach o gryn dipyn. Yn y cyfamser rhaid talu teyrnged iddo am ei waith yn rhoi ar glawr am y tro cyntaf nifer o geinciau hyfryd, ynghyd â chofnodi sawl amrywiad diddorol o rai a geir mewn llawysgrifau a llyfrau eraill. Mater arall, a gwahanol, yw mesur ei gyfraniad i ddiwylliant poblogaidd ei ddydd yn ardaloedd bywiog a chynhyrfus Merthyr Tudful a Phontypridd. Nid oes a wnelom â hynny yma ond gellir datgan yn hyderus ddigon i hwnnw fod yn un sylweddol.

*   *   *

Canlyniad cystadleuaeth mewn eisteddfod yw'r ddau gasgliad nesaf o alawon a chaneuon i'w hystyried, sef eisteddfod hynod Llangollen yn 1858. Thomas David Llewelyn (Llewelyn Alaw, 1828–79) o Aberdâr a enillodd y wobr gyntaf yno am gasgliad o 'alawon anghyhoeddedig' (125 ohonynt yn ôl adroddiad *Y Brython*, Hydref 1858) a gŵr a adwaenid am flynyddoedd ymysg cefnogwyr y mudiad canu gwerin fel 'Orpheus' a ddaeth yn ail iddo. Deuwn ato ef yn y man.

Dechreuodd Llewelyn Alaw feistroli'r delyn pan oedd yn wyth mlwydd oed ac aeth i weithio yn y lofa o fewn rhyw dair blynedd i hynny. Arhosodd yno hyd nes oedd yn dair ar hugain oed ond yna penderfynodd ddilyn gyrfa fel cerddor. Ychydig a wyddom am fanylion yr yrfa honno ond ymddengys bod digonedd o alwadau ar ei wasanaeth fel athro telyn a pherfformiwr gydol ei oes. Adlewyrchir hynny yn y naw llawysgrif sydd wrth ei enw yn y Llyfrgell Genedlaethol.[8]

Cynnwys y rheiny rai cannoedd o ddarnau a ddefnyddid ganddo, gellid tybio, ar gyfer cyngherddau mewn neuaddau cyhoeddus a phreifat, eisteddfodau, cyrddau bach, cymanfaoedd dirwest, dawnsfeydd, ciniawau clwb a thafarnau, heb anghofio oedfaon capel. Ceir yn eu plith nifer a gofnodwyd ar lafar ac ynddyn nhw y mae'n diddordeb pennaf ni yma. Rhaid prysuro i gydnabod er hynny mai digon sigledig yw hi o dan draed weithiau pan geisir penderfynu a yw'r alaw a'r alaw yn perthyn i'r traddodiad llafar neu beidio. Yn sicr, ni ddeil Llewelyn Alaw gannwyll i Maria Jane Williams fel casglydd caneuon gwerin a pherthyn yn nes o lawer i Ieuan Ddu yn y cyd-destun hwn nag i ferch Aberpergwm.

Nid yw'n cynnwys cyfeiriadau cefndirol sy'n nodi enw na pherson na man nac amser cofnodi unrhyw ddernyn; anaml iawn y ceir caneuon cyfan ganddo a hyd yn oed pan ddigwydd hynny ni allwn fod yn siŵr iddo eu codi ar lafar; at hynny mae'n gwbl fud ynglŷn â chyd-destun cymdeithasol alaw neu gân. Serch hynny, mae'n amlwg fod ganddo ddiddordeb mewn cofnodi rhai alawon a chaneuon a glywai yma ac acw o bryd i'w gilydd a gellir rhannu'r alawon i ddau ddosbarth:

(i) alawon, neu amrywiadau arnynt, y mae gennym dystiolaeth annibynnol iddynt gael eu codi gan rywun, rywdro, ar lafar;

(ii) alawon yr awgryma eu testunau fod geiriau ynghlwm wrthynt ac a allant fod, felly, yn ganeuon llafar nas cyhoeddwyd mohonynt o'r blaen.

Gan ystyried mai arolwg cyffredinol a bras iawn yn unig yw fy un i, gellir amcangyfrif bod o gylch 55 o alawon sy'n perthyn i'r dosbarth cyntaf ac ychydig dros 80 y gellid eu cynnwys yn yr ail ddosbarth, er na allwn fod yn siŵr, wrth gwrs, i Lewelyn Alaw godi'r rhai olaf hyn o glywed rhywun yn eu canu. Eithr y mae'r posibilrwydd yn gryf, weithiau, mai dyna'n union a ddigwyddodd.

Cofnodir nifer o alawon ganddo y gwyddom iddynt gael eu defnyddio gan faledwyr a phlygeinwyr o'r ail ganrif ar bymtheg ymlaen ond ni chynhwysir mohonynt yn y dosbarthiad uchod oherwydd, ac eithrio dyrnaid ohonynt, nid oes rheswm dros eu cysylltu ag unrhyw gerddi penodol. Fel y gwyddom, defnyddid alawon o'r math hwn gan feirdd i lunio amrywiaeth helaeth o gerddi i'w canu arnynt ac er nad oes amheuaeth y byddid yn eu trosglwyddo o genhedlaeth i genhedlaeth ar lafar, anaml ar y cyfan y ceir tystiolaeth cwbl benodol fod hynny'n digwydd; hynny yw, fod hon-a-hon neu hwn-a-hwn wedi canu yr union eiriau hyn ar yr alaw hon. Enghreifftiau o'r math ar alawon sydd dan sylw yma ac a gofnodir gan Llewelyn Alaw yn ei lawysgrifau yw: 'Y Fedle Fawr', 'Trymder', 'Ymadawiad y Brenin', 'Greece and Troy', 'Sybylltir', 'Ruabon Bells', 'Llef Caer Went', 'Rhywbeth arall i'w wneuthur', a sawl un arall.

(i) Nid oes anhawster ynglŷn â lleoli sawl alaw yn y dosbarth cyntaf; er enghraifft, 'Y Lilli Lon' (alaw 'Y Mochyn Du'), 'Mesur Click y Melin' (sef 'Tôn y Melinydd'), 'Y Blotyn Du (amrywiad yma ar y 'Bobby Bingo' Seisnig), 'Ffair Llangyfelach' (aelod o deulu alawol niferus 'Lisa Lân'), 'Diniweidrwydd' (alaw 'Y Bachgen Main'), 'Brig y Brwyn' (amrywiad ar alaw 'Cân Sobri'), 'Y Fwyn Glomen', 'Hyd y Frwynen Las yn yr hen ddull' (amrywiad ar alaw 'Y Ferch o'r Scêr'), 'Y Crynwr a'i Was' (amrywiad ar alaw 'Rhywun'), 'Glee yr Afr' (ffurf ar 'Cyfri'r geifr') ac ymlaen. Arwyddocâd y dosbarth hwn o alawon yw fod y mwyafrif ohonynt yn amrywiadau diddorol ar ffurfiau yr ydym yn fwy cyfarwydd â nhw mewn casgliadau cyhoeddedig. Er enghraifft, cyhoeddwyd nifer dda ohonynt gan J. Lloyd Williams yng nghyfrolau *Cylchgrawn Cymdeithas Alawon Gwerin Cymru*. A ffaith arall ddiddorol yw fod Llewelyn Alaw weithiau yn cofnodi amrywiadau ar yr un alaw o fewn ei gasgliad ei hun. Enghraifft dda o hynny yw'r alaw a enwir ganddo weithiau yn 'Clywch achwyn Mab Addfwyn o'r Byd' dro arall 'fe rhoddais fy ffancy mor bell'. Mae ganddo bum ffurf arni, gyda phob un rhywfaint yn wahanol ond i gyd yn aelodau o deulu 'Mwynen Merch'.[9]

Gellir derbyn alawon y dosbarth hwn fel rhai sy'n perthyn i'r traddodiad llafar sut bynnag y digwyddasant ddod i feddiant Llewelyn Alaw ei hun.

(ii) Pan drown at alawon yr ail ddosbarth ni allwn fod llawn mor hyderus ein derbyniad. Serch hynny, nid di-sail y dewis. Ystyrier, er enghraifft, yr alawon gyda'r penawdau canlynol: 'Mesur Dic Shon Dafydd', 'Miss Morgans Fawr', 'Betty o Lan Sant Ffraid', 'Jane Glover or Happy Days of Queen Bess'. A newid yr olaf i 'Bess yn Teyrnasu' daw'n amlwg i'r cyfarwydd ar unwaith fod yr alawon hyn ynghlwm wrth gerddi un o feirdd mwyaf poblogaidd diwedd y ddeunawfed ganrif, Jac Glan-y-gors, ac nid oes rheswm o gwbl i feddwl fod Llewelyn Alaw wedi dod ar eu traws mewn na llawysgrif na ffynhonnell brintiedig. Ar y llaw arall, dyma'r union fath ar ganeuon y byddai'n debyg o'u clywed mewn tafarn neu ar gongl heol ar ddiwrnod ffair a marchnad. Ac y mae'r un peth yn wir am 'Y Railway Newydd', alaw y gellir canu'n rhwydd arni gerdd gan un o brif faledwyr y cyfnod, sef Levi Gibbon: 'Am y cyfnewidiad a gymer le ar drigolion y byd trwy waith y Railroad Newydd'; 'Bedd y Morwr', alaw y gellir canu cerdd Robin Ddu Eryri, o'r un enw, yn gampus arni, ac alaw 'Boneddwr mawr o'r Bala' a ddefnyddiwyd gan Ceiriog ar gyfer un o'i gerddi poblogaidd ef. Yn achos y rhain i gyd mae'n debygol i Lewelyn Alaw eu codi, trwy ryw ddull neu'i gilydd, o glywed rhywrai yn eu canu.

Tybed nad dyna a ddigwyddodd hefyd yn achos cerddi bardd o'r un ardal ag ef, ond o gyfnod cynharach, sef Edward Ifan o'r Ton Coch, Aberdâr (1716–98)?[10] Mae o leiaf saith alaw gyda phenawdau sy'n ein cysylltu mewn amrywiol ffyrdd â cherddi gan y bardd hwnnw ac awgryma hynny mai dyna'r union eiriau a glywodd Llewelyn Alaw yn cael eu canu gan rywrai ymysg ei gyd-frodorion. Cystal nodi un enghraifft: alaw ac iddi'r pennawd: 'Hoffder Iolo Morganwg, A fyno fyw'n gariadus' gyda'r ymadrodd olaf hwn yn ddechrau pennill cyntaf 'Can VIII' yn *Afalau'r Awen* (Edward Ifan).[11] Beth yn fwy naturiol na bod cerddi bardd lleol medrus a dylanwadol (yn ôl Iolo Morganwg, un o'i athrawon barddol) yn ffefrynnau ymysg cantorion ei fro? A'r ffaith allweddol yw nad yw chwech o'r caneuon hyn i'w cael ar glawr yn unman yng nghyfnod Llewelyn Alaw, hyd y gwn i. Yr eithriad yw honno a elwir 'Mab Addfwyn', sydd i'w chael hefyd yng nghyfrol Maria Jane Williams ac a gynhwyswyd yma eisoes yn nosbarth y caneuon llafar uchod, ond mae'n arwyddocaol fod gwahaniaethau amlwg rhwng y ddau amrywiad hyn ar yr alaw. Nid o gopi printiedig y cododd Llewelyn Alaw ei gainc. Teg casglu mai cân lafar ydoedd iddo ef; felly hefyd y chwech arall.

Gan amlaf, fodd bynnag, yr hyn y gall darllen pennawd awgrymog ar alaw ein tueddu i'w wneud yw casglu bod geiriau ynghlwm wrthi; hynny yw, ein perswadio ein bod, yn yr achos hwn, yn ymdrin â chân. Eithr nid yw'n dilyn ei bod yn gân a drosglwyddwyd dros rai cenedlaethau ar lafar a'i bod, ar gorn hynny, yn gân werin. A dyma yw'r sefyllfa o berthynas i fwyafrif helaeth alawon yr ail ddosbarth yng nghasgliad Llewelyn Alaw. Ystyrier, er enghraifft, yr alaw a enwir 'Fwyn seren fain syw'[12:]

Alaw hyfryd, i'w chanu yn ddiamau, a'r testun yn cau am y cymal cerddorol agoriadol fel maneg ond ai ar lafar y cadwyd hi hyd nes i Lewelyn Alaw ei chofnodi? Gallai fod yn un o'i greadigaethau ef ei hun neu'n gyfansoddiad gan gyfaill o delynor. Fel y saif pethau, ni allwn ond blasu'r alaw a gobeithio, yn y cyfamser, ddod ar draws y geiriau ar ei chyfer rhyw ddiwrnod. Byddai'n ychwanegiad derbyniol at gorff ein caneuon.

Serch hynny, dichon fod un canllaw arall a allai fod yn berthnasol wrth geisio penderfynu a yw alaw neilltuol yn alaw werin ai peidio, sef mydr pennill posibl ar ei chyfer. Er enghraifft, o ystyried pa mor boblogaidd a fu mydr y triban dros ganrifoedd ymysg y Cymry, yn enwedig ym Morgannwg, mae'n bur debyg y byddai alaw ar gyfer pennill triban yng nghasgliad Llewelyn Alaw yn un a ddaeth iddo ar lafar. Gyda digon o alawon triban ar gael yn y gymdeithas o'i amgylch onid naturiol a fyddai cofnodi rhai o'r rheiny yn hytrach na chyfansoddi rhai newydd? A gallai'r un peth fod yn wir am fydrau traddodiadol eraill beirdd gwlad o'u gwrthgyferbynnu â mydrau beirdd y traddodiad swyddogol. Felly, a bwrw bod canllaw o'r fath yn dderbyniol dyma, er enghraifft, ddwy alaw driban sydd, hyd y gwn, yn unigryw i'r casgliad dan sylw a rhai sy'n werth eu hychwanegu at ein stôr bresennol; 'Triban Difyrwch Gwŷr Pen Prysg' a 'Dull o dribann Morganwg' – yma gyda thribannau priodol:

'Triban Difyrwch Gwŷr Pen Prysg':[13]

Fe ddaeth y wen-nol wis-gi A'r gw-cw lân e-le-ni
Ond ni ddaw'r mab ar dro yn ôl y bûm mor ffôl â'i ga-ru

'Dull o dribann Morganwg':[14]

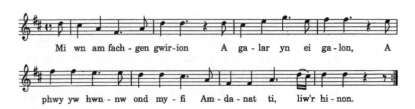

Mi wn am fach-gen gwir-ion A ga-lar yn ei ga-lon, A
phwy yw hwn-nw ond my-fi Am-da-nat ti, liw'r hi-non.

Mydr llawn cyn hyned â'r triban i bob golwg yw'r awdl-gywydd, a gwelir rhai alawon yn y casgliad hwn ar ei gyfer; un dan y pennawd cwbl ddigynhorthwy 'A Welsh Air'. Ac nid yr ystyriaeth y gellid canu pennill awdl-gywydd dauglymiad i'r alaw yw'r unig ffaith arwyddocaol yma ond bod hefyd adleisiau pendant ynddi sy'n ei chysylltu â theulu alawol enfawr 'Barbara Allen' y traddodiad gwerin Seisnig. Mae hon, hithau, yn haeddu croeso ac ni ellid dewis pennill mwy cymwys ar ei chyfer nag un o'r rheiny a geir mewn hen gerdd sy'n croesawu Calanmai i'r byd pan yw popeth yn ymadnewyddu:

'A Welsh Air':[15]

Mydr arall y ceir ambell esiampl ohono ymysg penillion telyn yw un y pennill pum llinell wyth sillaf yn odli'n ddiacen. Dyma, gyda llaw, fydr sylfaenol yr 'Ar hyd y nos' adnabyddus: mydr 'Mi a glywais fod yr hedydd' a phenillion rhifau 632, 316, 182, 151 *Hen Benillion* (T.H. Parry-Williams), 1955 (ail-argr.,), yn ogystal. Gan fod y mydr yn un pur anghyffredin hawdd derbyn iddo gydfodoli ag alaw draddodiadol megis un Llewelyn Alaw – 'Ond pan aetho'i gynta i garu' – a chyda newid dau finim honno yn ddwy grosiet yr un gellir canu pennill o'r mydr hwn yn hwylus arni. Mae'n alaw sy'n haeddu geiriau:

'Ond pan aetho'i gynta i garu':[16]

Ar y llaw arall dichon fod cerdd ar gael yn rhywle yn agor â'r geiriau 'Ond pan aetho'i gynta i garu' sy'n ffitio'r alaw yn union fel y saif yma. Efallai y bydd rhywun, rywbryd, yn taro ar ei thraws.

CANEUON

Hyd yma ymddengys mai mewn cofnodi alawon yr oedd unig ddiddordeb Llewelyn Alaw ond ymysg ei lawysgrifau mae o bosibl 21 o ganeuon Cymraeg ar gael gyda phedair ohonynt yn gyfansoddiadau gwreiddiol a dwy arall wedi eu codi o YCddC. At hyn, mae ganddo drefniannau o amrywiadau ar 'Cyfri'r geifr' a 'Hob y deri dando'. Gadewir ni felly â 13 o ganeuon y gallai fod wedi eu codi ar lafar.

Go brin iddo godi ar lafar y gân a eilw 'Y Deryn Pur' gan mai pennill o gerdd yn clodfori'r eisteddfod fel sefydliad sydd ganddo i'w ganu ar yr alaw honno a gellir dweud yr un peth am 'Arglwyddes Coventry' gyda'i phennill o gerdd ar fuddugoliaeth dros Genfigen gan Ifor Cwmgwys, cyd-aelod â Llewelyn ym mrawdoliaeth lenyddol Cynon a'r Rhondda. Dyma'r math ar ganeuon a ddarperid ar gyfer eisteddfod a chyfarfod clwb yn rhai o dafarndai'r cymoedd.

Efallai iddo godi rhai o'r 11 cân arall ar lafar neu iddynt ddod iddo yn anuniongyrchol oddi wrth rywrai a'u cofnododd rywbryd ar lafar. Naws y ddeunawfed ganrif, a chynharach na hynny o bosibl, sydd i eiriau saith ohonynt (cerddi yn cyfuno peth o gynganeddu cywrain yr hen ganu caeth a mydrau cyfacennol y canu rhydd) ond hyd yma ni lwyddais i gael gafael ar y cerddi perthnasol mewn na llyfr na llawysgrif; ar wahân i ddwy. Daw'r pennill cysylltiedig â 'Mawl y Gôf Du' o gerdd gan Huw Morys 'Cyffes y Gof du', a gwaith yr un bardd a geir mewn pennill sydd ynghlwm wrth amrywiad ar yr alaw 'Charity Mistress' (yn Gymraeg, 'Gwledd Angharad'/Eluseni Mistress'); pennill agoriadol y gerdd 'I Fab a Merch, a fuont feirw o'r un glefyd'. Y ffaith hon a barodd imi ddefnyddio'r gair 'efallai' ar gychwyn hyn o baragraff, o ystyried arfer casglydd cynharach fel Ifor Ceri yn chwilio am

eiriau cymwys ar gyfer alawon arbennig. Gallai Llewelyn Alaw
yntau fod wedi gwneud yr un peth yn yr achosion hyn ac y
mae'n arwyddocaol, yn y cyd-destun, nad oes ond ychydig o fân
wahaniaethau dibwys rhwng y geiriau fel y maent yn ei lawysgrifau
ef a'r ffurf sydd arnynt yng nghasgliad Gwallter Mechain o waith
Huw Morys, *Eos Ceiriog*.[17] Oherwydd bod amrywiadau ar alaw
'Charity Mistress' (neu 'Gerard's Mistress' a rhoi i'w phennawd y
ffurf wreiddiol arno yn yr ail ganrif ar bymtheg) ar gael yn CII,
62 a 228–29 awn heibio i'r ffurf sydd arni yma ond gan na welais
alaw 'Mawl y Gôf Du' yn gyhoeddedig yn unman, priodol a fyddai
ei hatgynhyrchu:

'Mawl y Gôf Du':[18]

Mae'n fwy tebygol i Lewelyn Alaw godi'r gân a eilw ef yn
'Addewyd Twrbil' ar lafar gan fod y pennawd yn awgrymu mai
awdur y pennill a gofnodir oedd bardd gwlad lleol – rhanbarthol
o leiaf – o'r enw James Turberville, neu Siemsyn Twrbil, yr oedd
ei gerddi yn boblogaidd yn yr ardaloedd diwydiannol dwyreiniol.
Yn wir, daeth un gerdd o'i eiddo yn rhan o draddodiad llafar y
genedl sef 'Ffarwél i Langyfelach lon', lle dychmygir am filwr
ifanc yn ffarwelio â merched ifanc ei wlad er mwyn ymladd â'r
Ffrancwyr, ac ymddengys mai thema gyffelyb oedd ganddo yn
yr 'Addewyd'. Sylwer bod blas llafar ar ambell air yn y pennill a
thybed ai enghraifft o gamglywed oedd 'annerch un' am 'annerch
fun' (sy'n ymadrodd mwy synhwyrol)?

'Addewyd Twrbil':[19]

Ffar-wel f'a-nwy-lyd, wiw - bryd, lon - bryd, lan, Fel dw'r a thân yw'm nat - ur-iaeth i; Fy ng'lyn-ion ym-a sydd yn rhes-tri o fy mlaen, I frwy-dro a rhain yn fu-an bydd rhaid i fi: Bydd w - rol ferch er maint yw'th serch My - fi yw'r mab a'th an - nerch un, Nes de-lo'i yn fy ol f'an - wyl-yd i dy hol, Mi'th wna di'n wraig bri - o-dol ddon-iol ddŷn.

O'r bedair cân arall a berthyn i gonfensiwn yr hyn a alwyd gan Thomas Parry 'y canu caeth newydd' mae dwy ohonynt yn fyrrach eu hyd na'r ddwy arall. Dechreuwn gyda'r rheiny.

Y fyrraf oll yw 'Y Carwr Gwirion', alaw yn y modd mwyaf gyda rhychwant o naw nodyn ar ffurf pedair brawddeg gerddorol wahanol ond bod diweddebau'r ddwy gyntaf yn cael eu hadleisio gan rai'r ddwy olaf. Mae'n arwyddocaol i Lewelyn Alaw ei chofnodi ddwywaith yn olynol ac ymddengys ei fod, y tro cyntaf, yn cael cryn anhawster gyda chodi'r alaw. Awgryma hynny mai gwrando ar rywun yn ei chanu yr oedd ar y pryd ac iddo yn ddiweddarach gael sicrach gafael ar y cofnodi. Dengys y geiriau fod gan y prydydd, pwy bynnag ydoedd, afael sicr ar ei grefft ef:

'Y Carwr Gwirion':[20]

Gwran-dewch ar gy-ffes ha-nes siwr rhiw wael-aidd gar- wr gwir - ion, Mi wn na we-lwyd mewn un man fath ga-rwr dan y go - ron Mi roes fy serch ar ferch fach fain Goch liw- gar giw- rain ly-gad Y fei-nir la-na dec-a'i dawn a rha-dol iawn ei rhod-iad

'Carwriaeth' yw pennawd yr ail gân gydag alaw sydd eto yn y modd mwyaf, ac iddi rychwant o ddeg nodyn, ar ffurf gerddorol sylfaenol AABA. Yn fydryddol dibynna ar wead o odlau mewnol gyda chynghanedd sain yn glo ar bob rhan a theg tybio mai'r ffurf 'wyliad', neu'r 'wylad' tafodieithol, a ddylai fod ar un o'r odlau. Yr hen ddefod o gnocio wrth y ffenest yw cefndir y gerdd; gresyn na chynhwyswyd dim ond un pennill ohoni:

'Carwriaeth':[21]

Mae pennawd anghyffredin y gân nesaf, 'Temple Bar', yn peri i ddyn estyn ar unwaith am gasgliad o alawon Seisnig ac yn wir ceir alaw o dan y pennawd hwnnw yn un o gasgliadau alawon dawns mwyaf poblogaidd Lloegr yn yr ail ganrif ar bymtheg a'r ddeunawfed ganrif sef *The Dancing Master* (y drydedd gyfrol a gyhoeddwyd *c.*1726–28) ond nid oes berthynas rhyngddi a'r alaw sydd gennym dan sylw rŵan. Am y gân Gymraeg fel y cyfryw mae'n ddigon tebyg mai bardd o'r De a luniodd y geiriau, o ystyried ymadrodd megis 'O waith' a'r ansoddair 'pert' er enghraifft, eithr nid oes fawr o gamp ar ei gynganeddion; ar odl a chyseinedd y dibynna yn bennaf ac fel y digwydd yn aml gyda'r math hwn ar brydyddu tueddir i aberthu synnwyr i sain gyda'r pentyrru ar ansoddeiriau a welir yma ac acw yn y gerdd. Mae sioncrwydd dawns i'r alaw sydd mewn cywair mwyaf, ac o fewn rhychwant wythfed:

'Temple Bar':[22]

'Fy Ngholled' yw'r gân hwyaf o'r cyfan a chafodd Llewelyn Alaw ddau dro ar geisio'i chofnodi. Unwaith yn rhagor, ffaith arwyddocaol. Y tro cyntaf cofnododd y geiriau yn llawn ond rhoes y gorau i nodi'r alaw gryn ddeuddeg bar o'r diwedd fel pe'n ansicr ynglŷn â'r hyn y dylai ei osod ar glawr. Yr ail dro rhoes inni'r gân yn ei chyfanrwydd. O ystyried y cynnig cyntaf, fel y saif, daw'n amlwg iddo gael trafferth gyda chywair, amseriad, rhediad yr alaw, a'r geiriau; arwyddion a allai olygu ei fod, ar y pryd, yn ceisio codi'r cyfan ar lafar. A derbyn hyn, nid gwaith hawdd oedd gwneud hynny oherwydd ei bod yn alaw hir, ailadroddus a throfaus ei ffurf. Pan aeth ati'r eildro, tebyg iddo ef a'i ganwr, neu gantores, gael mwy o hamdden i gofnodi'r gân gyda'r canlyniad iddo newid a gloywi cryn dipyn arni. Bellach, mae'r geiriau yn debyg o fod yn bur agos at rai'r prydydd gwreiddiol a gellir dweud am yr 'Anad.' hwnnw fod ganddo braffach gafael ar ei grefft na'i ragflaenydd uchod. Ceir bod tair rhan i'r alaw, sydd mewn cywair mwyaf, gyda galw am ailganu rhannau dau a thri, ac er bod iddi rychwant o un nodyn ar ddeg erys gan amlaf o fewn wythfed:

'Fy Ngholled':[23]

Gadewir ni â phedair cân sydd â'u cerddi yn amddifad o gynghanedd. Perthyn un ohonynt, 'Gorfoledd Napier', i'r bedwaredd ganrif ar bymtheg gan fod y geiriau'n cyfeirio at Syr Charles Napier a'i swyddogaeth fel llyngesydd yn ystod rhyfel y Crimea ym mhumdegau'r ganrif. Un pennill yn unig a gofnodwyd a diamau fod hwnnw'n rhan o faled oedd yn gysylltiedig â'r rhyfel hwnnw. Yn y cyfamser rhaid cadw llygad yn agored amdani. Digon dieneiniad yw'r alaw a'r peth mwyaf nodedig yn ei chylch yw fod cofnod Llewelyn Alaw ohoni'n dangos ei fod yn cael trafferth gyda'i gosod ar glawr; tystiolaeth debygol ei fod yn ei chodi ar lafar.[24]

'Helygen' yw pennawd un o'r alawon a chysylltwyd pennill â hi gyda'r geiriau heb eu gosod o dan y nodau. Un pennill yn unig a geir a dichon nad oedd hwnnw onid un ymysg eraill mewn cerdd yn canu clod yr helygen; fel y ceir cerddi hefyd sy'n canmol y gelynen, y fedwen a'r dderwen. Ffurf boblogaidd AABA sydd i'r alaw, mewn cywair mwyaf ac o fewn graddfa o naw nodyn:

'Helygen':[25]

'Fy Ngariad Gweddus' a 'Dydd da fo'i Nghariad gweddus' yw'r penawdau sydd gan Llewelyn Alaw i un alaw a cheir amrywiad ar y pennill sy'n gysylltiedig â hi yma yng nghyfrol Maria Jane Williams; er y mentraf anghytuno â Daniel Huws fod perthynas rhwng ei halaw hi ac un Llewelyn Alaw. Gallwn fod yn hyderus mai ar lafar y daeth y pennill i'w feddiant ef ac y mae'n bur agos at y ffurf arno a glywyd gan ferch Aberpergwm ei hun, cyn iddi ei roi i Taliesin ab Iolo i'w 'ddiwygio' ar gyfer ei gyhoeddi yn ANAGM.[26] Cofnodwyd yr alaw ddwywaith gan y telynor a hynny mewn dau fodd gwahanol: y modd re a'r modd soh, er ei fod yn cymysgu pethau tua'r diwedd yn yr ail achos, hynny'n arwyddo mai'r cofnod cyntaf yw'r un boddhaol ac nad oedd yn orgartrefol wrth geisio ymdrin â moddau gwahanol i'r rhai mwyaf a lleiaf yr oedd yn gwbl gydnabyddus â nhw. Dyma, felly, alaw sydd gyda'r fwyaf swynol sy'n bosibl ei chael ac yn syml ond hylaw ei ffurf o fewn rhychwant o naw nodyn:

'Fy Ngariad Gweddus':[27]

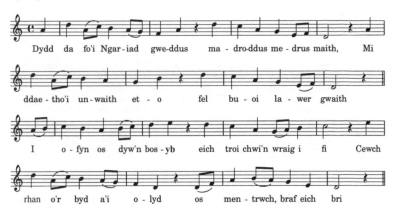

Dydd da fo'i Ngar-iad gwe-ddus ma - dro-ddus me - drus maith, Mi

ddae - tho'i un - waith et - o fel bu - oi la - wer gwaith

I o - fyn os dyw'n bos - yb eich troi chwi'n wraig i fi Cewch

rhan o'r byd a'i o - lyd os men - trwch, braf eich bri

Ar frig un tudalen ac uwchben alaw ddienw sy'n agor â'r llinell, 'Mae gwyr ifainc yn y Blaenau', ceir pennill sy'n amlwg yn perthyn iddi. O roi'r alaw a'r pennill ynghyd deuwn at yr olaf o'r caneuon Cymraeg a geir ymysg casgliad cyffredinol Llewelyn Alaw. Digwydd amrywiad ar y pennill (diamheuol o lafar) mewn casgliad o ganeuon gwerin a anfonwyd i gystadleuaeth yn Eisteddfod Genedlaethol Caerfyrddin, 1911, a chyhoeddwyd y gân o'r casgliad hwnnw yn ddiweddarach yn CII, 47, ond y mae'r ddwy alaw yn gwbl wahanol, yn arbennig felly o ran amseriad a chwmpas. Pum nodyn ac amseriad 4/4 sydd i'r alaw 'eisteddfodol' tra bod amrediad o naw nodyn ac amseriad 6/8 i'r un dan sylw yma:

'Mae gwyr ifainc yn y Blaenau':[28]

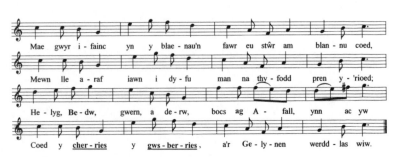

Mae gwyr i - fainc yn y blae - nau'n fawr eu stŵr am blan - nu coed,

Mewn lle a - raf iawn i dy - fu man na thy - fodd pren y - 'rioed;

He - lyg, Be - dw, gwern, a de - rw, bocs ag A - fall, ynn ac yw

Coed y cher - ries y gws - ber - ries, a'r Ge - ly - nen werdd - las wiw.

Cyn cefnu ar y telynor ymroddgar o Aberdâr rhaid cyfeirio at un alaw a ymddengys droeon yn ei lawysgrifau, gan amlaf o dan y pennawd 'Glan Rhondda'. Ceir peth gwahaniaeth nodau yn ei gofnodiad ohoni o bryd i'w gilydd eithr mae un enghraifft yn cyfateb i'r union ffurf arni a genir heddiw.[29] Erbyn hyn hi yw alaw ein hanthem genedlaethol. Eithr sut y daethpwyd i'w chyhoeddi gyntaf erioed? Rhaid troi yn rhannol am ateb at Eisteddfod Llangollen, 1858, oherwydd beirniad y gystadleuaeth a enillwyd yno gan Llewelyn Alaw, gydag Orpheus yn ail iddo, oedd John Owen (Owain Alaw, 1821–83) a chynhwysodd y ddau gystadleuydd yr alaw yn eu casgliadau. Yn 1858 hefyd yr argraffwyd geiriau 'Hen Wlad fy Nhadau' am y tro cyntaf. Mae'n amlwg i Owain Alaw hoffi'r gân ac yn rhan gyntaf *Gems of Welsh Melody* (1860) fe'i cyhoeddodd gan gynorthwyo'n fawr, felly, i roi bod i'n cân werin mwyaf poblogaidd ni oherwydd ar y glust y dysgwyd hi, ac y dysgir hi, gan y rhan fwyaf ohonom.

*   *   *

Hyd yma ni chafwyd anhawster gydag uniaethu'r casglyddion ond mae'r sefyllfa'n wahanol pan ddeuir at Orpheus.[30] Llwyddodd ef i ymguddio tu ôl i'w ffugenw hyd at yn weddol ddiweddar. Ar un adeg barnai J. Lloyd Williams iddo ddarganfod pwy yn union oedd Orpheus ond, yn ddiweddarach, newidiodd ei feddwl. Gresyn iddo wneud hynny oherwydd digwyddai fod yn gywir. Dangosir hyn mewn ysgrif ddiweddar lle datgelir mai enw iawn y casglydd dan sylw yw James James (Iago ab Ieuan, 1833–1902), awdur yr alaw 'Glan Rhondda' y cyfeiriwyd ati'n gynharach, sef alaw ein hanthem genedlaethol.[31] Diddorol sylwi ar y nodyn cefndir iddi a gynhwysodd Orpheus ar ddechrau ei lawysgrif:

35 written by a Harpist named James James Pontypridd.

Fel pe na bai llawer alaw arall yn y casgliad wedi eu cyfansoddi gan yr un dyn!

Cynnwys ei gasgliad 80 o eitemau, dwy ohonynt yn ganeuon Saesneg. Ceir tair alaw heb eiriau o gwbl ac un gerdd heb alaw; i'w chanu, meddir, 'ar y Don "Plotyn Du"'. Eithr i'n hamcan ni, y gwaith i geisio'i gyflawni yma yw penderfynu pa eitemau sy'n debygol o fod yn perthyn i'r traddodiad llafar. Amcangyfrifaf fod 39 o'r rheiny, gyda 29 ohonynt yn alawon ac wyth (o bosibl deg) yn ganeuon.

CANEUON

Yn gyntaf bwriwn olwg gyffredinol ar y caneuon. Cyhoeddwyd tair ohonynt yn CI: 'Ym Mhontypridd mae nghariad', 'Yr esgob a'r gwladwr' a 'Canu Cwnsela', ac yn y ffurf arbennig sydd arnynt yma casgliad Orpheus yw unig ffynhonnell y ddwy gyntaf. Yn wir, ni cheir 'Yr esgob a'r gwladwr' (rhif 45) yn unman arall. Alaw yn y modd re ydyw ac y mae'n un o bedair alaw felly yn y llawysgrif (y tair arall yw rhifau 10, 17 a 24) ond yr hyn sydd fwyaf arbennig yn ei chylch yw'r geiriau sydd fel pe'n ymgorffori chwedl werin: hen wladwr hefo'i het yn dalog ar ei dalcen yn gwrando ar esgob yn cyhoeddi'r fendith, y gŵr mawr yn ei geryddu am wisgo het mewn eglwys a'r gwladwr yn cael ei fendith yn ddiwerth oni allai honno dreiddio drwy'r het at ei ymennydd. Hyd yma, gwaetha'r modd, ni lwyddais i ddarganfod y chwedl mewn unrhyw gasgliad o chwedlau gwerin ond ychydig a wn am y maes enfawr hwnnw.

O'r caneuon sy'n weddill, 'Y Plotyn Du' (rhif 43) yw'r fwyaf adnabyddus. Yng Nghymru ceir o leiaf ddeg alaw wahanol (gyda sawl amrywiad ar rai ohonynt) ar gyfer canu'r faled gynhyrfus hon am rieni'n llofruddio'u mab mewn anwybodaeth er mwyn ei ysbeilio o'i arian, gyda rhai ohonynt yn adleisio alaw y 'Bobby Bingo' Seisnig, a pherthyn i'r is-deulu hwnnw y mae alaw Orpheus.[32]

Cynhwysa dwy o'r caneuon benillion triban ac nis gwelais mohonynt mewn unrhyw gasgliad arall. 'Penillion' yw'r pennawd ar y naill a 'Triban Morganwg (yn ol dull y gwenthwyswyr)' yw pennawd y llall. Canwyd y gyntaf gan William Rees 'o Lan-yferi, Sir Gaerfyrddin' (ai yn wreiddiol oddi yno ond bellach wedi sefydlu yn y cymoedd dwyreiniol?); un o dair eitem a gafwyd ganddo. Thomas James, Llanover Inn, a ganodd y llall; un o saith cyfraniad ganddo ef er na ellir bod yn siŵr a ddylid cyfrif dwy ohonynt yn ganeuon gwerin. Dof at hynny yn nes ymlaen.

Tipyn o gymysgedd yw alaw 'Penillion' (rhif 21) a gesyd Orpheus ddau enw arni sef 'Too ridl i dal lal' neu 'Cwrcath du'. Efallai iddi gael yr enw cyntaf o ryw amrywiad arni yn meddu cytgan megis 'tw-ri-dy-li-da-lal' a dichon i'r ail godi o gyfres o dribannau'n adrodd helyntion rhyw gwrcath du neu'i gilydd. Sut bynnag, tri thriban traddodiadol a gaed gan William Rees. Yma, aildrefnir peth ar farrau'r cytgan:[33]

'Penillion': rhif 21

Clywir dau adlais amlwg yn y gân: y pennill sy'n dwyn i gof alaw 'Lili Lon' a'r cytgan sy'n awgrymu barrau agoriadol cytgan y gainc a adwaenir bellach fel 'Gwnewch bopeth yn Gymraeg'. Nid yw cymysgedd fel hyn yn anghyffredin mewn canu gwerin, bid siŵr, gan na ddyry'r traddodiad llafar fawr ddim pwys ar wreiddioldeb.

O berthynas i'r geiriau sylwer i Orpheus ddweud yn ei ragymadrodd i'w gasgliad ei fod yn hollol fwriadol wedi dewis cynnwys geiriau 'of a class superior' i rai o'r cerddi a glywodd gan ei gantorion ond ei fod, ar brydiau, wedi cadw at y rhai gwreiddiol pan farnai fod yna ryw 'peculiar connection' rhwng yr alaw a'r geiriau. Barnodd felly yn achos y gân hon. Gwyddai'n burion y defnyddid sawl alaw wahanol i ganu tribannau a bod hon yn un ohonynt.

Felly hefyd yr alaw a gafwyd gan Thomas James, 'yn ol dull y gwenthwyswyr', gyda byrdwn byr o sillafau disynnwyr i'w canu rhwng rhai o'r llinellau (rhif 44). Gwaetha'r modd ni sgrifennwyd y triban cyntaf o'r tri o dan nodau'r alaw ac ni ellir felly fod yn gwbl sicr o sut yn union y canwyd y penillion. Dyma sut y ceir yr alaw a'r triban agoriadol yn y llawysgrif:

'Triban Morganwg….': rhif 44 – alaw yn unig – yna triban 1

Dau beth sy'n nghwm gwybedog
    rai tal lwral etc.
Nad yw yn sir frycheiniog
    rai tal lwral etc
Dyn yn cruiso ar Nant Cwmgwrach
Ag 'deryn bach yn dorog.
    Rai tal lwral.

Cyfyd anhawster gyda chanu'r drydedd linell lle nad yw sillafiad y geiriau'n cyfateb i hyd rhai o'r nodau. Ymddengys hefyd i'r byrdwn gael ei hepgor. Sut bynnag, gyda pheth newid ar fanion gellir addasu'r geiriau yn rhwydd:

'Triban Morg…': rhif 44 gyda triban 1 wedi'i sillafu dan yr alaw

Ar waelod y tribannau rhoir ffugenw'r sawl a'u lluniodd, sef Dewi ab Iago, (David James, 1839–80), Trecynon, argraffydd yn ôl ei alwedigaeth, aelod gyda'r Undodwyr yn Hen Dŷ Cwrdd Aberdâr a bardd y cyhoeddwyd peth o'i waith yn *Yr Ymofyn(n)ydd*.[34] Eithr go brin fod y tribannau hyn ar gael yno o ystyried y ffurfiau tafodieithol sydd ynddynt. Teg rhagdybied mai ar lafar y'u cadwyd ac mai fel yna y'u canwyd gan Thomas James.

Y seithfed o'r caneuon yw 'Dail y Tobaco' (rhif 48) a godwyd, unwaith yn rhagor, o ganu Thomas James, Llanover Inn. Ceir rhai amrywiadau ar yr alaw yng Nghymru; er enghraifft, 'Y Milwr' yw enw'r un sydd yn ANAGM a chofnodwyd ffurf arall arni gan Llewelyn Alaw o dan y pennawd 'Y Bibell Wen Galchog' (ymadrodd a ddaw ar ddechrau ail bennill y gerdd). Gwelir ffurf arall eto arni yn YC (Medi, 1892) wedi ei chodi o ganu R. Roberts, postfeistr Llandderfel; prawf o'i phoblogrwydd yng ngogledd fel yn ne Cymru. Canodd Thomas James bump o benillion a'r tebygrwydd yw mai ffynhonnell ei gerdd ef, yn anuniongyrchol, oedd un o daflenni-baled y cyfnod. Gwyddys bod copïau ohoni ar gael ond ni ddigwyddais weld unrhyw un sy'n cyfateb yn union i benillion y tafarnwr. Wele'r pennill cyntaf o bump a gofnodwyd gan Orpheus:

'Dail y Tobaco': rhif 48

Yr olaf o'r wyth cân yw 'Yn Iach i Arfon' (rhif 34) a'r cyfan a ddywedir amdani yn y nodiadau i'r caneuon yw ei bod yn

'Extant in anglesea'. Ni sonnir am na chanwr nac ardal ac nid oes nac enw na ffugenw ar waelod y gerdd bum pennill. Wrth ei chyhoeddi yn CI, 30 dywedodd J. Lloyd Williams: 'The original words are not given' ond ni chynigiodd reswm dros ddweud hynny a bodlonodd ar gynnwys yr alaw yn unig. Tybed a ddarganfu eiriau iddi mewn rhyw fan arall gydag enw'r prydydd ynglŷn â nhw a dod i'r casgliad, ar sail arfer Orpheus o ddisodli geiriau ei gantorion â rhai mwy 'barddonol', na allent fod yn wreiddiol yn ei lawysgrif ef? Eithr, a chaniatáu iddo ddarganfod cerdd felly o dan yr un pennawd, ni ddilyn fod ei gasgliad yn ddilys. Gallai'r gân fod wedi dod i Orpheus yn ei chyfanrwydd fel y saif yma ac nid ymddengys i mi fod rheswm digonol dros gredu'r gwrthwyneb i hynny. Dyma'r pennill cyntaf yn fersiwn Orpheus:

'Yn iach i Arfon' : rhif 34

Yn 1920 cyhoeddwyd *Alawon Gwerin Cymru / Welsh Folk Songs* ac mewn nodyn ar 'Canu'n Iach i Arfon' yn y gyfrol honno dywed J. Lloyd Williams fod ffurf ar yr alaw i'w chael yn llawysgrifau Ylltyr Williams, Dolgellau, fel y cenid hi yn ardal Trawsfynydd, ond heb eiriau ynghyd â hi.[35] Gofynnodd i Llew Tegid lunio cerdd yn arbennig ar gyfer y gyfrol a chydsyniodd yntau. Dyma ni felly gyda dwy ffurf ar yr alaw, y naill wedi'i chofnodi yng nghymoedd y De a'r llall yn ucheldir y Gogledd; hynny dan yr un pennawd. Diddorol yw ychwanegu i'r gân gael ei chanu, yn ôl adroddiad yn YCC, mewn cyngerdd ym Marchnadfa Blaenau Ffestiniog yn ystod Ionawr 1868.

Haedda'r alaw sylw neilltuol a hithau wedi ei llunio i ganu penillion ar fydr awdl-gywydd tri-chlymiad. Hwn oedd un o hoff fydrau'r canwr penillion traddodiadol ac uwchben enghreifftiau ohono mewn llyfr a llawysgrif gwelir yn aml enwau alawon megis 'Pen Rhaw' a 'Gadael Tir'. Ond sut i'w ganu ar un o'r alawon hynny a hwythau'n rhy hir ar ei gyfer? O ystyried munudyn, mae'r ateb i ni'r Cymry yn ddigon amlwg. Ceisier canu'r alaw uchod fel cyfalaw i un o'r ddwy a nodwyd yn barod ac fe geir bod 'Gadael Tir' (rhai amrywiadau arni o leiaf) yn gymwys, gyda mymryn o addasu.

Y casgliad i'w dynnu yw fod 'Yn Iach i Arfon' yn enghraifft o gyfalaw a ddaeth yn ddigon poblogaidd dros gyfnod o amser i fodoli fel alaw ar wahân. Mae nifer o rai cyffelyb iddi ar gael yng nghorff ein caneuon gwerin.

O safbwynt y geiriau a geir iddi yng nghasgliad Orpheus, er imi annog eu derbyn fel y rhai a gysylltwyd yn wreiddiol â'r alaw a ddaeth i'w feddiant ef, ni ddilyn mai ynddyn nhw y tarddodd y pennawd a roddir i'r alaw honno. Gallai'r prydydd a'u lluniodd fod wedi ei symbylu i wneud hynny gan bennawd a fodolai ymlaen llaw; hynny yw, mai 'Yn iach i Arfon' oedd yr enw arferol ar yr alaw ac mai hwnnw a roes fod i'r gerdd. Gresyn na fyddai Ylltyr Williams wedi cofnodi'r geiriau a genid yng nghyffiniau Trawsfynydd; dichon fod y rheiny'n wahanol i rai Orpheus. A phwy a ŵyr na ddaw rhywun, rywbryd, ar draws hen bennill ar fydr awdl-gywydd tri-chlymiad yn sôn am 'ganu'n iach i Arfon'?

Rhaid ystyried bellach y ddwy gân arall yn y casgliad yr wyf rhwng dau feddwl a ddylid eu hystyried fel caneuon gwerin ai peidio, sef 'Pan elo'i tro nesa' (rhif 11) ac 'Y Mochyn' (rhif 12). Thomas James a ganodd y rhain eto ac y mae lle i gredu mai ef hefyd a luniodd y geiriau.[36] Hyn sy'n peri i mi betruso ynglŷn â'r priodoldeb o'u cyfrif yn ganeuon gwerin. Digon tebyg i'r alawon ddod i feddiant Thomas James ar lafar (ac efallai eu bod o ran tarddiad yn Seisnig) ond gan mai ef a luniodd y cerddi ar eu cyfer tybed na ddylid eu hystyried fel caneuon 'personol' at ei alwad ei hun fel petai? Eithr sylwer ar nodyn cefndir cân 'Y Mochyn':

'Generally known by the appellation of *"Canu'r Mochyn"* from the incident which it treats of'. Awgryma hyn ei bod yn gân adnabyddus dros ardal weddol boblog, yn rhan o gynhysgaeth ddiwylliadol y gymdeithas gyfan. Eto, cân 'leol' iawn ydyw, fel 'Pan elo'i tro nesa' hithau, ac efallai na oroesodd yr un o'r ddwy heibio i genhedlaeth Thomas James. O leiaf ni wn am unrhyw dystiolaeth iddynt ddod yn rhan o draddodiad llafar sy'n pontio cenedlaethau.

Serch hynny, mae cymaint o flas y bardd gwlad ar y geiriau a chymaint sioncrwydd difyr yn yr alawon fel y barnaf mai da o beth a fyddai rhoi cyfle i genhedlaeth nad adnabu Thomas James i'w hailfeddiannu:

(i) 'Pan elo'i tro nesa': rhif 11

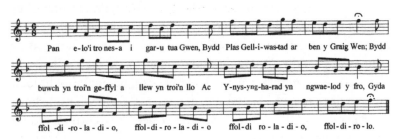

(ii) 'Y Mochyn': rhif 12

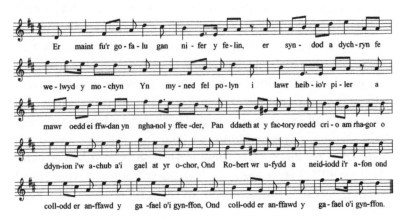

ALAWON

Cofir imi amcangyfrif bod 39 o alawon/caneuon gwerin yng nghasgliad Orpheus. O'r rhain cyhoeddwyd cymaint â 13 gan J. Lloyd Williams yn CI, (23–31, 90, 94–5), tair ohonynt a godwyd yn eu crynswth o'r llawysgrif fel y gwelsom yn gynharach, pump yn alawon yr adferwyd iddynt eu penillion gwreiddiol (fel y cofnodwyd y rheiny yn y nodiadau cefndir) a phum alaw cwbl ddieiriau. Felly, gan fod y rhain ar gael mewn print awn heibio iddynt am y tro a chanoli sylw ar rai, yn unig, o'r alawon gwerin sy'n weddill. Detholir yn bennaf ar sail naill ai enw'r alaw, a gofnodir weithiau, neu ar rediad yr alaw ei hun a all awgrymu perthynas â chaneuon neu alawon yr ydym eisoes yn gyfarwydd â nhw fel rhai gwerin.

Yr olaf o'r 14 eitem y trefnwyd cyfeiliant ar eu cyfer gan Orpheus yn ei gasgliad yw honno a elwir 'Y Tramp'. Ni ddewisodd eiriau ar ei chyfer ond dyma'i nodyn cefndir iddi:

> This air is known traditionally throughout Wales and is sung to the song called 'Y Tramp o dre'.

Roedd yn llygad ei le. Ceir cerddi mewn taflenni-baled i'w canu ar yr alaw gydag amrywiadau arni hithau yn ei thro. Cyhoeddwyd rhai ohonynt yn CII, 111–118; mae'r debycaf i un Orpheus i'w gweld ar dud.114.

Ni ddewiswyd geiriau chwaith ar gyfer yr alaw a elwir 'Braf yr ymdrawais i' (rhif 22) enw a roed arni, o bosibl, ar gorn llosgwrn sy'n cloi pob pennill (ar fydr Hen Bennill). Rhag ofn y daw rhywun ar draws penillion yn cynnwys y llosgwrn '[O], braf yr ymdrawais i' dyma'r alaw:

'Braf yr ymdrawais i': rhif 22

Dan y pennawd 'Y Dyddanydd' (rhif 24), gyda geiriau wedi eu dethol gan Orpheus, nodir enw'r alaw: 'Ceiliog mwyn o'r Mynydd'. Eithr y mae iddi enwau eraill mewn rhai casgliadau, er enghraifft, 'Mêl Wefus' neu 'Hope to have', ynghyd â chyfieithiadau o'r ail, megis 'Gobaith i dderbyn' a 'Gobaith i gael'. Yn CIII, 50–54 'Mêl Wefus' yw'r enw ac yno gwelir tri amrywiad arni. Ceir rhai eraill mewn llawysgrifau o'r ddeunawfed ganrif a'r bedwaredd ganrif ar bymtheg, yn ychwanegol at yr un a welir yma. Yn wir, cynhwyswyd cerdd i'w chanu ar 'Hope to have' mewn anterliwt o'r ail ganrif ar bymtheg, 'Sherlyn Benchwiban'. Roedd yn alaw hynod boblogaidd ymysg cantorion ac offerynwyr de a gogledd fel ei gilydd.

Hyd yma ni wyddys pam y galwyd hi yn ôl yr enwau hyn ond yn achos casgliad Orpheus mae'r rheswm yn amlwg. Yn ei nodyn cefndir iddi dywed fod yr hen gân 'Ceiliog mwyn o'r mynydd' yn agor fel hyn: 'A'i di'r ceiliog mwyn o'r mynydd / Ti gei geni gan ar gynydd &c.', cwpled sy'n mynd yn gampus ar agoriad yr alaw ac a roes iddi ei henw yn ardal Pontypridd. Yn ffodus cawn dystiolaeth bellach i hyn yng nghyfrol ddifyr Glanffrwd (William Thomas, 1843–90), *Plwyf Llanwyno*. Cyfeiria yno at Rhys Jenkins, Hafod Fach, oedd yn hoff iawn 'o ganu hen ganiadau Cymreig, perthynol i Sir Forganwg', hynny weithiau ac yntau ynghwsg:

> Clywais ef fy hun fwy nag unwaith yn canu,
> "O äi di'r ceiliog mwyn o'r mynydd," drwyddi,
> benill ar ol penill, o'r dechreu i'r diwedd,
> yn ei gwsg yn nghanol y nos.[37]

Gyda llaw, o'r un gyfrol (t.144) daw cipolwg ar feirdd yr ardal yn dod ynghyd i dafarn i'w difyrru eu hunain:

> Yr oedd Evan (Cule) yn meddu ar dalent loew, a llawer awr hapus dreuliodd ef a Gwilym Morganwg, Twm Gilfynydd, Eustace Tydraw, ac ereill, yn y New Inn, Pontypridd, i ymosod ar eu gilydd ac ar ereill mewn tribannau.

Gresyn i Orpheus fodloni'n unig ar gofnodi cwpled agoriadol y gerdd dan sylw. Gobeithio y deuir ar ei thraws yn ei chyfanrwydd rywbryd.[38]

Yn dilyn yn union ar yr eitem flaenorol ceir cân a alwodd Orpheus 'Yr Hen Dderwen' (rhif 25), gyda'r ymadrodd 'Air. Merch y Brenin Twrci' uwchben yr alaw. Awgrymai hyn fodolaeth taflen-faled neu anterliwt rywle'n y cefndir ac o chwilio ymysg baledi'r bedwaredd ganrif ar bymtheg yng nghasgliadau'r Llyfrgell Genedlaethol cafwyd cerdd yn dwyn y pennawd cynhyrfus hwn:

> Cerdd o hanes mab i wr bonheddig, o Lancashire, a gymerwyd
> i garchar y'ngwlad y Twrcs, o achos ei grefydd, a merch y
> brenin a'i ffansiodd ef, ac a'i gollyngodd yn rhydd; ynghyd a'r
> modd rhyfeddol y cafodd ef hi yn briod, yn Lloegr, y'mhen saith
> mlynedd. Cenir ar y mesur a elwir Princess Royal.[39]

Sylwer yn arbennig ar y frawddeg glo. Gyda hepgor ambell nodyn a llithrennu cryn dipyn, gellir canu penillion y faled hon ar alaw 'Merch y Brenin Twrci' a dyna esbonio enw Orpheus arni. Yn ôl y pennawd uchod, fodd bynnag, mae iddi enw gwahanol sef 'Princess Royal'. Mae baled arall hefyd ar yr un mydr i'w chanu, meddir, ar 'New Princess Royal'.[40] Beth a wneir o hyn?

Fel yr awgryma'r cyfeiriad at 'wr bonheddig, o Lancashire' ym mhennawd y faled, addasiad yw'r un Gymraeg o stori a adroddir mewn sawl baled Seisnig (er enghraifft 'Lord Bateman', 'Lord Beichan and Susy Pye', 'Young Bekie') a gellid disgwyl felly fod alaw/on Seisnig ar gael yn dwyn yr enw 'Princess Royal'. Dyna'r union wir. Ceir un felly yng nghyfrol gynhwysfawr Simpson[41] ond ni ellir canu'r gerdd Gymraeg ar honno. Mae amrywiadau ar alaw arall yn ogystal, un a enwir fel rheol 'The bold Princess Royal', i'w gweld yn *Journal of the Folk-Song Society*, rhifau II a III, eithr nid oes perthynas rhwng y rheiny chwaith ac alaw Orpheus.

Mewn cyd-destun Cymreig, y tro hwn, sylwer bod pedair alaw

a elwir yn 'Princess Royal' neu 'Princes Royal', un yng nghasgliad Ifor Ceri, un yn llawysgrifau Llewelyn Alaw, un yn YCC ac un yn YC.[42] Perthyn y bedair hyn i'r un teulu alawol a cheir o leiaf bedair cerdd mewn anterliwtiau gwahanol y gellid eu canu ar unrhyw un ohonynt ond nid ydynt yn gymwys ar gyfer baled 'Merch y Brenin Twrci'. Hyd y gwyddys, felly, saif alaw Orpheus ar ei thraed ei hun. Cymhwysir hi yma i un pennill o'r faled:

'Yr Hen Dderwen'/'Merch y Brenin Twrci': rhif 25

Sylw J. Lloyd Williams ar yr alaw i'r gân 'Cymru fy Ngwlad' (rhif 29) yng nghasgliad Orpheus yw: 'An interesting variant of Morfa Rhuddlan' ond yn rhyfedd iawn ni chyhoeddodd hi yn rhifynnau cynnar y *Cylchgrawn*. Rhennir teulu 'Morfa Rhuddlan' yn ddwy gangen gyda'r naill yn dra adnabyddus, gan mor niferus yr amrywiadau, a'r llall yn llawer llai felly. Cyhoeddwyd rhai o'r gangen gyntaf mewn cyfrolau megis *Aria di Camera* (1725?), *Antient British Music* (1742), *A collection of Welsh, English and Scotch Airs* (1761) a MPR (1784) gyda hynny'n cyfrif mae'n siŵr am boblogrwydd diweddarach y ffurf hon ar yr alaw. Ar y llaw arall, y cyhoeddiad cyntaf cyflawn o amrywiad ar yr ail ffurf, hyd y gwn, yw hwnnw a gyfrannwyd gan J. Lloyd Williams ei hun i *Llyfr Canu Newydd*, rhan II, amrywiad a gofnodwyd, meddir, gan Tom Powell, Pwllheli, ac un sydd beth yn wahanol i eiddo Orpheus. Eithr, fel y gwyddom, roedd J. Lloyd Williams yn gyfarwydd â chasgliad Orpheus cyn iddo ddechrau golygu'r *Cylchgrawn* yn 1909.

Perthyn arwyddocâd arbennig i'r gwahaniaeth rhwng y ddwy

ffurf hyn ar yr alaw a llwyddodd Tom Parry yn ei gyfrol *Baledi'r Ddeunawfed Ganrif* (1935) i ddangos hyn yn glir (darllener tt.150–56). Yn fyr, gellir gwerthfawrogi'r gwahaniaeth trwy gymharu barrau agoriadol amrywiadau LlCN I,rhif 24 a II,rhif 32 o 'Morfa Rhuddlan' gan ddefnyddio geiriau adnabyddus Ieuan Glan Geirionydd i'w canu arnynt:

(a) 'Morfa Rhuddlan' – LlCN I:24

(b) [" " " " " " II:32 " " " "]

Sylwer bod tair odl o fewn y ddwy linell gyntaf fel ei gilydd (a dyna'r ffurf ar bron bob llinell o'r gerdd) ond yn yr amrywiad blaenaf ni syrthiant ar brif acenion y gerddoriaeth. Yn yr ail amrywiad, fodd bynnag, mae amrywiaeth hyd curiadau yn pwysleisio'r odli; ceir priodas berffaith rhwng y cymalau geiriol a'r cymalau cerddorol, nodwedd neilltuol ar y canu caeth newydd a cheir esiamplau lu o hynny, er enghraifft, yng ngharolau Nadolig yr ail ganrif ar bymtheg a'r ddeunawfed ganrif.

O ystyried bod Ieuan Glan Geirionydd yn ŵr mor gerddorol, teg casglu ei fod ef, wrth lunio'i gerdd, wedi dilyn yn ôl y traddodiad hwn ac mai'r ail amrywiad a seiniai yn ei glust ar y pryd. Roedd Richard Morris yntau yn gyfarwydd â'r ffurf hon ar yr alaw yn ail ddegawd y ddeunawfed ganrif. Yn y bedair rhestr o enwau alawon a gofnodwyd ganddo yn ei lawysgrif o gerddi ymddengys ffurfiau ar yr enw 'Morfa Rhuddlan', un ohonynt yn rhestr 'The names of the tunes that I can sing on the viol. Richard Morris – 1717'. Ychwaneger at hyn y ffaith iddo gynnwys yn ei gasgliad gerdd '3 phenill ar y mesur a elwir morfa rhuddlan', ac mai'r union fydr hwnnw oedd yr un a ddilynwyd gan Ieuan Glan Geirionydd.[43] Gwelir bod y ffurf hon ar yr alaw yn bur hen, beth bynnag am y ffurf arall arni.

Gan fod amrywiad Orpheus yn symlach nag un Tom Powell a'i fod hefyd, hyd y gwyddys, y cynharaf sydd i'w gael mewn llawysgrif, cystal ei gyflwyno yma gyda phennill cyntaf cerdd Ieuan:

'Cymru fy ngwlad': rhif 29

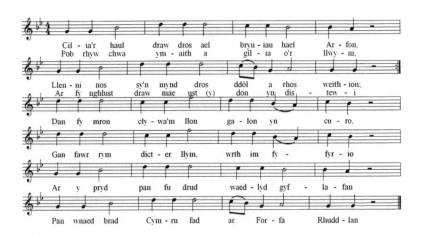

Yr alaw a nodir ar gyfer canu'r gerdd 'Hiraeth Cariad' (rhif 33) yw 'Y Bachgen Main' ac fel yn achos 'Yn Iach i Arfon' dywedir ei bod yn 'Extant in anglesea', heb unrhyw fanylion pellach. Gwyddom y cenid cerdd 'Y Bachgen Main' ar alawon gwahanol; er enghraifft, wrth gyhoeddi un ffurf ar y gân yn *Folk-Songs from Flintshire and the Vale of Clwyd* (1914) rhoes Mrs Herbert Lewis y nodyn cefndir hwn iddi:

...a well-known ballad, and I have heard it sung to two other tunes in Flintshire.

Ffurf ar yr alaw a ddefnyddir yn fwyaf arferol i ganu'r gerdd yw'r un a gofnodwyd gan Orpheus:

'Hiraeth Cariad': rhif 33

Yn yr un nodyn cefndir a ddyfynnwyd uchod ychwanegodd Mrs Lewis fod awdur cerdd 'Y Bachgen Main' yn anadnabyddus. Tybed a glywodd Orpheus ganwr a'i wreiddiau ym Môn yn canu 'Y Bachgen Main' ar yr alaw a gofnododd yn ei gasgliad? Os felly ni ellir ond diarhebu ato yn disodli baled mor eithriadol o boblogaidd (fel y tystia'r degau o daflenni-baled sy'n ei chynnwys) gyda phenillion mor llipa â 'Hiraeth Cariad'.

Ymhlith yr alawon a gafodd Orpheus gan Thomas James, Llanover Inn, roedd honno a gyfunwyd â geiriau Daniel Jones, Merthyr, i lunio'r gân 'Cwyn yr Ymddifad' (rhif 46). Sylw J. Lloyd Williams arni oedd: 'Not Welsh is it?' ac yr oedd yn llygad ei le. Amrywiad ydyw ar alaw Seisnig hynod o boblogaidd sy'n perthyn i ddiwedd y ddeunawfed ganrif, 'The girl I left behind me', a diamau mai'r prif reswm dros ei phoblogrwydd oedd arfer bandiau'r Fyddin Brydeinig o'i chwarae ar achlysur ymadael o wersylloedd mewn amrywiol fannau; arfer a bery hyd heddiw. Yn anffodus, ni ellir bod yn sicr mai geiriau'r prydydd o Ferthyr a ganwyd gan Thomas James; tebycach, efallai, mai arall oedd ei gerdd. Sut bynnag, gan na wn am amrywiad Cymreig cyflawn arall ar yr alaw Seisnig adnabyddus hon cystal ei chynnwys yma gyda phennill cyntaf Daniel Jones:

'Cwyn yr Ymddifad'; rhif 46

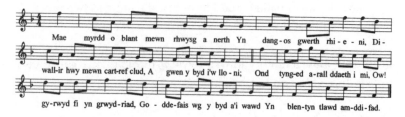

Y nodyn cefndir i 'Cymru Lan' (rhif 41) yw 'Too well know (*sic*) to require remark'; sylw cwbl gymwys oherwydd ychwanegir hefyd '*Air*. Lili Lon' ond ni chynhwysir geiriau gyda'r amrywiad hwn ar yr hen alaw; bodlonir yn hytrach ar gyfeirio'r darllenydd at eiriau gan Talhaiarn yn *Y Cymro*, 17 Rhagfyr 1857; enghraifft arall o Orpheus yn amlygu chwaeth lenyddol 'ddyrchafedig'.

Cofnodir tair cân ganddo y dywedir amdanynt: 'Sung in the Vale of Glamorgan' ond un ohonynt yn unig, 'America' (rhif 50), sy'n cynnwys ar ei brig yr hyn a ymddengys yn enw alaw, sef 'Dai y teiliwr'. Mae'n debyg fod y gân hon am helyntion teiliwr arbennig yn ffefryn ymysg rhai o drigolion y Fro. Alaw fach sionc o fewn cwmpas wythfed ydyw a'r tro hwn dewisodd Orpheus eiriau cymwys ar ei chyfer (os dyna yn wir a ddigwyddodd), geiriau'n adlewyrchu gwrthwynebiad i ddegwm yr eglwys wladol fel un o'r cymhellion tu ôl i ymudo i America. Geilw'r prydydd ei hun yn 'Un o'r cenhedloedd' ac fel bardd gwlad o'r iawn ryw roedd yn ei medru hi. Dengys y pennill cyntaf hynny'n amlwg:

'America': rhif 50

Dywedir yn y nodyn cefndir i 'Can y Bardd wrth farw' (rhif 70) ei bod yn 'Supposed to be very old' ond fe dybiwn i mai'r alaw oedd gan y casglydd mewn golwg yma a hawdd derbyn ei bod yn hynafol. Mae'n ailadroddus ei chymalau, yn gyfyng ei rhychwant a chyda ffurf ddwyran yn cloi â'r un ddiweddeb. Yn wir, mae adlais ynddi (ni hawliwn fwy na hynny) o un o alawon ein hen gerddoriaeth, 'Cainc Dafydd Broffwyd', a derbyn dehongliad rhai cerddorion o'r ffurf sydd i honno yn llawysgrif Robert ap Huw ar ddechrau'r ail ganrif ar bymtheg. Mater gwahanol, fodd bynnag, yw'r geiriau a welir yma oherwydd math ar ddynwarediad yw'r rheiny, gyda benthyca ac adleisio ambell ymadrodd ar brydiau, o gerdd adnabyddus Thomas Lloyd Jones (Gwenffrwd) a bu ef farw yn ŵr ifanc o gwmpas pedair ar hugain mlwydd oed yn 1834.[44] Ar bwys nodweddion yr alaw haedda adnabyddiaeth ehangach ac er mwyn dangos y mydr barddonol cynhwysir pennill cyntaf y llawysgrif:

'Can y Bardd wrth farw': rhif 70

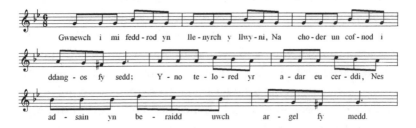

Yr olaf o'r detholion yw'r gân 'Tybaco' (rhif 77) gyda'r alaw ar ei chyfer wedi'i henwi yn 'Gadael Cymru'. Rhagdybiaf felly mai cerdd ar y pwnc hwnnw a ganwyd gan 'Mr W. Hopkin, Eagle Inn, Abercenffyg' yn wreiddiol ac mai Orpheus a newidiodd y traethu i gondemnio tybaco yn hallt. Dyma, yn wir, un o dair cerdd a ddefnyddiwyd ganddo i wneud hynny! Y syndod yw na chynhwysodd gymaint ag un gerdd ddirwest, yn enwedig o gofio am ei ddisgrifiad o'r ddiod gadarn fel 'the bane of society'. Boed hynny fel y bo, wele'r alaw sydd dan sylw yma ynghyd â phennill cyntaf 'Tybaco'. Unwaith yn rhagor, pwy a ŵyr na ddeuir ar draws penillion 'Gadael Cymru' gan rywun, yn rhywle, rywbryd?

'Gadael Cymru': rhif 77

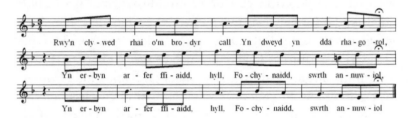

Rwy'n cly - wed rhai o'm bro - dyr call Yn dweyd yn dda rha - go -rol,

Yn er - byn ar - fer ffi - aidd, hyll, Fo - chy - naidd, swrth an - nuw - iol,

Yn er - byn ar - fer ffi - aidd, hyll, Fo - chy - naidd, swrth an - nuw - iol

Cyn cefnu ar gasgliad Orpheus rhaid pwysleisio mai detholiad gweddol frysiog ar sail barn bersonol yw'r uchod (gyda manteisio yr un pryd ar farn J. Lloyd Williams yn yr un cyd-destun ond heb ei ddilyn bob amser) a diau y barnai detholydd arall yn wahanol. Nid oedd Orpheus, mwy na'r cyfoeswyr hynny a rannai ei ddiddordeb mewn cerddoriaeth draddodiadol, yn malio rhyw lawer am ddeall ac esbonio nodweddion cyffredinol y traddodiad llafar yn ei berthynas â cherddoriaeth. Roedd y syniad o 'gân/ alaw werin' yn un dieithr iddynt ac ymddangosai 'gwella' ar alaw a geiriau (yn ôl safonau eu cyfnod eu hunain) yn beth dymunol ac angenrheidiol. A pham na ellid cynnwys caneuon newydd sbon mewn casgliadau ar gyfer cystadleuaeth oedd yn gofyn am alawon nas cyhoeddwyd mohonynt erioed o'r blaen? Purion, o safbwynt y bedwaredd ganrif ar bymtheg. Poenus, i ni a anwyd wedi i'r Cymdeithasau Cerddoriaeth Werin gael eu sefydlu ym Mhrydain tua diwedd y ganrif honno a dechrau'r ugeinfed. Mewn gair, gorchwyl gymhleth yw penderfynu pa ganeuon/alawon sy'n draddodiadol ddilys ymysg eitemau casgliadau megis un Orpheus; gall hynny beri cryn anghytundeb ar brydiau ymhlith y rheiny ohonom sy'n ymddiddori mewn mater o'r fath.

Wrth gloi dylid cyfeirio at hynny a wyddys am hanes y llawysgrif. Rhywsut neu'i gilydd daeth i feddiant Lewis Hartley, trafaeliwr masnachol, ym Mangor, a'i prynodd am swllt gan ei rhoi'n ddiweddarach yn anrheg priodas i W. Cadwaladr Davies (cofrestrydd Coleg Prifysgol Gogledd Cymru, Bangor, bryd hynny) ar achlysur ei briodas â Mary Davies yn 1888. Yn ei lythyr cyfarch cyfeiriodd y rhoddwr yn arbennig at bresenoldeb y gân 'that has now become the Welsh National Anthem' ymysg eitemau'r llawysgrif, gan ychwanegu:

I have always felt myself somewhat of a dog in the manger in keeping it; and I am glad to feel that you may consider it an appropriate mark of esteem & regard upon your union with the "Queen of Welsh Song".

Ymhen amser daeth y 'Frenhines' honno yn un o swyddogion amlwg Cymdeithas Alawon Gwerin Cymru a thrwyddi hi y daeth J. Lloyd Williams yn gyfarwydd â'r llawysgrif. Gofalodd Lewis Hartley fod ffrwyth llafur Orpheus yn cael ei rwymo'n gadarn a hardd, fel y gweddai i anrheg priodas, ond ni ddangoswyd yr un gofal gan y rhwymwr wrth ddilyn trefn y casglwr ei hun ar rediad yr eitemau. Bu cryn gymysgedd ynglŷn â hynny. O fewn yr un rhwymiad hefyd cynhwyswyd trefniadau ar rai o'r eitemau gan John Richards (Isalaw, 1843–1901), un arall o ddinasyddion Bangor a chyfaill agos i Cadwaladr a Mary Davies. Diamau mai ar sail hynny y cafodd yntau olwg ar y llawsygrif. Ysywaeth, bu lwyr y mudandod ymhlith y Bangoriaid am enw bedydd Orpheus.

NODIADAU

1. MPR (1794)

2. Cyhoeddwyd hon yn ddiweddarach yn SW.

3. Y llawysgrifau: John Thomas (LlGC/JLlW AH1/36); Morris Edwards (Bangor Ms 2294:1778); Ifor Ceri (LlGC/1940Ai); Llewelyn Alaw (LlGC 337D). Y cyfrolau: MPR (1974); ANAGM; YCC; AfNg.

4. 'The Tunes of the Welsh Christmas Carols', CG 11/1988 a 12/1989. Gw. yr erthyglau hyn hefyd am fanylion pellach ynglŷn â rhai o'r ceinciau a drafodir yma.

5. Fe'i trafodir yn y bennod ddilynol ar ddiwedd yr ymdriniaeth ar rai alawon traddodiadol a gyhoeddwyd yn YC, 1911.

6. Am y 'rheswm da' hwn gw. CCII, gol. Phyllis Kinney a Meredydd Evans, Cymdeithas Alawon Gwerin Cymru, 1987, t.34.

7. Mae un achos arall o benawdau cainc Ieuan Ddu yn awgrymu geiriau gwreiddiol posibl sef 'Y Berllan' (98). Yn Blwch o Bleser i Ieuenctyd Cymru I (argraffiad 1816, t.27) ceir cerdd dan yr enw 'Canmoliaeth Gwr Ieuanc i'w Gariad. Gan ei chyffelybu i Berllan' a gellir canu'r penillion (gan Gwilym Morganwg) i'r gainc o'r un enw.

8. LlGC 329B–337D.

9. CII:88–100. Cawn enghraifft ragorol yma o'r botanegydd cerddorol ar waith. Dengys dadansoddiad J. Lloyd Williams mor ganolog yw'r syniad o 'deulu alawol' wrth astudio cerddoriaeth werin.

10. Am ysgrif sy'n ei osod yn ei gefndir ac yn trafod ei gyfraniad yn gyffredinol i fywyd ei fro gw. 'Bardd a'i Gefndir', R.T. Jenkins, Trafodion Anrhydeddus Gymdeithas Y Cymmrodorion, 1946–7, tt.98–149.

11. Y trydydd argraffiad, Merthyr Tudful, 1837.

12. LlGC 329B, rhif 12.

13. LlGC 330A, t.15.

14. LlGC 329B, rhif 88.

15. LlGC 336D, t.37.

16. LlGC 331D, rhif 3.

17. Gw. *Eos Ceiriog,...diwygiad W.D*, 1823, cyf. I, t.155 a 352 am y cerddi perthnasol.

18. LlGC 331D, t.34.

19. LlGC 331D, t.34.

20. LlGC 337D, t.12.

21. LlGC 330A, t.12.

22. LlGC 330A, t.18. Ni ellir gwarantu bod trefn y geiriau yn gywir mewn ambell far. Golygwyd peth ar ffurf yr alaw hefyd.

23. LlGC 337D, t.9. A gw. LlGC 330A, t.20.

24. LlGC 329B, t.97.

25. LlGC 329B, t.95. A gw. 331D:128 am yr alaw yn unig.

26. Gw. *Ancient National Airs of Gwent and Morganwg: Ffacsimile o argraffiad 1884 (Gyda Rhagymadrodd a Nodiadau ar y caneuon gan Daniel Huws)*, 1988, t.19 a t.[10].

27. LlGC 331D, t.7 (modd re) a t.27 (modd soh). Sylwer yn y fersiwn ar d. 7 fel y mae Llewelyn Alaw yn anwadalu, gan arwyddo bod y nodyn C weithiau yn naturiol, a thua'r diwedd yn cefnu ar wneud hynny.

28. LlGC 329B, t.98.

29. Gw. LlGC 331D, t.31 am y ffurf hon.

30. Am ei gasgliad gw. Mân Adnau LlGC 150B.

31. Sally Harper, Wyn Thomas (gol.), *Hanes Cerddoriaeth Cymru / Welsh Music History*, cyf. 5 (Caerdydd, 2002), t.59, Meredydd Evans, 'Pwy oedd "Orpheus" Eisteddfod Llangollen 1858?'.

32. Am ymdriniaeth lawn ar gefndir 'Y Blotyn Du' o ran alawon a geiriau gw. '... ac ar ei ôl mi gofiais inne' (Meredydd Evans a Phyllis Kinney) yn Tegwyn Jones, E.B. Fryde (gol.) *Ysgrifau a cherddi cyflwynedig i Daniel Huws*, (Aberystwyth, 1994), tt.123–31.

33. Golygwyd peth ar y cytgan gan fod hanner-curiad ychwanegol ym mar olaf yr alaw. Rhaid hefyd wrth ddau hanner-cwafer ar gyfer canu 'yn y', lle ceir cwafer gan Orpheus.

34. Rwy'n ddyledus am hyn o wybodaeth i'm cyfaill Huw Walters, Llyfrgell Genedlaethol Cymru.

35. Gan *Educational Publishing Company, Principality Press, Wrexham*. Mae llu o lawysgrifau Ylltyr Williams ar gadw yn Llyfrgell Prifysgol Cymru, Bangor.

36. Cynnwys y Nodiadau gyfeiriadau at 'Thomas James of Pontypridd', 'Thomas James, Llanover Inn, Pontypridd', 'Thos. James' a 'T. James (ab Iago)' a rhagdybiaf mai at yr un person y cyfeirir bob tro.

37. Yr ail argraffiad, Aberdâr, 1913, t.70.

38. Yn CV, 23 ceir cân un pennill dan yr enw 'Y Ceiliog Mwyn'. Dichon mai hwn yw pennill cyntaf cyflawn 'Ceiliog mwyn o'r mynydd' eithr ni ellir ei ganu ar alaw Orpheus gan fod honno'n llawer rhy hir iddo. Nid oes ychwaith berthynas rhwng y ddwy alaw ar wahân i ambell adlais pell yn un y *Cylchgrawn* o far neu ddau yn eiddo un Orpheus.

39. LlGC *Baledi a Cherddi*, cyf. 15, rhif 22.

40. Ibid. cyf. 23, rhif 62.

41. Claude M. Simpson, *The British Broadside Ballad and its Music*, (New Brunswick, New Jersey), 1966, tt. 582–3.

42. M-s III:64. LlGC Ych.331, rhif 64. YCC, Mawrth, 1868:15. YC, Chwefror, 1911, 12. Sylwer hefyd fod Iolo Morganwg yn cynnwys y pennawd 'Merch Brenin Twrci' yn un o'i restri o alawon cyfarwydd iddo. Gw. *Caneuon Llafar Gwlad ac Iolo a'i fath* Daniel Huws, 1993, Atodiad, t.22.

43. T.H. Parry-Williams, (gol.) *Llawysgrif Richard Morris o Gerddi* (Caerdydd, 1931), tt.110–11.

44. Gw. W.J. Gruffydd (gol.), *Y Flodeugerdd Gymraeg* (Caerdydd, 1931), rhif 152, 'Cân y Bardd wrth farw'.

3

AR Y TROTHWY

MAE DYLED Y SAWL sy'n ymddiddori yng ngherddoriaeth werin Cymru i eisteddfodau'r ganrif ddiwethaf yn un sylweddol ac yn arbennig felly i rai'r Fenni (1837) a Llangollen (1858). Gwelsom i'r rheiny roi bod i ddwy gyfrol ac i ddwy lawysgrif arwyddocaol.

Eithr bu'r eisteddfod hithau ar ei mantais o weld cyhoeddi cyfrolau Maria Jane Williams ac Ieuan Ddu a daeth mantais gyffelyb i ran y sefydliad newydd hwnnw a gysylltwyd yn agos, ar gychwyn y ganrif, â'r eisteddfod ond a ddatblygodd ymhen amser i sefyll ar ei sodlau ei hun, sef y cyngerdd.

Canrif o ddeffroad cerddorol amlweddog oedd y bedwaredd ganrif ar bymtheg yng Nghymru, cyfnod a welodd osod sylfeini sefydliadol cadarn i gerddoriaeth Gymreig, a gwerin gwlad o fewn dim o dro yn dod i gynnal a hybu'r cyfan, gwerin Gymraeg ei hiaith. Eithr cyfyng oedd ei hymwneud â cherddoriaeth ar ddechrau'r ganrif. Yn eisteddfodau taleithiol y dauddegau, er enghraifft, yr unig gyfraniadau i'r gweithgareddau gan gerddorion Cymru oedd tipyn o byncio ar delyn a chanu penillion. Y beirdd, yr areithwyr cyhoeddus a'r traethodwyr oedd piau'r llwyfannau.

Erbyn traean olaf y ganrif, fodd bynnag, roedd cystadlaethau cerddorol a chyngherddau yn frech drwy'r wlad; cymanfaoedd canu ac ysgolion cân i'w cyfrif wrth y dwsin; corau cymysg, meibion, merched, plant yn drwch ar bob llaw; bandiau pres a *string bands* yn ffynnu mewn pentrefi a threfi poblog; cyfeilyddion a chyfansoddwyr, ynghyd ag unawdwyr herfeiddiol rif y gwlith, yn tyrru o'u cwmpas, a gweisg cerddorol yn tywallt gwybodaeth dechnegol a gweithiau cerddorol ar gyfer y cyfan i gyd. Mae'r gweithgaredd brwd hwn, brith ar sawl cyfrif, yn gwbl ryfeddol, yn fater i ymfalchïo ynddo ac yn haeddu astudiaeth drylwyr.

I ni yma, yn y cyd-destun presennol, gweithgaredd y cantorion ar lwyfan eisteddfod a chyngerdd sy'n hawlio sylw yn benodol oherwydd wynebid hwy ag un anhawster mawr sef prinder cyfansoddiadau lleisiol yn Gymraeg ac i'r gwacter hwn y camodd rhai o gasglwyr yr alawon a'r caneuon traddodiadol, heb anghofio ambell fardd.

Gellir ystyried Ieuan Ddu yn ei gysylltiad ag Eisteddfodau'r Fenni yn enghraifft ragorol o hyn. Fe'i cawn yno yn cystadlu ar ganu, yn perfformio fel aelod o amrywiol bartïon, yn arwain côr ac yn ymaflyd codwm â beirdd a thraethodwyr. Diamau mai ef hefyd a ddarparai'r caneuon ar gyfer y cantorion, yn wŷr a gwragedd, a deithiai yn ei gwmni o Ferthyr Tudful lle'r oedd cystadlu unawdol a phartïol yn hen beth ym mân eisteddfodau tafarnau'r dref gynhyrfus honno. Felly, er enghraifft, yng nghyfarfodydd Eisteddfod y Fenni, 1836 (y drydedd mewn cyfres o ddeg eisteddfod a gynhaliwyd rhwng 1834 ac 1853) canwyd geiriau ar 'Glan Meddwdod Mwyn', 'Nos Calan' (a genid gan Morfydd Glan Taf, gyda'i 'golwg gwladaidd'), 'Difyrwch Gwyr Harlech', 'Codiad yr Uchedydd' ac 'Of Noble Race was Shenkin', alawon a gynhwyswyd i gyd yn y gyfrol a gyhoeddwyd gan Ieuan yn ddiweddarach yn 1845 ac a luniwyd, fel y gwelsom eisoes, yn arbennig i gyfarfod ag anghenion cantorion. Flwyddyn yn gynharach, wrth gwrs, gwelwyd cyhoeddi cyfrol Maria Jane Williams ac o'r pryd hwn ymlaen bu tynnu sylweddol ar y cyfrolau hyn am eitemau lleisiol ar gyfer eisteddfodau a chyngherddau ledled y wlad.

Yn Eisteddfod Aberdâr 1861, er enghraifft, a honno yr Eisteddfod Genedlaethol gyntaf a gynhaliwyd, yr unawdau Cymraeg oedd 'Y Fwyalchen', 'Angharad', 'Caerphili' ac 'Y Stwffwl'; y gyntaf o ANAGM a'r tair arall o YCddC. Yr unawdau eraill oedd 'Then shall the Righteous' (o 'Elijah'), 'A forse e lui' (Verdi) a 'Brindisi Libiarno' (Verdi). A phan ganodd Edith Wynne yn Llundain am y tro cyntaf, ar 7 Mehefin 1861, yn un o gyngherddau blynyddol Ellis Roberts (Eos Meirion) ei phrif ganeuon oedd 'Should he upbraid' (Bishop), 'Mae Robin yn Swil' (Owain Alaw), 'Y Deryn Pur' a 'Clychau Aberdyfi', y ddwy olaf o ANAGM.

O ddiwedd y pumdegau ymlaen hyd at dro'r ugeinfed ganrif sut bynnag nid ychwanegodd yr eisteddfodau, trwy gystadlaethau neilltuol, at nifer yr alawon a'r caneuon traddodiadol. Bodlonwyd, yn hytrach, ar eu defnyddio'n helaeth ond, o dipyn i beth, fe'u disodlwyd ar y llwyfannau gan weithiau corawl gwreiddiol ac unawdau dramatig a chalonrwygol. Ymhen yrhawg daethant yn ystorfa i'r 'alwad am encôr'.

Eithr cadwyd y diddordeb mewn cerddoriaeth draddodiadol yn fyw yn bennaf trwy gyfrwng nifer bychan o gylchgronau: *Y Cerddor Cymreig* (1861–73), *Y Perl Cerddorol* (1880), *Cerddor y Cymry* (1883–1894) ac *Y Cerddor* (1889–1920). Bellach, trown at y rhain.

Y CERDDOR CYMREIG

Ar gyfer 1 Mawrth 1861, y cyhoeddodd John Roberts (Ieuan Gwyllt, 1822–77) rifyn cyntaf ei gylchgrawn misol, cylchgrawn a oedd i ddylanwadu'n rymus ar ddatblygiad cerddoriaeth ymysg y Cymry Cymraeg, yn arbennig, a chofadail deilwng i un o gymwynaswyr cerddorol mwyaf ei gyfnod yng Nghymru. Cynhwysai'r cyhoeddiad wersi ar egwyddorion sylfaenol cerddoriaeth, yn y ddau nodiant; cyfarwyddyd ynglŷn â thechneg cynhyrchu lleisiol; erthyglau ar hanes cerddoriaeth a cherddorion; adolygiadau yn trafod cynnyrch gweisg cerddorol; colofnau geiriadurol ar gyfer datblygu geirfa gerddorol Gymraeg; colofnau ychwanegol yn cloriannu cyfansoddiadau cyw-gyfansoddwyr gan awgrymu gwelliannau ar eu cyfer; manylion am weithgaredd cerddorol ym mhob rhan o'r wlad, heb anghofio rhai o ganolfannau cerddorol Lloegr; gweithiau cerddorol amrywiol gan gyfansoddwyr Prydeinig ac Ewropeaidd, yn bennaf at ddefnydd corau a phartïon, a sawl elfen arall o ddiddordeb i ddarllenwyr cerddorol, gan gynnwys colofn ar gyfer cofnodi cerddoriaeth draddodiadol.

Mewn colofn felly, dan y pennawd 'Hen Alawon y Cymry', yng nghyfrol II, rhifyn Ebrill 1864, yr apeliodd y golygydd gyntaf ar i'w ddarllenwyr anfon alawon traddodiadol ato:

> Yr ydym yn caru cerddoriaeth ein gwlad; ac fel na choller dim
> o'r hen Alawon Cymreig a fu mewn arferiad yn ein gwlad yn
> y blynyddoedd o'r blaen, yr ydym yn gosod yr ystafell hon
> o'r neilldu, ac yn gwahodd holl gantorion a cherddorion y
> Dywysogaeth i gasglu iddi bob math o hen Alawon Cymreig a
> allant ddyfod o hyd iddynt.

Ymhen dim daethpwyd i alw'r golofn yn 'Ystafell yr Hen Alawon' ac anfonwyd iddi gyfraniadau o bob math (yn agos i 180, gan gynnwys amrywiadau), yn alawon offerynnol, emyndonau, ceinciau carol a baled, caneuon gwerin, a hyd yn oed gyfansoddiadau gwreiddiol gan gerddorion megis John Williams, Dolgellau, Owain Alaw a Handel!

Canolir sylw yma ar ganeuon a godwyd ar lafar gan rai o gyfranwyr y golofn ac ar alawon y mae lle i gredu bod geiriau yn gysylltiedig â nhw er na chyhoeddwyd mohonynt yn y cychgrawn.

Argraffwyd tair alaw felly yn y golofn gyntaf: 'Dic Sion Dafydd', 'Eliza Lan' a 'Malldod Dolgellau' ac fe'u hanfonwyd at y golygydd gan un o gasglyddion mwyaf diwyd y cyfnod, David Lewis, Llanrhystud, Ceredigion. Am y tro sylwn ar ddwy ohonynt.

Gwelsom i Llywelyn Alaw gofnodi alawon cysylltiedig â rhai o gerddi mwyaf poblogaidd Jac Glan-y-gors, yn eu plith 'Mesur Dic Shon Dafydd'. Ceir amrywiad amlwg ar y gainc honno yn YC (Ionawr, 1911), amrywiad a godwyd o lawysgrif gŵr o'r enw Lewis Anthony, yn cynnwys cwpled o un o benillion 'Dic Shon Dafydd' o dan ran o'r nodiant. Dyma ninnau, bellach, gyda thrydydd amrywiad at ein galw. Teg casglu felly mai aelodau'r teulu alawol hwn a ddefnyddid i ganu geiriau'r prydydd o Gerrigydrudion o'i ddyddiau ef ymlaen. Eithr gwahaniaetha'r amrywiad presennol oddi wrth y ddau arall ar gyfrif ei hyd. Sut i esbonio hyn? I egluro'r mater, cymharwn amrywiad Lewis Anthony ag un David Lewis, yn y drefn honno, gan gynnwys pennill o'r gerdd berthnasol:

'Dic Shon Dafydd' *Y Cerddor*, 1 Ionawr 1911, t.2

{| m : m | m :-. r | d : d | m : s . s   }
Ar ddydd Sul   aeth Dic yn ben - noeth Mewn

{| f : r | r :-. d | r : m | f : - }
gig a ge - neth gy-dag ef

{| m : m | m :-. r | d : d | m : s }
 Ac   yn gwei - ddi mewn rhyw led-iaith

{| l . m : l | l : se | l : r | r : - ||
Op-en the gate and clear the way.

'Dic Shon Dafydd' *Y Cerddor Cymreig*, II, 109

Awgrymaf mai byrdwn offerynnol ar gyfer dawnsio iddo yw'r estyniad yn amrywiad David Lewis. Gwyddom fod dawnsio rhwng penillion yn hen arferiad gan gantorion dyddiau a fu ac onid oes i'r byrdwn hwn sioncrwydd mydr dawns y glocsen?

Mae'r enw 'Malldod Dolgellau' yn un digon difrïol ar alaw heb sôn am dref! Hyd y gwyddys, y cofnod cynharaf o'r alaw yw hwnnw a geir mewn llawysgrif o'r ddeunawfed ganrif, sef un Ifan Wiliam, y cyfeiriwyd ati ar ddechrau Pennod 1. Yno, ynghlwm wrthi, cawn gerdd gyfan ar ffurf ymddiddan rhwng merch ifanc a henwr sy'n awyddus i'w chael yn wraig iddo ond a wrthodir hyd nes daw'n amlwg i'r ferch dan sylw mai hi fydd yn etifeddu holl feddiannau'r brawd wedi iddo gefnu ar hyn o fuchedd. Fel cân, felly, yr ymddengys yn y llawysgrif ond gwaetha'r modd ni allwn fod yn siŵr mai cân lafar ydoedd i Ifan Wiliam.

Gwyddom fod yr alaw ar gael cyn iddo ef ei chofnodi. Er enghraifft, lluniodd Huw Morys gerdd ar ei chyfer yn ei anterliwt 'Y Mab Afradlon' ac yr oedd ef yn ei fedd erbyn 1709. Dichon fod Ifan Wiliam ei hun, ac yntau'n delynor medrus, yn gyfarwydd â'r gainc fel alaw offerynnol ond iddo ddod i wybod trwy ryw fodd am gerdd gymwys i'w chanu arni. Rhaid cofio mai ei fwriad oedd cyhoeddi cyfrol o ganeuon Cymraeg, yn enwedig esiamplau o ganu penillion. Ar y llaw arall, gallai fod yn gân a glywodd ryw fforddolyn neu'i gilydd yn ei chanu pan oedd ef ei hun yn llanc yn Eifionydd.

Yn ffodus gwyddom i amrywiad ar yr alaw gael ei godi ar lafar yn ystod yr ugeinfed ganrif a'i argraffu yn C11I, 116–17 gyda phennill o garol blygain a gyhoeddwyd yn wreiddiol gan Dafydd Jones yn B-GC tt.350–54. Fe'i cofnodwyd, yn ôl y *Cylchgrawn*, gan R. Harries Jones a fu ar un adeg yn arweinydd Cymdeithas Gorawl Rhuthun ond, ysywaeth, nid oes manylion am ei ffynhonnell ef.

Bu'n alaw hynod o boblogaidd gan garolwyr, baledwyr ac anterliwtwyr ac fe'i hadwaenir hefyd dan enwau eraill megis 'Liwsi hoe', 'Secle haf' a 'Secleha'; sut bynnag y mae esbonio'r enwau hynny. Goroesodd wyth amrywiad arni, o leiaf, a dyma'r ffurf a gofnodwyd gan David Lewis; gydag ychwanegu at y gainc (ac addasu peth ar y nodiant) bennill arall o'r garol yn B-GC, 'Gwys Plygeiniol i foliannu Duw':

'Malldod Dolgellau' YCC, II, 109

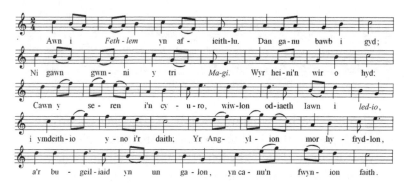

Dwy alaw ddieiriau arall a anfonwyd gan David Lewis oedd 'A ei di'r deryn du?' (II, 117) ac 'Y Deryn Dawnus' (II, 124), penawdau sy'n awgrymu bod geiriau yn wreiddiol gysylltiedig â nhw ond gan mai'r alawon yn unig a argraffwyd ac nad oes sicrwydd iddynt gael eu codi ar lafar rhaid mynd heibio iddynt gan resynu at absenoldeb nodiadau cefndir a allai ein goleuo.

Anfonodd David Lewis esiampl hefyd o deulu alawol hynod niferus sef teulu'r 'Dôn Fechan'; hynny yma dan bennawd cyfarwydd 'Yr Hen Wr o'r Coed' (III, 28). Yn wir, ychwanegodd y golygydd ei hun ddau amrywiad arall arni fel y gallai'r darllenydd, chwedl yntau, 'gael mantais i farnu'. Nid annisgwyl gweld gwahaniaethau rhyngddynt a gellid cynnull amrywiadau eraill yn rhwydd ddigon sy'n berthnasau pellach o lawer na'r tair hyn. Cawsant yr enw arbennig hwn, gyda llaw, ar gorn eu cysylltiad â baled sy'n adrodd chwedl gydwladol am ŵr a hudwyd i wlad arall dros gyfnod maith o flynyddoedd ac a ddychwelodd o'r diwedd i'w hen gynefin dim ond i ganfod nad oedd yno neb bellach a'i hadwaenai.[1] Cysylltir rhai amrywiadau ar yr alaw hefyd â geiriau tra gwahanol, er enghraifft, â rhai Hen Benillion ac â cherdd sy'n adrodd hanes carwriaeth drist Morgan Jones o'r Dolau Gwyrddion. Sut bynnag, dyma'r amrywiad a ddaeth oddi wrth David Lewis; gydag ychwanegu pennill o'r faled:

'Yr Hen Wr o'r Coed' YCC, III, 28.

Gwelsom i Orpheus gynnwys alaw 'Y Bachgen Main' yn ei gasgliad, gan nodi ei bod yn 'extant in Anglesea'. O'r sir honno hefyd y daeth yr alaw i 'Ystafell' (III, 52), heb eiriau ac ar y ffurf fwyaf adnabyddus arni, ond gyda mân wahaniaethau i fersiwn Orpheus a chyda'r nodyn cefndir dadlennol hwn gan 'W.R.':

> Cenir hi yn fynych iawn yng ngwlad Mon gan lanciau gweini
> ac ereill a alwant eu hunain yn "ganwrs"; ac y maent wedi bod
> yn fy swyno i lawer gwaith wrth wneyd hyny, er fod y geiriau,
> rhaid addef, yn fynych yn lled isel.

Doniol y cyfeiriad lled-ddifrïol at 'ganwrs' yng nghyd-destun y math hwn ar ddifyrrwch poblogaidd: tebyg mai yng nghynteddau Seion ac ar lwyfannau eisteddfod a chyngerdd y ceid 'Canwrs go-iawn'. Ac aruchel y chwaeth a fedrai ystyried rhai o eiriau'r gerdd yn 'lled isel'. Yr unig gwpled a allai boeni'r brawd hwn o Fôn fyddai: 'A gwyn ei byd y ferch a fyddo / Yn ei freichiau'n cysgu'r nos'. Eithr diolch iddo am nodyn cefndir fel hwn sy'n datgelu inni wedd ar hinsawdd chwaeth gyhoeddus y cyfnod.

Un o gefnogwyr brwd yr 'Ystafell' oedd Ellis Ylltyr Williams (Ylltyr Eryri), Dolgellau yn ddiweddarach, gwerthwr llyfrau, cerddor a chasglwr diwyd ar alawon ac emyn-donau. Ymysg ei gyfraniadau cynharaf i'r golofn, ym Medi 1865 (III, 67) mae emyn-dôn o'r *Welsh Church Tune Book* dan y pennawd 'Hosanna'. Fe'i hanfonodd gyda'r sylw hwn:

> ... a thybiais ar unwaith fy mod wedi gweled neu glywed rhyw
> hen don gerdd neu garol pur debyg iddi faith amser yn ol...

Barnai'r golygydd ei fod wedi taro'r hoelen ar ei phen yn y fan a'r lle:

... nid oes dim amheuaeth nad hen don a genir yn gyffredin iawn ar hyd ein heolydd, ac yn enwedig gan forwyr, ydyw.

Yna dyry amrywiad Seisnig ar yr alaw, wedi ei chodi o un o gyfrolau William Chappell, gan ychwanegu:

... ac yn debyg iawn i hyn y cenid hi gan ddau ddyn, wedi colli eu coesau, ar heolydd Merthyr y dydd o'r blaen... (III, 68)

a dyma ni, unwaith yn rhagor, gyda nodyn cefndir sydd y tro hwn yn goleuo gwedd greulon a thrist ar fywyd diwydiannol y cyfnod. Yna, mewn ychwanegiad arall, datgelir inni chwaeth gerddorol-grefyddol y golygydd: 'Mae yn hen alaw ragorol; ond nid ei lle yw cysegr Duw.' Yng ngolwg Ieuan Gwyllt, un o alawon comin y byd oedd hon ac fel nifer o'i gydgrefyddwyr cerddorol gwelai wal ddiadlam yn codi rhwng y sanctaidd a'r bydol. Gresyn na fyddai wedi manylu ar ddull canu'r cantorion a glywodd ar heolydd Merthyr. Pa eiriau, tybed, a genid gan y trueiniaid? Yn y cyd-destun Seisnig cyfeirir ati fel 'the Lazarus air', ar bwys ei chysylltiad â baled yn adrodd dameg 'Y Goludog a Lasarus', ond gallai'r ddau ym Merthyr fod yn canu yn Gymraeg. Mae cymaint â phump amrywiad arni yn CI, 139–42 a phedwar ynghlwm wrth gerddi megis 'Cwynfan y Morwr' (Thomas Owen, Cytir), 'P'le byddaf 'mhen can' mlynedd?' (William Morgan neu 'Gwilym Gelli Deg', un o brydyddion ardal Merthyr), 'Ceinion Conwy' (John Jones, Llansantffraid). Atgynhyrchwyd alaw yr 'Ystafell' hefyd yn AfNg (t.126) o dan y pennawd 'Baledwyr Nefyn' ond dyn a ŵyr ar ba sail y gwnaed hyn.

Anfonodd 'E.E.' alaw ddibennawd i rifyn Hydref 1865 y cylchgrawn (III, 76) ac yn rhifyn y mis canlynol cafwyd amrywiad arni o du Ylltyr Eryri, ef wedi ei chodi o ganu Evan

Williams, Llanengan, Llŷn. Dieiriau yw'r gyntaf, yn ôl yr arfer, ond cyplysir cwpled agoriadol hen bennill digon adnabyddus gyda'r ail. Gellid atgynhyrchu yma unrhyw un o'r ddwy alaw gan eu bod yn perthyn i'w gilydd ond cystal inni ddewis fersiwn Evan Williams oherwydd ei bod yn amlwg iddo ganu pennill arni a bod y pennill hwnnw yn dal ar gael:

Mae'n dda gen i'r defaid, / Mae'n dda gen i'r ŵyn,
Mae'n dda gen i feinwen / A phant yn ei thrwyn;
A thipyn bach, bach / O ôl y frech wen,
Yn gwisgo het befar / Ar ochor ei phen.

Eithr mae un anhawster, sef sut yn union y canai Evan Williams y pennill ar ei alaw? Ar yr olwg gyntaf ymddengys yn rhy fyr ond gyda chryn lithrennu wrth ganu'r cwpled clo, ac yna ailganu'r llinell olaf, mae'r peth yn bosibl. Efallai mai hynny a glywodd Ylltyr.

Gellid canu unrhyw benillion pedair llinell, 11 sillaf, o'r math yma yn y dull hwn (mae degau ohonynt ar gael) ond cyfyd posibilrwydd arall yn ogystal fel y gwelir o droi, er enghraifft, at y gân 'Cob Malltraeth' yn CII, 104. Nodwedd arbennig ar honno yw fod y canwr yn canu sillafau disynnwyr ar draws y geiriau mewn un llinell cyn ailafael ynddi a'i chwblhau ar ddiwedd y gân. Gan mai aelod o deulu alawol 'Cob Malltraeth' yw un Evan Williams mae'n bur debyg mai rhywbeth tebyg i hyn a glywodd Ylltyr:

'Hoffder' YCC, III, 84

Dyma enghraifft o'r math o anhawster a all godi pan hepgorir geiriau caneuon a bodloni ar gofnodi alawon yn unig. Os cân yw'r hyn a godwyd ar lafar, yna cân a ddylid ei chofnodi, gyda'r union eiriau a ddefnyddiwyd gan y canwr yng nghlyw y casglwr. Llurgunio'r traddodiad llafar yw anwybyddu'r egwyddor sylfaenol hon.

Yn rhifyn Awst 1866 gwelir alaw gyda'r pennawd cyfarwydd 'Cerdd y Gôg Lwydlas' ond y peth cyntaf sy'n taro dyn wrth ei chanu yw ei bod yn wahanol i'r alawon eraill a gysylltir â'r gerdd hon. Fe'i hanfonwyd gan 'T.R.' gyda'r wybodaeth mai 'Dyma fel y bydd llangciau yr ardaloedd hyn' yn ei chanu. Ysywaeth, pa ardaloedd? Yr unig gasgliad arall sy'n cynnwys yr alaw yw AfNg (t.115) ac mae'n dra thebygol mai o'r 'Ystafell' y codwyd hi i ddudalennau hwnnw. Hawliwyd yn JF-SS (VI, rhif 21, t.38) gan A.G. Gilchrist fod perthynas rhwng yr alaw a theulu o alawon Seisnig (a'r emyn-dôn 'Rhad Ras' hefyd) a rhoes enghreifftiau ohonynt ond nid yw'r honiad yn argyhoeddi. Sut bynnag, gan ychwanegu pennill cyntaf y gerdd adnabyddus at yr alaw dyma gân 'llangciau' yr ardaloedd anadnabyddus:

'Cerdd y Gog Lwydlas' VI, 65

Anfonwyd tair alaw gan Ylltyr Eryri i 'Ystafell' Mai 1867, yn eu plith un dan y pennawd "Can' mlynedd i 'nawr", geiriau a'n cyfeiria at gerdd a argraffwyd mewn taflen-faled a gyhoeddwyd yn Aberystwyth yn 1811: 'Can ymholiadol, sef ystyriaethau rhagflaenol ar Ddarfodedigaeth Oes Dyn'. Diamau y gwyddai Ifor Ceri amdani yn nauddegau'r bedwaredd ganrif ar bymtheg gan iddo gofnodi alaw yn P-S dan yr enw 'Can mlynedd i nawr neu Rowlands' a pharhaodd rhai o'r penillion ar gof gwlad hyd ddechrau'r ugeinfed ganrif pan gofnodwyd nhw gan Jennie Williams o ganu gŵr o Landdeiniol ger Aberystwyth. Eithr alawon cwbl wahanol i'w gilydd yw'r rhai a gasglwyd gan Ifor Ceri a Jennie Williams, gyda'r ail ohonynt yn un bur gymhleth. Nid felly alaw Ylltyr sy'n ABBA o ran ei ffurf. O'i chyplysu â phennill cyntaf cerdd ddifrifol 1811 dyma a gawn:

'Can' mlynedd i 'nawr' YCC, V, 27.

Afraid treulio amser gyda'r ddau amrywiad ar 'Lili Lon' a gofnodir yn rhifyn Ionawr 1869, ond ni ddylid mynd heibio i alaw ddibennawd yn rhifyn Awst 1871.

Ceir perthnasau Cymreig iddi mewn print a thri amrywiad mewn llawysgrifen ond Seisnig yw yn y bôn, ac yn rhifyn Medi y cylchgrawn ymddengys tystiolaeth i hyn mewn llythyr oddi wrth 'Maldwyn':

O barth i'r hen alaw a ymddangosodd yn y rhifyn diweddaf o'r CERDDOR, cofus genyf ei chlywed lawer gwaith gan ganwyr baledi Seisnig mewn ffeiriau ar gyffiniau Lloegr.

Gair, i ddechrau, am y perthnasau Cymreig mewn print. Gwelir un o'r rheiny yn *Caneuon Llafar Gwlad* (I) dan y pennawd 'Peth mawr ydy cariad' ac yn y nodiadau gwerthfawr i'r caneuon yno cyfeirir at alaw arall yn CII, 274 a elwir "'Dydd Llun y Bore' / 'Cerdd y Gog Lwydlas'" sy'n ein harwain wedyn at amrywiad pellach arni yn CI, 69. Eithr mae gwahaniaeth amlwg rhyngddynt gan fod y ddwy gyntaf yn alawon cyflawn tra nad yw'r drydedd onid ffurf ar ail ran y rheiny. At hyn, cynnwys 'Peth mawr ydy cariad' gytgan o synau disynnwyr nas ceir yn y ddwy arall. I gymharu, dyma bennill o'r gân honno ac amrywiad alawol YCC, wedi peth addasu arno, (gydag ychwanegu'r un pennill) yn dilyn:

'Peth mawr ydy cariad' CLIG, t.18

1. Peth mawr yd-y car-iad pan el-o fo'n drwm, Peth gyr-rodd gryn law-er o'u llef-ydd i ffwrdd; Peth gyr-rodd fi fy hun-an oedd geir-iau fy nhad, A'm mam, oedd yn gar-ed-ig, a'm gyr-rodd i o'm gwlad. To mi wec ram-di dw-dl al-i dal ffol-a di-dl al-i do.

2. "Mi fynnaf gael dy gladdu a'th roddi di dan bridd
   Cyn cei di briodi; mi'th claddaf di, yn wir.
   Rhof dorchen ar dy wyneb a charreg uwch dy ben
   Cyn cei di fartsio'th gorffyn, wel, gyda'r feinir wen."
   To mi wec . . .

3. Pan glywais innau hynny es gyda man-i-wâr,
   Bûm hefo-(h)i am saith mlynedd heb weld na thad na mam;
   Saith mlynedd wedi pasio pan ddois i i Gymru'n ôl,
   Gan dybied yn fy nghalon fach na fyddwn i byth mor ffôl.
   To mi wec . . .

4. At dŷ fy nhad mi gerddais, lle bûm i lawer tro,
   A phawb oedd yno'n llawen fy ngweld yn dod yn ôl;
   Awr nos a ddaeth yn brysur, a'm meddwl gyda mi,
   At dŷ yr hogen annwyl cyfeiriais yn bur hy.
   To mi wec . . .

Fersiwn YCC, IX, 62

Peth mawr y - dy car - iad pan e - lo fo'n drwm Peth gyr-rodd gryn law - er o'u lle - fydd i ffwrdd. Peth gyr - rodd fi fy hun - an oedd geir - iau fy nhad A'm mam, oedd yn ga-re - dig, a'm gyr-rodd i o'm gwlad Ffal-di-ral-di-rw. Ffal-di - ral - di -ra-lw.

Digon tebyg yw hi yn achos yr amrywiadau a geir mewn llawysgrifen.[2] 'Ym mhen y saith mlynedd' yw enw un ohonynt a dryll o gân gyflawnach yw honno; hynny'n tystio, o bosibl, i ddiffyg cof naill ai'r canwr neu ei ffynhonnell wreiddiol ef. Tra ceir pedwar pennill cyflawn yn fersiwn CLIG (I) dyma a welir yn yr amrywiad darniog (gydag aildrefnu peth ar y barrau):

'Ymhen y saith mlynedd' LlGC (JLlW, AH3/2)

Ym mhen y saith mly-nedd i Gym-ru trois yn ôl, Gan dyb- ied yn fy ngha-lon na
Mae bar - gen wedi set - lo a phop-eth we - di gloi, Bydd pe - chod an - fa-ddeu -ol i'r
fa - swn ddim mor ffôl Tw - i rw - i ram ti rai tam to.
far - gen et - o droi.

Mewn troednodyn i'r amrywiad a gyhoeddwyd yn CLIG (I) dywed D. Roy Saer fod M.M. Williams, Brynsiencyn, y wraig a'i canodd iddo, yn gwybod bod pumed pennill i'r gerdd wreiddiol ond na fynnai ei thad ganu hwnnw oherwydd ei fod 'yn ei ystyried yn anweddus: dôi i'r amlwg yn hwnnw fod epil, yn ogystal â chariad, yn croesawu'r alltud yn ei ôl'. Cerdd ydyw am ŵr ifanc a orfodwyd i gefnu ar ei fro oherwydd bod ei gariad ddibriod ac yntau yn disgwyl plentyn o'u carwriaeth. Ymhen amser dychwel i'w gartref gan droi yn ddiweddarach i aelwyd ei hen gariad. Tybed ai rhan o'r pennill hwnnw yw'r ail bennill a welir uchod, gyda'i bwyslais ar y ffaith fod 'bargen wedi setlo a phopeth wedi gloi'?

Pwnc y ddau amrywiad llawysgrifol arall yw'r wyddor Gymraeg: cymorth i blant i feistroli'r wyddor honno trwy ganu cyfres o benillion. Mae eu perthynas â gweddill y teulu alawol yn amlwg. Dyma bennill o un ohonynt:

'Cân y Wyddor' LlGC JllW, AH3/6

{| l₁ : l₁ . t₁ | d . d : - . d | t₁ . t₁ : l₁ | m : - }
N sydd am Nans-i   y lo-des fwyn lân,

{| l₁ : l₁ . t₁ | d . d : - . d | t₁ . t₁ : l₁ | m : - }
O sydd am Od-lau   ac O-dyn ar   dân,

{| m : m ;f | s . s : -. m | m . m : d | s : -. m }
P, Pub-lic–a-nod, der– by – nwyr y dreth,   A

{| l : m . m | r : m . r | d . d : t₁ | l₁ : - }
PH, p   ac h   yn spel-io'r un peth.

{| m : l₁ . t₁ | d : t₁ . d | r : d . r | m : m₁ . m₁ | l₁ : - | - : - ||
O ffal di ral, ffal di ral, ffal di ral,   ffal di   ro.

Cystal ychwanegu mai'r unig enghraifft o gerdd wyddor gyfan mewn print y gwn i amdani yw honno a welir yng nghyfrol Nansi Martin, *Caneuon Gwynionydd* (Llandysul, 1973) ac a fwriadwyd i'w chanu ar yr alaw 'Twll bach y clo'.

Cyfeiriwyd yn gynharach at dystiolaeth 'Maldwyn' i'r perwyl iddo glywed yr alaw a anfonodd at Ieuan Gwyllt yn cael ei chanu mewn ffeiriau gan faledwyr Seisnig. Cadarnheir ei thras ymhellach gan y ffaith fod ei theulu Seisnig gwreiddiol yn un niferus. Fe'i hadwaenir gan amlaf fel 'The Cobbler and the Butcher' neu 'The Cobbler' ar gorn ei chysylltiad â cherdd sy'n trin helyntion crydd a gwcwalltodd gymydog o gigydd ac a ddioddefodd am hynny! Cofnodwyd un fersiwn gan Ralph Vaughan Williams a fodlonodd ar nodi pennill cyntaf y gerdd garlamus yn unig gan ychwanegu mewn nodyn nad oedd y penillion eraill yn gymwys i'w cyhoeddi. Roedd problem chwaeth gyhoeddus yn gyffredin i gasglwyr Lloegr a Chymru ar dro'r ganrif.

Cyfeiriais eisoes at waith J. Lloyd Williams yn dadansoddi

teulu alawol 'Mwynen Merch' yn CII, 88–100. Cyhoeddwyd dwy alaw o'r enw hwn yn yr 'Ystafell' (cyf.X, 13 a 27) a chyda'r rhain, hyd y gwelaf, y deuir i ben â rhestr alawon a chaneuon y traddodiad llafar a gofnodwyd yn YCC, 16 i gyd, os anwybyddwn amrywiadau a chynnwys tair eitem a gyhoeddwyd yn ysgrif Rhidian Griffiths, 'Ystafell yr Hen Alawon' (CG 7/1984) sef 'Lisa Lân', 'Ffarwél i Dre Caernarfon Lon' ac 'Adar mân y mynydd'. Dylwn ychwanegu mai fel ategiad i'r ysgrif honno y bwriadwyd rhan o'r bennod bresennol.

Y PERL CERDDOROL

Un o ddisgyblion Ieuan Gwyllt, pan gynhaliai'r gŵr hwnnw ddosbarthiadau cerdd ym Merthyr Tudful yn ystod chwedegau'r bedwaredd ganrif ar bymtheg, oedd Morgan Rhys Williams (Alaw Brycheiniog, 1843–1898) a ddaeth yn ei dro yn athro cerdd yn y cylch. Cystadlodd lawer fel cyfansoddwr yn eisteddfodau'r cymoedd dwyreiniol, bu'n godwr canu ymrwymedig yn ei ardal, cyfansoddodd rai cerddi a mentrodd rywfaint fel cyhoeddwr cerddorol. Ymysg ei gyhoeddiadau roedd *Y Perl Cerddorol* a ymddangosodd yn ddeuddeg rhifyn misol yn ystod 1880.

Cylchgrawn ydoedd yn cynnwys amrywiol fathau ar gyfansoddiadau cerddorol (gan Alaw Brycheiniog ei hun yn bennaf), colofn farddol, peth o hanes cerddorion enwog a gwersi ar elfennau cerddoriaeth. Fe'i gwerthid am geiniog y rhifyn ac o faint wyth tudalen ar y cychwyn tyfodd i fod yn ddeuddeg. Ymhen blwyddyn gron daeth i ben ei rawd. Ei arwyddocâd i ni yma yw i bedair alaw draddodiadol gael eu cyhoeddi ynddo, un ohonynt yn ddieiriau.

Dienw yw'r gân gyntaf (rhifyn Medi) gydag un pennill sy'n agor â'r geiriau 'Trigolion mwyn Merthyr, / A'r Vaynor yn ddifir, / Penderyn yn gywir ar gôdd...' a hyn o wybodaeth gefndirol:

> Dyma hen alaw a ddysgais pan yn hogyn, tra yn clywed y cyfaill anwyl Dl. Hughes yn ei chanu. Nid wyf yn gwybod dim o'i hanes, carwn gael ychydig...

Erbyn mis Rhagfyr roedd wedi derbyn rhagor o benillion ar gyfer yr alaw er na chofnododd mohonynt ar y pryd, ysywaeth.

Cydoesai Alaw Brycheiniog â Llewelyn Alaw a gwyddai'r telynor yntau am yr alaw gan iddo ei chynnwys yn ei gasgliad dan yr enw 'Trigolion Plwyf Merthyr' heb eiriau bid siŵr (329A: rhif 98). Nid yr un yn union yw rhediad y ddwy alaw ond mae'r berthynas rhyngddynt yn amlwg.

Daeth i'r golwg drachefn ar ddechrau'r ganrif bresennol mewn ffurf yn cyfateb bron nodyn am nodyn ag un *Y Perl Cerddorol*, hynny mewn casgliad o alawon gwerin a anfonwyd i gystadleuaeth yn Eisteddfod Bae Colwyn, 1910. Cynullydd y casgliad hwnnw oedd W.O. Jones (Eos y Gogledd, 1868–1928), yn wreiddiol o Lanbedr Dyffryn Conwy ond yn byw ar y pryd ym Merthyr Tudful. Tystiodd mewn nodyn cefndir fod yr alaw yn un dra phoblogaidd ym Merthyr a'r cyffiniau o gwmpas canol y ganrif – cyfnod cydnabyddiaeth Alaw Brycheiniog a Llewelyn Alaw â hi – a'i bod yn adnabyddus dan enwau megis 'Castell Morlais', 'Bryn Cymer', 'Cefn Morlais' a 'Pwll Glas'. O dan yr enw olaf hwn y dewisodd J. Lloyd Williams ei chyhoeddi yn CII, 55 (efe oedd beirniad y gystadleuaeth ym Mae Colwyn) a chan ei bod ar gael yno, diangen ei hatgynhyrchu yma.

Dibennawd yw'r ail alaw hithau (rhifyn Hydref) a chyfeiria'r golygydd ati fel:

> ... hen alaw a ddysgais gan fy nhad pan yn hogyn tua phedair blwydd oed. Gosodaf hi lawr fel yr oedd fy nhad yn arferol o'i chanu a'r hên benill a arferai ganu ar yr alaw.

Pan welais yr 'hên benill' hwnnw teimlwn ym mêr f'esgyrn fy mod wedi ei weld ar glawr yn rhywle. Rhywsut neu'i gilydd daeth enw Ieuan Ddu i'm meddwl ac estynnais am ei gyfrol. Yn ffodus ni fu raid imi dyrchu'n hir gan fod pennill 'Y Perl' yn cyfeirio at 'ty fy nhad' ac ar dudalennau 4/5 o lyfr Ieuan ceir cerdd o dan yr union bennawd hwnnw gyda'i hail bennill yn cyfateb i bennill Alaw Brycheiniog. Nid mor hen wedi'r cwbl; eithr bum mlynedd ar ddeg ar hugain yn ddiweddarach nid oedd gan y cofnodwr ddewis ond ei alw'n hen bennill gan na wyddai pwy oedd ei awdur. Ac eironig braidd yw ystyried ei fod ef a'i deulu yn debyg o fod yn adnabod Ieuan Ddu.

Sut bynnag am hynny, ffaith ddiddorol arall yw i Ieuan gyfansoddi alaw i'r geiriau yn unswydd ar gyfer ei chyhoeddi yn YCddC ond mae honno'n hollol wahanol i'r alaw sydd dan sylw yma. At hynny, uwchben ei gyfansoddiad ei hun ychwanegodd y cerddor: 'Cenir y gân hon i "O no we never mention her"' ond nid yw'r alaw honno chwaith (o gyfansoddiad Bishop, awdur alaw 'Home Sweet Home') yn debyg iddi. O ganlyniad, gan ei bod yn rhan o draddodiad llafar Merthyr yng nghyfnod plentyndod Alaw Brycheiniog ac na pherthyn i deulu alawol Cymreig penodol, cystal ei chofnodi yma:

'Tŷ fy nhad' *Perl*, 1880

{: m | l :-: se | l: - : t | d' : - .r' : m' | m' : - : d' }
  Y ga - lon ga - led oedd fel dur,   A
  A gry - na fel   y dda - len ir   Wrth
                  D.C
{| t :-: l | r' :-: t | l:-| m' | m' :-: l }
  chryf ar faes y gad Mi we - la'r
  we - led ty   fy nhad;

{| s :-: t | t :l : fe | m :-: m | l :-.t : d' }
  drws, Mi we - la'r fainc A'r stol fawr

{| r' :-: d' | t :-: d'.t | l :-: se | l :-: t }
  be - dair troed, Ond nid wy'n cly – wed

{| d' : - .r' : m' | m' :-: d' | t :-: l | r' :-.d' : t | l:-: ||
  ty - ner gainc Fy mam wrth droi y rhod.

Dieiriau yw'r drydedd alaw (rhifyn Tachwedd) ond mae iddi enw digon adnabyddus mewn cyd-destun Cymraeg sef 'Peggi Band' ac ymddengys na wyddai Alaw Brycheiniog fwy amdani na'i rhediad a'i henw. Dyna pam yr apeliodd at ei ddarllenwyr am benillion ar ei chyfer ac am beth o'i hanes. Pe byddai wedi dal ymlaen â'i gylchgrawn, diamau y byddai wedi cael ymateb ffafriol. Yn y cyfamser gohiriaf innau sylwadaeth arni hyd nes dod at fersiwn ohoni yn YC, 1911.

'Shon Dafydd' yw'r enw ar y bedwaredd alaw (eto yn rhifyn Tachwedd) ac i'r sawl sy'n gyfarwydd â cherdd adnabyddus Robert Burns 'John Anderson, my Jo' daw'n amlwg mai cais at gyfieithu pennill cyntaf honno yw'r geiriau a geir yma. Wrth odre'r gân gwelir y geiriau 'Thomas Beynon, Cefn' a theg casglu mai dyma enw'r cyfieithydd. Fodd bynnag, nid yr alaw yr oedd Burns yn gyfarwydd â hi yw hon ac ymddengys mai dewis gosod pennill Thomas Beynon arni a wnaeth y golygydd oherwydd ei fod yma eto yn gwahodd darllenwyr i 'anfon penillion' ar ei chyfer. Ysywaeth, ni ddywed air ymhellach am sut y daeth i'w feddiant. O ganlyniad, nid oes gennym rithyn o reswm dros farnu ei bod yn perthyn i'r traddodiad llafar.

Yn rhifyn olaf ei gylchgrawn ni roes Alaw Brycheiniog yr arwydd lleiaf ei fod am ddirwyn y rhifynnau i ben. Pe byddai wedi dal ati diamau y byddai wedi ychwanegu at swm ein caneuon traddodiadol.

CERDDOR Y CYMRY

Un arall o gerddorion adnabyddus hanner olaf y ganrif ddiwethaf oedd William Thomas Rees (Alaw Ddu, 1838–1904) yn wreiddiol o Bwll-y-glaw, ger Pont-rhyd-y-fen, Morgannwg. Symudodd y teulu oddi yno i Aberdâr yn 1851 ac ymhen amser daeth y llanc o dan ddylanwad Ieuan Gwyllt a rhai o gerddorion eraill y cymoedd dwyreiniol. Bu'n trigo yn y Dinas, Cwm Rhondda, o 1861 hyd 1864, yna ym Mhontypridd hyd 1868, cyn symud i Abercarn ar wahoddiad Arglwyddes Llanofer, ac oddi yno i Lanelli yn 1870 lle treuliodd weddill ei oes brysur fel cyfansoddwr, beirniad eisteddfodol, codwr canu mewn nifer o eglwysi, cyfrannwr cyson i gylchgronau'r cyfnod ar faterion cerddorol, cyd-awdur ar gofiant i Ieuan Gwyllt a golygydd cerddorol. I ni yma, ei olygyddiaeth o *Cerddor y Cymry* (1883–94) sydd fwyaf perthnasol.

Yn rhifyn cyntaf y cylchgrawn hwnnw, mewn colofn dan y pennawd 'Ystafell i Hen Alawon – Moesol a Chysegredig', ceir amrywiad ar alaw y cyfeiriwyd ati'n barod sef yr un a glywodd Ieuan Gwyllt yn cael ei chanu ar heolydd Merthyr gan ddau ddyn wedi colli eu coesau, o bosibl ar y geiriau 'P'le bydda' i 'mhen can mlynedd?' Gwelsom fod sawl amrywiad arni wedi eu cyhoeddi yn C a chan i'r ffurf arbennig sydd arni yng nghylchgrawn Alaw Ddu gael ei chyhoeddi hefyd yn ysgrif Rhidian Griffiths (gw. t.138) gallwn hepgor ei hatgynhyrchu yma gyda sylwi yn unig iddi gael ei hanfon i *Cerddor y Cymry* gan ŵr o Dreherbert a bod y golygydd ei hun yn cofio clywed canu geiriau arni yng nghyffiniau Aberdâr pan oedd yn llanc.

Cyhoeddir alaw arall (o rifyn Medi 1886) yn ysgrif Rhidian Griffiths, sef ffurf ar 'Y Fenyw Fwyn'. Benjamin Jones o Gorris a'i hanfonodd at y golygydd, gydag ychydig eiriau, wedi iddo'i dysgu wrth wrando ar ŵr o Gaergybi yn ei chanu; enghraifft burion o sut y teithiai caneuon gwerin o gwmpas gwlad. Cafodd ei galw 'Y Fenyw Fwyn' oddi wrth eiriau agoriadol cerdd gan Evan Evans (Ieuan Glan Geirionydd, 1795–1855) 'Ymdrech Serch a Rheswm' ond noder yn arbennig i'r bardd ei hun fynnu ei bod i'w chanu ar alaw a eilw ef yn 'Roslin Castle'. Y gwir yw ein bod yn ymwneud yma, yn hanfodol, ag un alaw, Albanaidd ei tharddiad, fel y daw'n eglur yn y man.

Gwyddys am o leiaf chwe amrywiad ar 'Roslin Castle'/'Fenyw Fwyn' yn ein traddodiad llafar. Argraffwyd tri ohonynt yn ysgrif Rhidian Griffiths (gan gynnwys yr un bresennol o CYC); cofnododd Llewelyn Alaw ddau arall (LlGC 331D a 337D) a cheir un amrywiad hefyd yn CV, 14.

Nodwedd arbennig ar yr amrywiol alawon hyn yw eu bod nid yn unig yn gwahaniaethu rhywfaint o ran eu rhediad ond hefyd o ran eu ffurf, gyda thair ohonynt yn fyrrach eu hyd na'r tair arall. Wele enghreifftio hynny trwy argraffu fersiwn Benjamin Jones ac un o fersiynau Llewelyn Alaw, hynny trwy gysylltu'r ail â phennill hir cyntaf cerdd Ieuan Glan Geirionydd; fel y gellid disgwyl, ni chynhwyswyd geiriau gan y telynor o Aberdâr.

'Fenyw Fwyn' *Canu Gwerin* 7/1984

'Roslin Castle' LlGC 337D

Sylwer ei bod yn bosibl canu ail ran pennill hir y gerdd yn rhwydd ddigon ar *ran* yn unig o'r alaw gydag addasu ychydig ar y nodiant a diau mai dyna arfer cantorion megis y canwr Benjamin Jones. Y mae'r un mor amlwg mai'r ffurf hir ar yr alaw (er nad ar ffurf flodeuog Llewelyn Alaw) oedd ym meddwl Ieuan Glan Geirionydd wrth lunio'i gerdd.

Perthnasol sylwi ymhellach fod cerdd arall ynghlwm wrth yr alaw hon ac y gellir ei chanu hithau ar y ddwy ffurf, cerdd a argraffwyd droeon yn nhaflenni–baled y bedwaredd ganrif ar bymtheg sef 'Cân hiraethlon a gyfansoddwyd gan David Davies (Dai'r Cantwr) pan oedd yn garcharor yng Nghaerfyrddin am y terfysg yn amser Rebeca'. Yn y ffurf fer arni fe'i cofnodwyd o ganu Samuel Davies (Sam y Delyn) gan y Parchedig Gomer M. Roberts pan oedd yn weinidog ym Mhont-rhyd-y-fen ym mhedwardegau'r ugeinfed ganrif a dyma'r un a geir yn CV, 14.

Beth a gyfrif am ddwy ffurf ar yr alaw yn ein plith ni'r Cymry? Un ffurf yn unig sydd arni yng ngwlad ei geni. Cafodd ei hargraffu gyntaf yn yr Alban ym mhedwardegau'r ddeunawfed ganrif a rhoed dau enw arni mewn dau gasgliad gwahanol, sef 'House of Glams' a 'Roslin Castle'. Ni wyddom sut y daeth i Gymru na pha bryd y daeth chwaith, ond fel y gwelsom gwyddai Ieuan Glan Geirionydd am y ffurf hir ac mewn cysylltiad ag ef y mae'r cofnod cynharaf amdani yn ein plith, i bob golwg. Un ffaith arwyddocaol, o bosibl, yw fod y ffurf fer yn cyfateb yn gyffredinol i ran gyntaf y ffurf hir. Tybed, felly, ai'r hyn a ddigwyddodd oedd i ryw ganwr neu'i gilydd lwyddo i godi'r rhan gyntaf ar ei glust wrth glywed un arall yn ei chanu a bodloni wedyn ar y talfyriad? Efallai. Rhaid bodloni ar ddyfalu, ar hyn o bryd o leiaf.

Erys un cyfraniad i 'Ystafell' CYC sydd o ddiddordeb inni yma, sef carol Nadolig a gyfansoddwyd gan David Harries (1747–1834) yn wreiddiol o Nantllymystyn, plwyf Llansantffraid-Cwmdeuddwr, Maesyfed, ond gŵr y cysylltir ei enw hefyd â Charno ym Maldwyn lle symudodd i fyw tua diwedd ei oes. Yn ôl D. Wylor Owen, a anfonodd y gân at Alaw Ddu, mynnai hen bobl cylchoedd Llangurig a Llanidloes mai David Harries a luniodd y garol gyfan, yn alaw a geiriau. Yn ei ddydd, wrth gwrs, roedd yn enwog fel anthemydd a chyfansoddwr emyn-donau ac ychwanegodd anfonydd y garol fod 'canu mawr arni ryw haner cant neu driugain mlynedd yn ôl yn yr ardaloedd hyn'. Fe'i codwyd, meddai, 'o hen lyfr *MSS*'; o bosibl, un o'r llu casgliadau teuluol o garolau sy'n gysylltiedig â thraddodiad y canu plygain. Yr oedd, felly, ar glawr ond ni olyga hynny nad oedd yn bod hefyd ar lafar. Awgrymir hynny gan y 'canu mawr' a fu arni a'r ffaith bellach ei bod yn wybyddus i rai o gymdogion D. Wylor Owen yn wythdegau'r ganrif. Mae'r gerdd yn gwbl nodweddiadol o'r garol Nadolig Gymraeg, yn adrodd am rai o uchafbwyntiau gyrfa Crist gyda thri phennill yn canoli ar ymweliad Gabriel â Mair cyn y geni ym Methlehem. Dyma'r alaw, gyda'i phennill cyntaf:

'Cyduned pob gwir Gristion' CYC

Y CERDDOR

Yn 1889 y dechreuwyd cyhoeddi YC gyda David Jenkins (1848–1915) a D. Emlyn Evans (1843–1913) yn gyd-olygyddion arno. Erbyn terfyn eu cyfrifoldeb drosto roedd Cymdeithas Alawon Gwerin Cymru, a'i chylchgrawn, wedi eu sefydlu ac yn ffynnu. O ganlyniad, bwriwn olwg dros y caneuon/alawon traddodiadol a gyhoeddwyd yn 'Ystafell yr Hen Alawon' hyd at gyfnod y Rhyfel Byd Cyntaf.

Dewisodd Rhidian Griffiths atgynhyrchu deg ohonynt yn ei ysgrif a gallwn felly hepgor eu hystyried yma gan fodloni'n unig ar eu rhestru: 'Y Ddeilen Dybaco' (gwelsom amrywiad arni yng nghasgliad Orpheus); dwy Gân Ychen (un ohonynt ar ran gyntaf alaw 'Bugeilio'r Gwenith Gwyn'); 'Difyrwch William Owen Pencraig'; 'Fenyw Fwyn' (2) a (3); 'Mair sydd yn wylo'; dwy o ganeuon Calan a 'Mae Gafar Eto'.

Cynhwyswyd dwy gân ychen arall yn YC, y naill wedi ei chodi o golofn mewn cylchgrawn arall, *Red Dragon* (1882), a'r llall yn anfonedig oddi wrth J. Dalar Evans o'r Wladfa. Cystal dyfynnu rhan o'i lythyr ar unwaith (gw. rhifyn Ebrill 1894, t.42) oherwydd fe ddengys mor eglur natur y traddodiad llafar:

Y mae Alaw yr Ychain yn *Y CERDDOR*, rhif 51, wedi fy adgofa (sic) o dôn gyffelyb a ddysgais gan fy nain yn Nghantref Buallt, Swydd Frycheiniog; yr oedd yn cael ei chanu yn y rhanbarth hono tua dechreu y ganrif hon. Ni welais ond unwaith weithio ychain yn Nghymru, a hyny tua'r flwyddyn 1851 neu 1852, ar fferm fy nain, sef Tymawr, ger Beulah, a'r amser hwnw y dysgais yr alaw, wrth i fy nain ei chanu i fy ewythrod.

Yn 1894 anfonodd J.W. Huws, Llanfaelog, Môn, alaw ddieiriau (rhifyn Awst, t.95) ond gyda pheth gwybodaeth yn ei chylch:

Yr oedd yr Alaw isod yn dra phoblogaidd yn y gymydogaeth hon ddeugain mlynedd yn ôl. Nid wyf yn gwybod i mi ei gweled erioed yn ysgrifenedig, nac yn argraffedig; ond yr wyf yn meddwl mai "Dull o'r TRIBAN" ydyw wrth ei henw…Y rhan sydd rhwng y ddwy seren (*) a adewid allan gan rai, pryd eu hail-adroddid gan eraill.

'Dull o'r Triban' YC, Awst 1894

{ : . 1 | d¹ . d¹ : t   .   1 | m¹ : m¹ . m¹ | r¹ . d¹ : r¹ . d¹ | t : t . (t) }
Dydd Llun, dydd Mawrth, dydd Mer-cher   Y   bûm i'n gwar-io f'am-ser

{| d¹ , d¹ , d¹ : t . 1| d¹ , d¹ , d¹ : t . (t) }
'Wy-ddwn i ddim fy mod i   ar fai

{|* d¹ , d¹ , d¹ : t . 1| d¹ , d¹ , d¹ : t *. t }
'Wy-ddwn i ddim fy mod i   ar fai Nes

{| m¹ . m¹ : r¹ . d¹ | t .   1 ||
daeth dydd Iau, dydd Gwe-ner

Roedd yr anfonydd yn gywir wrth gysylltu'r alaw â mydr y triban a hawdd i ni erbyn hyn, gyda sawl casgliad gwerin yn rhwydd at ein galw, yw ei hadnabod oddi wrth aelodau ei theulu niferus, un a adwaenir bellach fel 'teulu Cân Sobri'. Gyda mymryn o addasu ar y nodiant gellir canu'r pennill cyntaf adnabyddus ar yr alaw. Tybed pa eiriau a genid gan bobl Llanfaelog o gwmpas 1854? Beth bynnag oeddynt, mae'n glir mai swyddogaeth yr alaw hon oedd cynnal eu canu.

Wrth drafod rhai o'r eitemau a gyhoeddwyd yn YCC tynnwyd sylw at ddau amrywiad ar alaw 'Cob Malltraeth' a chyfeiriwyd hefyd at amrywiadau eraill ar honno sydd i'w gweld yn CII, 104–9. Ymysg y rheiny mae dwy alaw a enwir 'Y mud a'r byddar', oherwydd eu defnyddio i ganu cerdd William Williams ('Caledfryn', 1801–1869) arnynt, a chyfetyb un o'r ddwy i alaw cân a anfonwyd i rifyn YC, Mehefin 1902, gydag un gwahaniaeth amlwg, sef bod honno mewn modd lleiaf tra bod un C yn y modd re. Y mae hefyd fân wahaniaethau dibwys. O ganlyniad, go brin fod angen atgynhyrchu'r gân yma ond cystal dyfynnu rhan o lythyr W.T. Jones, y gŵr a'i hanfonodd i'r cylchgrawn, er mwyn cywiro camargraff tebygol y deuwn ato ymhen ychydig. Nid amherthnasol chwaith y ffaith fod y llythyr yn tystio i le'r gân yn y traddodiad llafar, er mai bardd wrth ei broffes a gyfansoddodd y geiriau; ni wyddai W.T. Jones mo hynny mae'n amlwg:

> Dysgais hi 50 mlynedd yn ol wrth glywed Derfel Meirion, Llandderfel, yn ei chanu, ac ni chlywais hi gan neb ond efe. Byddai yn cael hwyl anghyffredin gyda hi mewn rhai lleoedd, meddai ef. Pa un ai hen dôn Gymreig, neu rywbeth o'i waith ei hun yw, nis gwn. Byddai yn cyfansoddi ychydig weithiau, ac yr oedd ganddo feddwl uchel o'i waith. Coffa da am yr hen gyfaill diddan.

Gellid tybio wrth ddarllen y nodyn hwn mai un o'r baledwyr pen ffordd oedd Derfel Meirion ac, yn wir, mewn nodyn cefndir i'r gân yn C dywedir yn bendant: 'It is said that the ballad singer, Derfel Meirion, used to sing both air and words in the fairs'. Eithr o ddarllen peth o hanes y gŵr hwnnw ymddengys haeriad o'r fath yn gamarweiniol. Ni welais unrhyw gyfeiriad ato fel baledwr ffair a marchnad. I'r gwrthwyneb. Yr hyn a bwysleisir am Robert D. Edwards ('Derfel Meirion', 1813–89) yw ei fod yn brydydd, llenor, hynafiaethwr a chrefftwr o'r radd flaenaf; yn ôl un tyst yr oedd 'yn dra enwog fel cerfiwr ar gerrig beddau'.

Yng nghyfrol 1903 YC (t.43) gwelir dwy gân a godwyd o ganu Owen Edwards, Llanuwchllyn (tad Owen M. Edwards). Amrywiad ar 'Fenyw Fwyn' yw un ohonynt (argraffedig yn ysgrif

Rhidian Griffiths) a'r llall yn ddryll o ffurf ar 'Morfa Rhuddlan', esiampl wiw o'r hyn a all ddigwydd i gân yng nghwrs traddodi llafar arni o genhedlaeth i genhedlaeth.

Gwelsom eisoes wrth drafod casgliad Orpheus fod teulu alawol 'Morfa Rhuddlan' yn rhannu'n ddau ddosbarth o amrywiadau, ac ar derfyn y drafodaeth honno argraffwyd enghraifft o amrywiad yn perthyn i'r dosbarth lleiaf adnabyddus o'r ddau. Perthyn i'r dosbarth hwnnw y mae alaw Owen Edwards ond nid yw'n amrywiad cyfan o bell ffordd. Yn hytrach, adleisio ambell ran o amrywiad felly a wna.

'T.W.J.', yn byw yn Llanuwchllyn yn 1854/5, a gofnododd yr hyn a ganai Owen Edwards a thystiai mai dyma'r alaw a ddefnyddiai'r canwr i ganu'r 'penillion ar eu hyd'. Dichon, wrth gwrs, mai ailganu yn union yr hyn a ganai rhywun arall a wnâi Owen Edwards ond y mae'r un mor bosibl mai dyma'r cyfan a gofiai ef ohoni wedi iddo glywed ei chanu ar ryw adeg benodol, gyda newid cryn dipyn arni wrth geisio'i hatgynhyrchu. Digwyddodd peth cyffelyb o fewn fy nheulu fy hun ond i fy mam atgynhyrchu'r un alaw yn gyflawnach. Clywodd hi W.O. Jones ('Eos y Gogledd') yn canu cerdd Ionoron Glandwyryd 'Cŵyn y Gaethes Fach Ddu' (felly yr arferai hi gyfeirio at y gerdd) rai troeon ar lwyfannau yng nghylch Ffestiniog ac fe'i cododd ar ei chlust yn hynod o ffyddlon, eithr nid yn union fel y cenid hi; darganfûm hynny yn ddiweddarach. Beth bynnag am hynny, dyma fel y canai Owen Edwards ei alaw (aildrefnir y barrau mewn un man):

'Morfa Rhuddlan' YC, 1903, t.43

{| m : m | r : - | r : r | d : - | t₁ : l₁ | m : - | t₁ : t₁ : - : - }
 Cil – ia'r haul   draw dros ael   bryn-iau hael   Ar-fon,

{| l₁ : l₁ | d : - | r.m : f | m : - | m : -. m | l₁ : -.se₁ | l₁   . l₁ ||
 Lle-ni'r nos   sy'n mynd tros   ddol   a   rhos   weith-ion

Ceir dwy gân sy'n gysylltiedig â defod Y Fari Lwyd, caneuon a anfonwyd gan Evan Powell, Tredegar, i rifyn Mehefin 1906, y cylchgrawn ac mae'n werth tynnu sylw yn arbennig at rannau o'i lythyr at y golygyddion. Gresyn na fyddai wedi bwrw iddi i gasglu caneuon ei gynefin; roedd ganddo'r agwedd iawn at y mater a barnu wrth rai o'r sylwadau hyn.

Bu'n darllen traethawd William Roberts ('Nefydd',1813–72), *Crefydd yr Oesoedd Tywyll* (1852), sy'n cynnwys disgrifiad o ddefod y Fari a daeth i'w feddwl y byddai'n werth 'dod o hyd i rai o'r alawon genid gan y rhai oeddynt gynt yn actio '"Mari Lwyd" ar y gwyliau'. Aeth i lygad y ffynnon at henwr o Dredegar a fu'n dilyn y Fari yn nyddiau ei lencyndod a chafodd ganddo ddwy alaw a thri phennill perthnasol. Mae'n amlwg hefyd i'r henwr ddisgrifio'r 'actio' (gair Evan Powell ei hun) gan nodi bod i'r penillion swyddogaethau gwahanol yn y ddrama. Eithr mwy arwyddocaol na dim yw'r olwg a gawn ar gymhelliad y casglydd:

Fy unig amcan wrth ddanfon yr alawon i'r CERDDOR yw nid eu gwerth fel alawon, ond fel y byddant ar gael a chadw yn y dyfodol.

Gwyddai fod mwy i'r mater o gasglu caneuon traddodiadol na chyfyngu sylw i brydferthwch sain a swyn geiriau; y gallai fod hefyd arwyddocâd cymdeithasol a diwylliannol i sawl pwt o alaw a rhigwm digon sathredig. Tybiai fod y ffaith fod ei hynafiaid wedi ymddigrifo ym miri'r Fari yn rheswm digonol dros warchod olion yr hen chwarae. Roedd gwreiddyn y mater gan Evan Powell.

Erys i'w hystyried eitemau o gasgliad o alawon a ymddangosodd yn rhifynnau Rhagfyr 1910, Ionawr a Chwefror 1911. Perthynai'r casgliad cyflawn yn wreiddiol i Lewis Anthony (1832–98) a anwyd yng Nghwmaman ond a fu farw yn Wilkesbarre, Pennsylvania. Teiliwr a masnachwr ydoedd am ran helaethaf ei oes ond ei bennaf ddiddordeb oriau hamdden oedd cerddoriaeth: gwasanaethodd fel unawdydd, codwr canu, arweinydd corau a beirniad eisteddfodol.

Ar ymweliad â'r Unol Daleithiau yn 1885 cafodd David Jenkins olwg ar gasgliad Lewis Anthony a chododd nifer o'r eitemau a gynhwysai, hynny trwy drosi'r hen nodiant gwreiddiol i nodiant sol-ffa. Flynyddoedd yn ddiweddarach, yntau erbyn hynny yn olygydd diwyd, daeth ar draws y copi cynharach ymysg ei bapurau lluosog a chyhoeddodd 18 eitem yn 'Ystafell yr Hen Alawon'. Gwnaeth hynny yn y gobaith o gael peth o'u hanes, heb anghofio rhai o'r geiriau a genid ar yr alawon oherwydd ni chofnododd Lewis Anthony benillion ar eu cyfer, ar wahân i ddau eithriad.

O'r alawon hyn y mae tair yr ydym yn gyfarwydd ag amrywiadau arnynt eisoes, sef 'Y Blotyn Du', 'Dic Sion Dafydd' ac 'Yr Wythnos' (enw arall ar 'Cân Sobri', a'r enw gwreiddiol mae'n debyg). Cyfeiriasom hefyd at 'Princess Royal' (a elwir yn 'Princes Royal' yma) a 'Wil a'i Fam', ond y mae rhagor i'w ddweud am y ddwy olaf.

Wrth drafod yr alaw a alwodd Orpheus yn 'Merch y Brenin Twrci' (enw arall ar 'New Princess Royal') nodwyd bod pedair alaw ychwanegol yn y cyd-destun Cymreig yn dwyn yr enw 'Princess/Princes Royal', i gyd yn perthyn yn bur agos i'w gilydd er yn gwbl wahanol i alaw Orpheus, gyda'r alaw bresennol yn YC yn un ohonynt. At hyn dywedwyd bod cerddi mewn o leiaf bedair anterliwt ar unrhyw un o'r pedwar amrywiad. Felly, gan fod geiriau cymwys ar gael, cystal inni eu hieuo ynghyd â'r alaw a gofnodwyd gan Lewis Anthony, gyda dychmygu ein bod yn gwrando ar y tair chwaer, Balchder/Pleser/Elw, yn canu pennill o un o'r cerddi a geir yn 'Y Farddoneg Fabilonaidd' gan Twm o'r Nant:

'Princes Royal' YC, gyda geiriau Twm o'r Nant

{| : s.f| m :r ı d : s.f| m : r ı d : s | l : s ı f : t.l }
   Cy- du -nwn gan-iad glym-iad glaer   Hynt eir-wych hy-nod
   I ni mae'r chwant a-ddol-iant ddwys A'r mawr o- gon –iant

{| s.f : m,r ım :-. f | s : f ı m : r | d : r.tı ı sı : s.f }
   fel   tair Chwaer, Sydd mewn an-rhy-dedd tu – edd taer, U-
   ben – dant bwys, A'r dir - fawr gy-nyrch le-wyrch lwys, Dw'
                         D.C

{| m.r : m.d ı r.m : r.tı | d : d ı -|| s ı s : dᴵ ı dᴵ : rᴵ   }
   -chel - glaer ddys-glaer ddwys-glod. Ny-ni yw'r tair mae'r
   gy-mhwys wiw-deg   am – od.   Na hid-iwn ddraen mae'n

{| dᴵ : s ı s :-. l | t : l ı t : s | f : r ı tı : -. r }
   gair i   gyd, Cawn by-byr barch gan bawb o'r byd, Oddi-
   blaen ein blys, I ni mae'r llwydd-iant yn mhob llys,   I

{| m : m ı f : f | s : s ı dᴵ :-. dᴵ | t : s ı s : s.l }
   -ei – thr rhyw-un drem-yn drud Fo a'i fryd yn fras am
   ni mae'r byd wir fryd ar frys, Mewn aw-chus nerth a

{| s : m ı r :-. m,f | s : f ı m : r | d : r.tı ı sı : s.f }
   gre - fu gras,   I droed-io draw yn wag-law was O'n
   syl-wedd serth, I ni mae'r cy-fan wiw- lan werth, Mwyn

{| m.r : m.d ı r : s | d :-ı-: ||
   cas   a – nur–ddas ni.
   bryd – ferth ym-a yw'n bri.

Eithr beth am y teulu alawol hwn? Nid Cymreig mohono o ran ei
darddiad. Fe'i gwreiddir yn hytrach mewn alaw a gyfansoddwyd
gan y telynor Gwyddelig Turlough O'Carolan (1670–1738) a
chyhoeddwyd honno'n ddiweddarach yn *The Ancient Music of
Ireland*, Edward Bunting, yn 1840.

A throi at 'Wil a'i Fam' cofir i mi gyfeirio at amrywiad ar yr
alaw a gyhoeddwyd yn CCII, hwnnw wedi'i godi o gyfrol Ieuan
Ddu ac yn perthyn i ffurf arall ar yr alaw yng nghasgliad Ifor Ceri.
Nid oes perthynas o gwbl, fodd bynnag, rhwng y rheiny a'r alaw
a geir yma; a chwbl deg, gyda llaw, tybio mai'r un gerdd a genid
arnynt sef 'Ymddiddan digrif rhwng Wil a'i fam yng nghylch ei
gariad'. Dyma'r alaw fel y'i cofnodwyd gan Lewis Anthony gyda
gosod pennill cyntaf y gerdd dan y nodau:

'Wil a'i Fam' YC, Ionawr 1911 t.2

{ : s | d' . d' : d' : s | m . s : d : s | d' . d' :m' : r' | d' . l : s : s }
Rwyf we-di'm bodd-io gy-da budd, Ym mha le da gwnei ha-la'r dydd? Â'm

{| d' . r' : m' : r'. d' | r' . m' : f' : m'. r' | s' . m' : d' : s | l . f : m : r }
han-nwyl gar - iad fwyn ddi-nam, Mae'n 'mo-fyn 'ma-do hi a'i mam; Hi

{| m . f : s : s | l . t : d' : - ||
yw fy nghym-ar ar bob cam

Pan genais yr alaw drosodd yr eildro mynnai emyn-dôn ddod
i'r cof ac wedi peth chwilio deuthum ar ei thraws dan yr enw
'Lledrod (Llangollen)' yn *Llyfr Emynau a Thonau*, 1929, rhif 16,
a ddisgrifir yno fel 'Alaw Gymreig'. Oddi yno troais at gyfrol
gampus Huw Williams, *Tonau a'u Hawduron* (Caernarfon, 1967),
a chael iddi ymddangos mewn print am y tro cyntaf yn *Caniadau
Y Cyssegr*, John Roberts, Henllan, 1839, hynny ar ffurf haws i'w
chymharu ag alaw Lewis Anthony. O wneud hynny, er yr ychydig
wahaniaeth yn yr ychydig farrau cloi, nid oes amheuaeth nad yr
hyn sydd yma yw alaw a bontiodd y byd a'r betws. Dyma gofnod
John Roberts ohoni dan y pennawd 'Llangollen':

'Llangollen' o *Caniadau y Cyssegr*

O'r un ar bymtheg alaw sy'n weddill, awgryma teitlau nifer ohonynt fod geiriau yn wreiddiol gysylltiedig â nhw, e.e. 'Rwy'n mynd i wledydd pell', 'Mi rodiaf rhwng y rhedyn', 'Cobler du bach at yr esgid', 'Taranu a chanu'n ei chorn' ac 'Y Ferch o Llandilo sydd oreu i mi', tra awgryma teitlau dwy ohonynt y gallent fod yn alawon dawns: 'Ton y curo dwylaw' a 'Swansea Hornpipe'.

Gellir gosod tair o'r alawon mewn teuluoedd adnabyddus ddigon a gall fod dwy arall yn berthnasau pell i ganeuon gwerin cyfarwydd. Rhaid manylu peth rŵan ar y sylwadau hyn.

Beth bynnag a allai fod arwyddocâd y pennawd 'Mi rodiaf rhwng y rhedyn' mae'n amlwg fod yr alaw yn gymwys ar gyfer canu mydr barddonol a gysylltir yn agos â charolau Mai. Yn wir, gelwir y mydr a'r alaw ar brydiau yn 'Llafar Haf' neu 'Mwynen Mai'. Tybed, felly, nad ar gyfer canu carol Fai y bwriadwyd yr alaw hon? O droi i CIII, 61–7 gwelir nifer o alawon ar gyfer y mydr hwn, gyda phump ohonynt yn wahanol i'w gilydd, a chystal inni ychwanegu alaw Lewis Anthony atynt gyda benthyg pennill cymwys o un o garolau Huw Morys am y flwyddyn 1689:

'Mi rodiaf rhwng y rhedyn' YC ,1911

{ : s | d¹ . r¹ : m¹ : r¹ | d¹ . f¹ :-: r¹ | d¹ . l : s : m | r . f :- }
   Y gwr-da mwyn ur-ddas-ol   Ni a ddae–thom yn fwr –ia –dol

{ : r | m . d : m : f | s . d¹ :-: s | l . f : m : fe | s :- }
  i'ch cy - farch ac i'ch can-mol   Ar gar-ol moes-ol Mai;

{ : s | d¹ . r¹ : m¹ : r¹ | d¹ . f¹ :-: r¹ | d¹ . l: s : m | r . f :- }
  Fe ddar-fu'r Gae-af ger-win,   A'r Gwan-wyn caeth, oer ce-thin,

{ : r | m . d : m : f | s . d¹ :-: s | l . f : m : r | d :- ||
  Ar fy-nydd ac ar ddyff-ryn, Nerth dryc-in aeth ar drai.

Er pan gyhoeddwyd 'Y Cobler du bach' yng nghyfrol Mary Davies *Caneuon Gwerin Cymru* (Wrecsam, 1919) bu canu mawr arni mewn ysgolion ac ar lwyfannau'r wlad. Nid rhyfedd y daw i gof ar unwaith wrth ystyried pennawd alaw Lewis Anthony ac yn wir ceir adleisiau cerddorol ohoni yn honno. Ond gwelir gwahaniaethau amlwg rhwng y ddwy alaw yn ogystal, yn arbennig felly ym mhresenoldeb y byrdwn o sillafau disynnwyr sy'n dilyn penillion pedair llinell fersiwn Mary Davies. Dyma fel y cofnodwyd pennill cyntaf ei chân hi:

'Cobler Du Bach', M.D.

Ychwanegwyd tri phennill at hwn yn ei chyfrol ond o'u hystyried yn fanwl gwelir bod y ddau gyntaf a'r ddau olaf yn ddigyswllt o ran cynnwys. Ar y llaw arall, mae cysylltiad amlwg rhwng y ddau gyntaf ac awgryma hynny fod cerdd i'w chael ar un cyfnod yn sôn am helyntion cobler du bach, mewn rhyw Landdewi neu'i gilydd, ac efallai mai penillion wyth llinell oedd i honno yn wreiddiol. Gellir canu rhai felly ar alaw Lewis Anthony ac o osod dau bennill cyntaf cân Mary Davies o dan nodiant alaw y gŵr o Wilkesbarre dyma a gawn:

'Cobler du bach' YC, 1911

```
{ : s₁ | d : r : m ꞁ m : f : m  | m : s :-ꞁ- :-: s₁ }
    Mi ga-na i chwi bwt o    la - we – nydd        Os

{ꞁ  d  :  r : m ꞁ f : m : r  | s : - : - ꞁ - : - : s₁ }
    by-ddwch yn  ci – vil   i gyd                   Am

{ꞁ  d  :  r : m ꞁ m : f :  m ꞁm : s : - ꞁ - : - - :m}
    gob-ler  du  bach o  Lan- ddew-i               Sy'n

{ꞁ  m :  r   : r ꞁ r : m : d  | t₁ : - : - ꞁ - : - : s₁ }
    se-fyll   a'i    sawdl  mor syth.               Y

{ꞁ  d : t₁  : d ꞁ l₁ : t₁ :  l₁ ꞁ l₁ : s₁ : - ꞁ - : -  : s₁ }
    cob-ler  du  bach at    yr es-gid,              Y

{ꞁ  d : t₁  : d ꞁ l₁ : t₁ :  l₁ ꞁ t₁ : - : - ꞁ - : - : s₁ }
    cob-ler  du  bach at    y lest,                 Y

{ꞁ  d : t₁  : d ꞁ l₁ : t₁  : l₁ ꞁ l₁ : d : - ꞁ - : - : d }
    cob-ler  du  bach at    y  bot-as               A'i

{ꞁ  r : m : r ꞁ r : d : t₁ ꞁ d : - : - ꞁ - : - :   ‖
    gwas-godd hi rhyng-ddo  a'i frest.
```

Tybed ai gweddillion o hon, wedi eu gweithio o'r newydd gan rywun i lunio cân arall, a glywodd Mary Davies gan ei chanwr hi mewn eisteddfod leol yn Llangeitho?

Adleisio ei gilydd yn rhannol, meddwn, a wna'r ddwy alaw flaenorol a gellir dweud yn gyffelyb am 'Taranu a chanu'n ei chorn' ac alaw'r gân werin adnabyddus 'Gwn Dafydd Ifan'. Ni pherthyn digon o nodweddion cyffredin iddynt i gyfiawnhau eu gosod yn yr un teulu. Eithr nid felly yn achos 'Y Cwn Hela', un alaw ddibennawd, a 'Jacki Joy'. Mae i bob un o'r rhain eu lle oddi mewn i'w teuluoedd alawol priodol.

Digon posibl mai cerdd yn canmol haid o gŵn hela a roes ei henw i'r alaw 'Y Cwn Hela' ond y mae ei pherthynas â theulu 'Mêl Wefus' tu hwnt i amheuaeth (teulu y cyfeiriwyd ato'n gynharach mewn cysylltiad â'r alaw a alwodd Orpheus yn 'Ceiliog mwyn o'r mynydd') er ei bod yn ffurf dalfyredig o'r alawon hynny.

Yr alaw ddibennawd yw amrywiad ar 'Belle Isle March', cainc a ddefnyddiwyd yn helaeth gan faledwyr a charolwyr y ddeunawfed ganrif a'r bedwaredd ganrif ar bymtheg. Dichon iddi gael ei chyfansoddi fel ymdeithgan i ddathlu goresgyniad Ynys Belle Isle ym Mae Biscay gan fyddin Brydeinig yn 1761 ond am ryw reswm daeth yn hynod o boblogaidd yma yng Nghymru a cheir sawl amrywiad arni.

Alaw arall eithriadol o boblogaidd yn ein mysg ddyddiau a fu yw'r un a elwir weithiau yn 'Jacki Joy' ond gan amlaf yn 'Peggy/Pegi Band', er nad yma y tarddodd chwaith. Gwelsom fod amrywiadau arni gan Ieuan Ddu ac Alaw Brycheiniog a cheir rhagor ohonynt yn Llyfr Foulk Roberts (LlGC 794A, t.964), Llewelyn Alaw (LlGC 329A, rhif 66) a *Hanes Plwyf Penderyn*, David Davies, Aberdâr, 1905 (yr olaf ar gyfer canu cerdd 'Y Ferch o Blwyf Penderyn'); a diamau nad dyna ddiwedd y rhestr. Yn y cyfamser, haedda'r alaw a gofnodwyd gan Llewelyn Alaw sylw byr pellach: atgynhyrchwyd honno bron nodyn am nodyn gan Owain Alaw yn *Gems of Welsh Melody* dan yr enw 'Llanover', gan ychwanegu amdani, 'Taken from a collection of unpublished Welsh airs'. Cofier mai ef oedd beirniad y gystadleuaeth yr enillodd Llewelyn Alaw arni yn Eisteddfod Llangollen, 1858.

Cyfeiriais at yr alaw fel un estron. Ceir llu o amrywiadau arni yn Iwerddon a'r Alban; ymhlith yr argraffiad cynharaf ohoni, hwn yn *A General Collection of the Ancient Music of Ireland*, Edward Bunting, 1809, dan yr enw 'Mairgireud Bhan – Peggy Ban':

Amrywiad Bunting o'r alaw

Perthyn yr amrywiadau Cymraeg yn eithaf agos i hon gan gynnwys 'Jacki Joy' Lewis Anthony. Ond pam y gwahaniaeth pennawd? Mae'r ateb yn syml. Baled a ganwyd ac a werthwyd yn helaeth yng Nghymru'r bedwaredd ganrif ar bymtheg oedd 'Cerdd o ymddiddan rhwng dau Gariad; sef Jaci Joy a Peggy Band': yn ôl un daflen-faled 'gwedi throi i'r Gymraeg' eithr, yn annisgwyl, ni wn am un enghraifft o gofnodi'r gân, nac unrhyw ran ohoni, ar lafar. Yr unig esiampl o'r alaw ynghlwm wrth eiriau y gwn i amdani o fewn y traddodiad llafar yw 'Y Ferch o Blwyf Penderyn'. Serch hynny, awgryma pennawd Lewis Anthony mai â hynt carwriaeth Jaci Joy a Pegi Band yn benodol y cysylltid yr alaw ganddo ef. Priodol felly ei hatgynhyrchu yma gan gynnwys pennill cyntaf y faled, a hepgor y saith arall. Fel sy'n arferol wrth ganu'r math hwn ar gerdd rhaid dyblu ambell nodyn, anwybyddu un arall, llithrennu sillafau, ymestyn a chrychu'r rhythm ac uwchlaw popeth cadw at acenion llafar naturiol y geiriau.

'Jacki Joy' YC, 1911

{| d . s₁ : d : m . d | t₁ . r : d : l₁ : f₁ | m₁ . r₁ : m₁ :s₁ . s₁ | l₁ .t₁: d : s₁ }
Can ffar-wel, mae'n rhaid ym - a - dael, Rhoi ffar-wel it - i Peg-gy Band, Mae'n

{| d . s₁ : d : m . d | t₁ . r : d . l₁ : f₁ | m₁ . r₁ : m₁ :s₁ . s₁ | l₁ .t₁: d: m }
rhaid bod – lo - ni Duw sy'n rha - nu, I lawr i'r Ar-mi mae i mi gom-and; Ni

{| m . r : m : s₁ . m | r . d : l₁ : l₁ | m . r : m : s | r . d : l₁ : s₁ }
wiw mo'r tyng- u yn er-byn tyng-ed, Mae'n rhaid i flaen-ed gael ei ffors: Ers

| d . s₁ : d : m . d | t₁ . r : d : l₁ : f₁ | m₁ . r₁ : m₁ : s₁ | l₁ . t₁ : d : - ||
deu-ddeg nydd rwy we-di'm tyng -u I was – a - nae - thu'r Bre-nin George.

A dyna gychwyn ar stori anturus ond yn wahanol i'r cerddi arferol lle mae'r gariadferch yn ymgymryd â byw bywyd llongwr neu filwr nid yw Jaci am weld ei Begi ef yn byhafio felly. 'Saf di gartre, f'anwylyd fach' yw ei gyngor ef, 'mae bywyd milwr yn rhy beryglus i ti'. Mae'n rhoi modrwy iddi gan ymrwymo i ddod yn ôl o'r brwydro a bwrw golud y byd wrth ei thraed. Gwerth ceiniog i unrhyw brynwr baledi yn sicr.

Dyma ddod â ninnau i ddiwedd arolwg cyffredinol ar rai o'r alawon a'r caneuon a gyhoeddwyd yng nghylchgronau'r bedwaredd ganrif ar bymtheg ond nid heb sylweddoli unwaith yn rhagor mai i'r alawon y rhoid y lle blaenaf. Ategir hyn hefyd gan gasgliadau cerddorol argraffedig y ganrif ar ffurf cyfrolau sylweddol, rai ohonynt, ac wrth ddirwyn y bennod hon i ben sylwn yn fyr ar y rhai mwyaf perthnasol ohonynt.

Gwelsom mai alawon offerynnol a aethai â bryd cerddorion megis John Parry, Rhiwabon, ac Edward Jones, wrth iddynt fwrw iddi i argraffu eu cyfrolau yn y ddeunawfed ganrif. Felly hefyd gyda'u holynwyr yn y bedwaredd ganrif ar bymtheg ond eu bod nhw, fwyfwy, yn troi at y beirdd am gymorth i droi'r alawon hynny yn ganeuon ar gyfer perfformiadau aelwyd, cyngerdd ac eisteddfod.

Yng nghyfrolau hanner cyntaf y ganrif geiriau Saesneg a hawliai sylw ond o'r chwedegau ymlaen ceir y Gymraeg a'r Saesneg ochr yn ochr â'i gilydd yng nghyhoeddiadau poblogaidd Owain Alaw (GWM), John Thomas (*Welsh Melodies*, I–IV), Joseph Parry (*Cambrian Minstrelsie*, I–VI) a'r gyfrol enwocaf ohonynt i gyd, dan olygiaeth H. Brinley Richards (*The Songs of Wales / Caneuon Cymru*). Eithr cynnyrch cyfunol beirdd a golygyddion cerddorol oedd caneuon y cyfrolau hyn ac eithriadau prin yw'r caneuon llafar gwlad a atgynhyrchir ynddynt, gyda bron y cyfan o'r rheiny yn dod o gasgliadau Maria Jane Williams ac Ieuan Ddu.

Ymddengys, yn wir, mai'r unig olygydd i godi rhai caneuon yn uniongyrchol ar lafar oedd Owain Alaw ac yn GWM cofnododd bum gosodiad canu penillion o ganu Talhaiarn ac Idris Fychan, yn ogystal â chân a alwodd yn 'Lloer dirion, lliw'r dydd', hynny o enau canwr yn Llanidloes. Dyma'i nodyn cefndir iddi:

Noted at Llanidloes April 16th, 1873, by Owain Alaw, from the Singing of Mr David Morgan, who learned the Air and 1st verse from his mother Mrs Elizabeth Morgan.

Argraffwyd honno ddwywaith yn ystod y ganrif sef yn GWM (argr., 1873) a *Ceinion y Gân* (1873), cyfrol o ganeuon mewn nodiant sol-ffa na wyddys pwy a'i cynullodd ond a gyhoeddwyd gan Gwmni Hughes a'i Fab, Wrecsam. Eithr cofnodwyd ffurf ar yr alaw yn gynharach, hynny gan Ceiriog, mewn llawysgrif yr ymddengys iddo ddechrau ei llunio yn y chwedegau (gw. LlGC R.H. Evans, 635). Ac fel Owain Alaw yn ddiweddarach yr un oedd ei ffynhonnell yntau: David Morgan, Llanidloes. Ceir cadarnhad pellach i hyn yn un o lythyrau Idris Fychan at Ceiriog, diddyddiad, ond yn cyfeirio mae'n debyg at y cyfnod 1865–70 pan oedd y bardd yn orsaf-feistr yn Llanidloes:

> Cofus genych pan oeddwn yn Llanidloes i chwi fy nghymeryd
> i dy David Morgan y popty er ei glywed yn canu hen alaw
> Gymreig, yn ôl eich tyb chwi, ac os ydych yn cofio cenais inau
> yr un alaw wedi i'r hen frawd ei chanu, yr hon alaw sydd yn
> hên alaw Seisnig o'r enw 'The Wounded Huzzar'.

Gallwn fod yn gwbl sicr felly ynglŷn â lleoli'r gân hon yn y traddodiad llafar. Oddi wrth ei fam y cododd David Morgan hi ac un pennill yn unig a ganai, i bob golwg, heb fod ganddo unrhyw syniad pwy a'i lluniodd; peth sy'n parhau yn ddirgelwch i minnau. Ond beth am honiad Idris Fychan mai alaw Seisnig a ganai'r Morganiaid?

Wrth baratoi CCII ar gyfer y wasg yn 1987 (a chynnwys 'Lloer dirion, lliw'r dydd' ymysg y caneuon) ni wyddai fy nghydolygydd a minnau am enghraifft o'r alaw 'The Wounded Huzzar' ac aflwyddiannus fu ein hymchwil amdani mewn cyfrolau Seisnig tebygol. Yn ddiweddarach, fodd bynnag, daethom ar draws alaw yn dwyn yr enw 'The Wounded Huzard' yn un o lawysgrifau Llewelyn Alaw (LlGC 337D, rhif 132) a naturiol oedd tybio mai dyma'r alaw a ganwyd gan Idris Fychan. Eithr, os felly, roedd yn gwbl gamarweiniol iddo ei disgrifio fel 'yr un alaw' ag un David Morgan. Yn un peth, alaw yn y cywair mwyaf yw un Llewelyn Alaw tra bo'r llall mewn cywair lleiaf ond hyd yn oed pe gosodid y ddwy yn yr un cywair lleiaf ni wnâi hynny wahaniaeth arwyddocaol. Gwir fod nifer o gymalau yn y naill a'r llall sy'n gorwedd oddi mewn i raddfa A-E a bod i'r ddwy alaw yr un ffurf gyffredinol, ond dyna derfyn y tebygrwydd rhyngddynt. Y ffaith yw fod alaw y telynor o Aberdâr yn rhy hir ar gyfer y pennill a ganwyd, yn llawer ehangach ei chwmpawd, yn gwahaniaethu o ran ei phrif ddiweddebau ac yn wahanol ei rhediad melodig o frawddeg i frawddeg gerddorol i alaw David Morgan. Yn sicr nid oes berthynas deuluol rhwng y ddwy alaw. Dyna fel y saif pethau ar hyn o bryd a phe digwyddai enghraifft arall o 'The Wounded Huzzar' ddod i'r fei i gadarnhau honiad Idris Fychan gallwn fod yn siŵr o un peth, y bydd yn dra gwahanol i fersiwn Llewelyn Alaw.

Daw'r cyfeiriad at lawysgrif Ceiriog â ni at AfNG, cyhoeddiad sy'n cynrychioli rhan sylweddol o lafur Nicholas Bennett (1823–99) fel casglydd cerddoriaeth draddodiadol ei genedl. Yn debyg i rai o'i gydflaenwyr yn y maes, gweithredu'n anuniongyrchol a wnâi yn bennaf. Gwir ei fod yn ddigon abl i godi alawon a chaneuon ar lafar yn y fan a'r lle ond ar y cyfan dibynnai ar apelio at gyfeillion a chydnabod i wneud hynny drosto mewn gwahanol rannau o'r wlad. Un o'r rheiny oedd Ceiriog; un hefyd a ganolai sylw, fel y mwyafrif o'i gyfoedion cerddorol, ar gofnodi alawon yn hytrach na chaneuon a dyna union wendid y llawysgrif a gynullodd dros rai blynyddoedd ac a roes, gyda llaw, yn anrheg i Nicholas Bennett yn 1885. Ymysg eraill a gyfrannodd at gasgliad Nicholas Bennett yr oedd John Roberts (Telynor Cymru); J.D. Jones, Rhuthun; Robert Williams (Eos y Berth); Owen Humphrey Davies (Eos Llechid); David Lewis, Llanrhystud; David Jones a T. Soley Thomas, Y Fan, Llanidloes; Llew Llwyfo; William Peate, Llanbryn-mair a Lewis Roberts (Eos Twrog). Sylwer yn neilltuol eto i Nicholas Bennett lwyddo i brynu rhan eithaf sylweddol o gasgliad Llewelyn Alaw wedi i'r gwrda hwnnw farw.

Yn ôl ei dystiolaeth ei hun treuliodd Sgweiar Glanrafon dros hanner can mlynedd yn casglu cryn 700 o ganeuon/alawon ond ymddiriedodd y gwaith cerddorol o baratoi'r casgliad ar gyfer y wasg i D. Emlyn Evans a gyfrifid ar y pryd yn awdurdod pennaf ar gerddoriaeth draddodiadol Cymru. Dewisodd yntau gynnwys 506 o alawon eithr heb osod cymaint ag un pennill ar eu cyfer.

Hyn er gwaethaf y ffaith fod rhai caneuon yn y casgliad.

Gallwn fod yn siŵr o hyn o ystyried y gwaith yn ofalus. Ar y naill law, gwelir nifer o alawon y gwyddys bod geiriau traddodiadol ynghlwm wrthynt mewn cyhoeddiadau eraill; e.e. 'Fy Noli', 'Lisa Lân', 'Hoffder' (ffurf ar 'Cob Malltraeth'), 'Mwynen Merch', 'Fenyw Fwyn', 'Y Pren Celynen', 'Adar mân y mynydd', 'Cân yr Arad-Lanc', 'Cerdd y Gog Lwydlas'. Ar y llaw arall, ceir enwau llu o alawon oedd yn ffefrynnau gan garolwyr plygain a baledwyr a diamau fod geiriau ynghyd â sawl un ohonynt yn y casgliad gwreiddiol; e.e. 'Bryniau'r Iwerddon', 'Nos Sadwrn y Gweithiwr', 'Hir oes i Fari', 'Ffelena', 'Clychau Rhiwabon', 'Ffarwel Ned Puw', ac ati.

Ymhellach, cawn dystiolaeth anuniongyrchol D.E. Evans ei hun i bresenoldeb caneuon yn y casgliad. Yn rhifyn Ionawr 1909, YC, mewn ysgrif dan y pennawd 'Alawon heb eiriau' gwelir ganddo'r esboniad cloff hwn dros hepgor geiriau yn y cyhoeddiad:

Pan ddygwyd allan "Alawon fy Ngwlad" gan y diweddar Nicholas Bennett, credwn i rai derbynwyr deimlo'n siomedig am na chynwysai y casgliad eiriau gyda'r alawon; ond buasai i ychydig o brofiad ac ystyriaeth ddangos nas gallasai fod felly, oddieithr gyda chyfrolau beichus o fawr, a mawr eu pris, yn ychwanegol at y ffeithiau digon dealledig, fod y mwyafrif o'r geiriau wedi mynd i ddifancoll, ac fod y rhan fwyaf o'r ychydig oedd yn aros yn wasgaredig ac anghyflawn yma a thraw, yn ddichwaeth a diwerth. Fel rheol hefyd, ni chynwysai ein casgliadau cyntaf, gan Parry Ddall, Bardd y Brenin, &c., ond yr alawon yn unig; er y teimlwn yn ofidus bob amser na fuasai ymdrech wedi cael ei wneud ganddynt i achub o leiaf rhyw gyfran o'r telynegion; yn neilltuol gan y ddau Parry ac Edward Jones, gan yn ddiau fod aml i gân a allasent achub rhag ebargofiant y pryd hwnnw.

Nid esboniad gwan yn unig ond, o ystyried y frawddeg olaf, cymysglyd hefyd.

Tybed a fu yna beth anghytuno a dadlau rhwng y casglydd a'r golygydd cyn penderfynu'n derfynol ar gynnwys y gwaith? Gwyddom un peth yn bendant, sef i Nicholas Bennett ei hun fynegi ei awydd i weld ail gyhoeddi'r casgliad gan gynnwys geiriau ynddo. T. Soley Thomas, ffermwr o'r Fan, Llanidloes, a chasglydd caneuon gwerin a wyddai sut i fynd o gwmpas y gwaith hwnnw'n iawn, sy'n tystio i hyn mewn rhagymadrodd i gasgliad o ganeuon felly a anfonodd i gystadleuaeth yn Eisteddfod Powys, Caersws, yn 1910:

> A few years ago I caught the patriotic fever of collecting old melodies from Mr. Nicholas Bennett, Llawryglyn, Montgomeryshire, who sent a letter, "Please copy old Welsh airs in the rural districts of Montgomeryshire, so that I may republish my collection of airs in 4 volumes with the airs and words and add a few to them"

Ni wyddom yn union beth oedd ym meddwl Nicholas Bennett wrth sgrifennu'r geiriau 'the airs and words' ond yn ddiamau synhwyrir nodyn o chwithdod yn yr ymadrodd. Teg casglu y carai o leiaf weld cyhoeddi'r caneuon hynny y llwyddodd i'w cynnwys yn ei gasgliad gwreiddiol beth bynnag am ychwanegu atynt. Gwaetha'r modd ni chafodd fyw i weld cyflawni ei ddymuniad. Cyhoeddwyd AfNg yn 1896. Bu'r casglydd farw ar 18 Awst 1899.

Yn y cyfamser trist yw gorfod cydnabod nad yw AfNg yn gyfraniad o bwys gwirioneddol i gorff caneuon gwerin ein gwlad. Mater arall yw ei arwyddocâd i astudiaeth gymharol o'n cerddoriaeth offerynnol draddodiadol ond hyd yn oed yn y cyd-destun hwnnw mae diffyg gwybodaeth gefndirol am gyfnodau, achlysuron perfformio a pherfformwyr yr alawon, ynghyd ag arwyddion fod D. Emlyn Evans ei hun wedi mynnu golygu cryn dipyn ar y cynnwys, yn rhwym o leihau gwerth y cyfan.

NODIADAU

1. Ymdrinnir â'r chwedl yn *Ysgrifau a cherddi cyflwynedig i Daniel Huws* (gol.) Tegwyn Jones, E.B. Fryde, (Aberystwyth, 1994), tt.148–55.

2. 'Ymhen y saith mlynedd' (LlGC JLlW AH3/2); 'Y Wyddor Gân' (LlGC JLlW AH3/6).

4

AGOR Y DRWS

HYD YMA, GWELSOM ARWYDDION amlwg fod y diddordeb
mewn cofnodi hen alawon a chaneuon yn cynyddu yn ystod y
bedwaredd ganrif ar bymtheg yng Nghymru ac yn hyn o beth
adlewyrchai duedd Brydeinig ac Ewropeaidd gyffredinol.
Yn Lloegr, yn benodol, arweiniodd yn y pen draw at sefydlu
cymdeithas ac iddi'r amcan o gasglu, cadw a chyhoeddi
'Caneuon-gwerin, baledi ac alawon'. Digwyddodd hynny mewn
cyfarfod a drefnwyd yn 12 Hanover Square, Llundain, ar 16
Mai 1898, a chynhaliodd yr aelodau eu Cyfarfod Cyffredinol
cyntaf ar 2 Chwefror 1899, lle derbyniwyd rheolau cyffredinol ar
gyfer y Gymdeithas ac y cyflwynwyd hefyd ganllawiau ar gyfer
cynorthwyo aelodau i gasglu'r caneuon a'r alawon. Fe'i galwyd
yn *Folk-Song Society*.

Un o'r rhai a oedd yn bresennol yn y cyfarfodydd hyn oedd
Alfred Perceval Graves, Gwyddel a anwyd yn Nulyn yn 1846. Am
bron i draean olaf ei oes bu ganddo dŷ yn Harlech, lle bu farw, a'i
gladdu yno, yn 1931. Fe'i penodwyd yn aelod o bwyllgor cyntaf
y Gymdeithas newydd a bu'n flaenllaw hefyd mewn sefydlu yr
Irish Folk-Song Society yn 1904 a Chymdeithas Alawon Gwerin
Cymru yn 1906.

Yn ei hunangofiant awgryma i'r syniad o gael un gymdeithas
ar gyfer casglwyr cerddoriaeth werin godi mewn sgwrs rhwng
rhai o aelodau y *London Irish Literary Society* ac i hynny esgor
ymhen amser ar sefydlu y *Folk-Song Society*. Beth bynnag am
hynny, oherwydd bod y gymdeithas newydd wedi ei sefydlu yn
wreiddiol ar gyfer cydweithrediad rhwng casglwyr ymhob rhan

o Brydain, roedd angen sicrhau aelodau gweithgar yn y rhannau hynny i gyd ac ymddengys mai fel cennad drosti yr ystyriai A.P. Graves ei hun pan gafodd wahoddiad i annerch cyfarfod dan nawdd Y Cymmrodorion yn Eisteddfod Caernarfon, 1906:

> I was asked by Mr. Fuller Maitland when he was chairman of the Folk Song Society, to try and capture a strong Welsh contingent. Accordingly I prepared a paper on the general question of folksongs for the Cymmrodorion meetings held at the Carnarvon National Eisteddfod of 1906.[1]

Cadarnheir hyn yn yr anerchiad dan sylw. Yno, wrth dynnu tua'r diwedd, dywedodd hyn:

> It has been suggested that a Welsh folk song branch should be affiliated with the Folk Song Society, which acts on an international basis and invites contributions of folk songs from all nations. But whether or not you accept this suggestion or set up an independent folk song society of your own, I make no earthly doubt that you have enough material to occupy you within your own borders for at least a generation to come.[2]

Fel yn achos y Gymdeithas Wyddelig, ddwy flynedd yn gynharach, fodd bynnag, gwrthododd y gynulleidfa yng Nghaernarfon yr awgrym i sefydlu cymdeithas a fyddai'n gangen o'r *Folk-Song Society* a phenderfynwyd yn hytrach sefydlu cymdeithas annibynnol dan yr enw 'The Welsh Folk-Song Society' / 'Cymdeithas Alawon Gwerin Cymru'. Chwedl Graves ei hun: 'I had been sent to capture Welsh members for the Folk Song Society, but the meeting took a different line'. Diolch am hynny, neu ni fyddai ein caneuon gwerin yn ddim ond atodiad tila i gasgliad Seisnig grymus.

Llywydd cyntaf y Gymdeithas Gymreig oedd Syr W.H. Preece a anwyd yn y Bontnewydd, Arfon, ond yn byw erbyn hynny ar gyrion tre Caernarfon, peiriannydd trydan ac arloesydd ym maes telegraffiaeth. Roedd ef yn gyfeillgar ag A.P. Graves ac ar ei awgrym ef, yn wir, yr ymwelodd Graves a'i deulu â Harlech am y tro cyntaf ym Mehefin 1897. Erbyn haf 1899 roeddynt yn sefydlog yno mewn tŷ newydd a alwyd yn 'Erinfa'. O hynny ymlaen bu cysylltiad agos rhwng Graves a sefydliadau llenyddol, addysgol a cherddorol Cymreig ac er na lwyddodd i feistroli'r Gymraeg o gwbl 'cyfieithodd' lawer o'i barddoniaeth a chyhoeddi ei gynnyrch mewn cyfrolau megis *Welsh Poetry Old and New* a *Ceiriog Hughes's Poems*. Ymddengys mai ei ddull o weithredu oedd gofyn i feirdd a llenorion cymwys (J. Lloyd Williams yn arbennig) i gyfieithu yn llythrennol gerddi Cymraeg perthnasol a bwrw iddi wedyn i fydryddu'r cyfieithiadau llythrennol hynny.

Yn y cyfarfod sefydlu hwnnw yng Nghaernarfon yn 1906 darllenwyd papur yn ogystal gan Wyddel arall, genedigol o Belfast, a Phrifathro cyntaf Coleg Prifysgol Gogledd Cymru, Bangor (sefydlwyd 1884), sef H.R. Reichel, gŵr a ddysgodd Gymraeg yn ddigon da i sgrifennu ambell lythyr a thraddodi rhai anerchiadau cyhoeddus ynddi. Yn ôl y Prifathro a'i dilynodd, D. Emrys Evans: 'Cofir amdano fel un o brif gynllunwyr Prifysgol Cymru, ac fel gŵr unplyg, cadarn ei argyhoeddiadau, heb odid rithyn o uchelgais personol.'[3]

O gymharu papur A.P. Graves a phapur H.R. Reichel gwelir ar unwaith fod un y Prifathro yn seiliedig ar wybodaeth bur drylwyr am gyhoeddiadau cerddorol argraffedig Cymru. Eithr tynnu ar ei wybodaeth am gefndir cerddoriaeth draddodiadol Lloegr, Iwerddon a'r Alban a wna Graves ac annog y Cymry i fynd ar drywydd eu caneuon traddodiadol. Hanes sefydlu'r Gymdeithas yn Lloegr a hynt rhai o'i chasglwyr sy'n mynd â'i fryd ef yn bennaf ond yn achos Reichel canolbwyntir ar arwyddocâd cerddoriaeth draddodiadol Cymru i'r Cymry eu hunain ac i genhedloedd eraill. Hynny dan dri phen:

(i) Tuedda'r math hwn ar gerddoriaeth i gynnal parhad y diwylliant a'r delfrydau cenedlaethol a oedd yn fynegiant, yn ei olwg ef, o hunaniaeth y genedl Gymreig. Dros y blynyddoedd ymatebodd y Prifathro yn gadarnhaol i ddelfrydiaeth mudiad fel Cymru Fydd ac, iddo ef, gwedd ar hynny oedd y diddordeb Cymreig cyfoes mewn cerddoriaeth a llên gwerin. Meddai, felly, ar brofiad a gweledigaeth ddyfnach nag eiddo ei gyd-Wyddel.

(ii) Dymunai'r Prifathro weld cylch o gyfansoddwyr cerddorol cenedlaethol yn codi yng Nghymru a chredai nad oedd hynny'n bosibl oni châi'r cyfansoddwyr dan sylw eu hysbrydoli gan gorff o gerddoriaeth draddodiadol. Yn y goleuni hwnnw y deallai ef ddatblygiadau cerddorol cyfoes yn Norwy, Hwngari a Rwsia:

> For the establishment of such a school Wales seems to need two things:- (a) The systematic collection and study of the old national airs. (b) The deliberate cultivation of instrumental music, in which we are at present far behind races less richly endowed with musical instinct, our English neighbours for instance.

(iii) Credai fod angen dehongli'r diwylliant Cymreig i genhedloedd eraill Prydain a'r ymerodraeth ac nad oedd gwell ffordd i wneud hynny na thrwy daenu gwybodaeth am gerddoriaeth draddodiadol Cymru, yn enwedig felly trwy gyfrwng canu'r caneuon yn yr ysgolion.

Yn hyn oll, rhannai amcanion a breuddwydion aelod o staff ei goleg ei hun, sef J. Lloyd Williams, ac wrth ei enwi ef yn y cyd-destun arbennig hwn deuwn at wedd arall ar hanes sefydlu Cymdeithas Alawon Gwerin Cymru.

Y gwir yw fod ganddo ef ei ddull arbennig ei hun o edrych ar hanes y mudiad canu gwerin yng Nghymru oherwydd mynnai fod iddo wreiddiau cwbl frodorol ac nad oedd mewn unrhyw fodd i'w briodoli i sefydliad cynharach y *Folk-Song Society* Seisnig. Mudiad trwyadl Gymreig ydoedd yn ei olwg ef a dyma'i safbwynt bob tro wrth drafod hanes sefydlu Cymdeithas Alawon Gwerin Cymru, er enghraifft, yn y ddau adroddiad gweddol hir a geir yn *Y Cerddor* a *Cylchgrawn Cymdeithas Alawon Gwerin Cymru*.[4] A'r un yw'r stori ymhob cyd-destun lle digwydd i'r mater ddod i'r fei.

Dyma fel y gosodir y mater ganddo yn rhifyn Ebrill 1933 o'r *Cerddor* (yntau ar y pryd yn un o gyd-olygyddion y cylchgrawn hwnnw):

Daeth cymaint o symudiadau estron i Gymru trwy Loegr fel mai peth naturiol a fuasai tybio mai efelychu mudiad Seisnig a thramor a wnaed pan ddechreuwyd casglu alawon gwerin Cymru. Ymhellach, ymddengys y ffaith bod cymdeithasau alawon gwerin wedi eu cychwyn mewn gwledydd eraill cyn sefydlu un o'r fath yng Nghymru fel yn cadarnhau y dybiaeth. Ond camgymeriad mawr a fyddai'r syniad, oblegid, pan ddechreuwyd casglu'r alawon ni wyddai neb o'r rhai oedd wrth y gwaith ddim am fudiadau cyffelyb oedd eisoes wedi cychwyn y tuallan i Gymru. Mewn geiriau eraill, gwawriodd yr adnabyddiaeth o werth caneuon gwerin ar feddyliau cerddorion Lloegr a Chymru yn hollol annibynnol ar ei gilydd. Yn ddiweddarach, pan awd i ffurfio Cymdeithas, dilynwyd esiampl a chynllun y Gymdeithas Seisnig oedd eisoes wedi ei sefydlu, ond peth arall oedd hynny. [t.l00]

Sylwer ei fod yn hawlio yma fod y gwaith o gasglu caneuon gwerin wedi rhagflaenu sefydliad Cymdeithas Alawon Gwerin Cymru ac na wyddai'r casglwyr hynny ddim am fodolaeth cymdeithas o'r fath yn Lloegr, er enghraifft. Yn wir, gwnaed yr un honiad ganddo mewn ysgrif gynharach yn *Y Cerddor*, ysgrif goffa am y cyn-Brifathro H.R. Reichel, gan nodi y tro hwn pwy oedd y casglwyr oedd ganddo mewn golwg:

Pan ddechreuodd nifer fechan o'r efrydwyr a minnau gasglu alawon gwerin a'u canu, ef a Lady Reichel oedd y rhai cyntaf i groesawu'r mudiad dinod. Ac nid ar air yn unig y gwnaeth hynny. Oherwydd pellter yr hen Goleg, talodd y prifathro o'i boced ei hun am ddwy flynedd, rent ystafell yn y dref i'r Canorion, fel y galwent eu hunain, ymarfer ynddi... Pan ddechreuodd dylanwad y canu hwn ymledu, penderfynodd rhai

o'r cyfeillion a deimlai ddiddordeb ynddo ei bod yn bryd i'r hyn
a fuasai hyd yn hyn yn ysbryd annelwig i gymryd arno ffurf,
a chael corff yn llun cymdeithas. Un o'r rhai mwyaf blaenllaw
yn cynllunio ac yn helpu i gymryd y cam newydd ymlaen oedd
Syr Harry, ac yn y cyfarfod yn y Guild Hall, yng Nghaernarfon,
siaradodd yn gryf ymhlaid y symudiad.[5]

Felly, cylch o fyfyrwyr yn eu galw eu hunain y Canorion, yn ôl
yr adroddiad hwn, a fu'n arloesi'r tir, gyda sefydlu Cymdeithas
ffurfiol yn dilyn ar hynny.

A gwnaed yr honiad hwn yn fwy pendant fyth ganddo yng
nghyfarfod blynyddol Cymdeithas Alawon Gwerin Cymru
ym Mangor, 3 Awst 1931, wrth dalu teyrnged ar lafar i'w gyn-
Brifathro:

> The first Society that was ever formed with the prime object
> of collecting and singing Welsh Folk-songs was a small Society
> of Students at the Bangor University College. That was two
> years before the famous meeting at Caernarvon, from which
> the movement is usually dated. The little group of students
> called themselves y 'CANORION', and their warmest supporter
> was Sir Harry Reichel. Out of Sir Harry's experience of the
> 'CANORION' arose the meeting in Caernarvon where he and
> Mr. Percival Graves took the stage and the Welsh Folk-song
> Society was launched.[6]

Gwnaed honiad cyffelyb ganddo mewn sgwrs rhyngddo ag
E. Morgan Humphreys yn un o raglenni'r gyfres radio 'Amryw',
ar 11 Mawrth 1938:

EMH: Sut y bu hi?

JLW: Fel hyn. Mi es i Goleg Bangor yn ddarlithydd mewn
      llysieuaeth, ac yn fuan gofynnwyd i mi gymryd gofal
      y canu hefyd. Cydsyniodd y Prifathro, y diweddar
      Syr Harri Reichel, yn galonnog, fod canu yng

nghynulliadau defodol Y Coleg i fod yn Gymraeg.
Chwiliwyd am alawon cenedlaethol oedd heb eu
hystrydebu, a threfnwyd nifer ohonynt i'w canu. Hefyd
trefnais gân a ddysgasai fy ngwraig a'i chwaer, oddi
wrth ganu eu tad, oedd yn forwr, a phrofodd honno
yn hynod o gymeradwy. 'Tra bo dau' oedd ei henw;...
Gwelwyd ar unwaith fod gwahaniaeth hanfodol rhwng
alawon a ddaeth i fod trwy fysedd telynorion, a'r rhai a
darddodd o lais a theimlad a chalon cantorion...

EMH: Wedi cael y cyfan fel yna, pa ddefnydd a wnaethpwyd
o'r darganfyddiad?

JLW: Sefydlwyd cymdeithas o'r efrydwyr, y Canorion, i
gasglu a chanu'r alawon. Llwyddodd John Morris,
sydd yn awr yn arolygydd ysgolion, i gasglu tua
deugain yn ardaloedd Ffestiniog a Thrawsfynydd yn
unig. Ymhen dwy flynedd, sef yn 1906, yn eisteddfod
Caernarfon, sefydlwyd Cymdeithas Can Gwerin, ac yn
fuan wedyn cychwynnwyd Cylchgrawn y Gymdeithas.[7]

Yn ôl yr adroddiadau hyn, felly, sefydlwyd y Canorion yn 1904
a mynnir mai o ganlyniad i'r penderfyniad i gynnwys caneuon
Cymraeg 'yng nghynulliadau defodol Y Coleg' y bu hynny.

Gwaetha'r modd bu camgofio dybryd ar ran J. Lloyd Williams
yma. Dichon na ddylid rhyfeddu at hynny. Erbyn tridegau
cynnar yr ugeinfed ganrif roedd yn bedwar ugain mlwydd oed
ac yn amlwg yn dibynnu, yn yr achos hwn, nid ar dystiolaeth
ddogfennol ond ar ei gof. Sut bynnag, er na lwyddais i ddarganfod
union ddyddiad sefydlu'r Canorion mae'r ffeithiau sydd ar gael
yn tystio'n ddigamsyniol i hynny ddigwydd rywbryd yn ystod
tymor cyntaf y flwyddyn academaidd 1907–08, rywbryd ym mis
Tachwedd o bosibl. Hynny, gyda llaw, gryn bedair blynedd wedi'r
penderfyniad i ganu caneuon Cymraeg yng 'nghynulliadau
defodol' y coleg.

Gan fod hyn yn fater o bwys hanesyddol rhaid aros yma i
ddisgrifio peth ar gysylltiad J. Lloyd Williams â bywyd cerddorol

ei goleg ar ddechrau'r ganrif ddiwethaf. Heb hynny ni ellir amgyffred llawn ystyr yr anghysondeb dyddiadau hwn.

Fe'i penodwyd yn wreiddiol, yn 1897, fel darlithydd cynorthwyol ac arddangoswr yn Adran Lysieuaeth y coleg ond erbyn Ionawr 1900 gweithredai hefyd fel cyd-hyfforddwr cerdd â Dr Roland Rogers yn y *Day Training Department* (DTD), adran a gymhwysai fyfyrwyr ar gyfer bod yn athrawon ac athrawesau ysgol, ac mewn Garddwest a gynhaliwyd i ddathlu diwedd y flwyddyn golegol honno, yn ôl adroddiad yn rhifyn 20 Mehefin y *North Wales Chronicle* : 'part-songs were rendered by a college male voice party conducted by Mr. J. Lloyd Williams'. Dyma'r cyfeiriad cyntaf ato, hyd y gwn i, fel arweinydd côr yn un o ddathliadau swyddogol y coleg. Erbyn blwyddyn academaidd 1902–03 ef oedd Arweinydd Cymdeithas Gorawl y Coleg a dyma'r tro cyntaf iddo ysgwyddo'r baich o drefnu rhaglen gerddorol ar gyfer 'cynulliadau defodol' y lle; er enghraifft, ef oedd yn gyfrifol am raglen gerddorol y Seremoni Raddio ar 13 Hydref 1902, pan ganodd y Gymdeithas Gorawl '... some Welsh airs with delightful freshness'.[8] Eto, yn y Cyngerdd Blynyddol ym Mehefin 1903, canwyd 'Rhyfelgyrch Cadben Morgan' gan Emlyn Davies.[9] Ac o 1903–04 ymlaen, am sawl blwyddyn, ef oedd yn gyfrifol am bob gwedd ar hyfforddi cerddorol yn y DTD yn ogystal â gofalu am holl berfformiadau'r Gymdeithas Gorawl.

Eithr pa bryd yn union y dechreuwyd cynnwys caneuon Cymraeg yn rhaglenni cerddorol swyddogol y coleg – y 'cynulliadau defodol' bondigrybwyll?

Rhaid bod yn ofalus yma a nodi na chyfrifid cyngherddau dathlu Gŵyl Ddewi y coleg ymysg y cynulliadau hynny. Mater i'r myfyrwyr a'r staff oedd dathliadau gŵyl y nawddsant ac fe'u trefnid gan bwyllgor arbennig: Pwyllgor Dathliadau Gŵyl Ddewi Coleg Prifysgol Gogledd Cymru, a rhoi iddo ei enw llawn. Fel arfer byddai dwy ran i'r noson gyda'r rhan Gymraeg, yn cynnwys caneuon bid siŵr, yn dod gyntaf a'r ail ran fel rheol ar ffurf cyflwyniad dramatig Saesneg yng ngofal y Gymdeithas Ddrama. Yn wir, fel rhan o ddathliadau Gŵyl 1901, gofynnodd y

Pwyllgor i J. Lloyd Williams a Llew Tegid drefnu perfformiad o'u chwaraegerdd 'Aelwyd Angharad' (chwaraegerdd a lwyfannwyd am y tro cyntaf gan blant Capel Seion, Cricieth yn 1899, ddwy flynedd yn gynharach) gyda pherfformiadau eraill yn dilyn ar unwaith ym Mhorthmadog, Pwllheli a Bangor. Erbyn Gŵyl Ddewi 1902 roedd gan J. Lloyd Williams a Llew Tegid chwaraegerdd arall yn barod, 'Cadifor, Tywysog Eryri', a chafodd hithau ei chyflwyno yn y coleg, gyda pherfformiadau ychwanegol ar gyfer y cyhoedd yn Neuadd y Penrhyn, Bangor, ar 10 ac 11 Ebrill.

Yn ôl Cofnodion Senedd y Coleg yn Adran Archifau Llyfrgell Prifysgol Cymru, Bangor, am 9 Chwefror 1903, gan gyfeirio at ddathliad Gŵyl Ddewi 27 Chwefror:

It was resolved that the following draft programme be authorised: (1) Welsh Musical Items (2) Dramatic performance – Selections from 'Twelfth Night'

ac yn ystod rhan Gymraeg y noson cafwyd unawdau a threfniannau corawl Cymraeg, canu penillion a detholiad o alawon Cymreig ar y piano. Yna ar Ŵyl Ddewi 1904 caed perfformiad eto o 'Aelwyd Angharad' a dilynwyd hwnnw gan ddau berfformiad arall, y naill ym Mangor a'r llall yng Nghaernarfon, gyda'r elw'n mynd at Gronfa Adeiladau'r Coleg Newydd.

Gyda rhaglen Gŵyl Ddewi 1905 deuwn at sefyllfa sy'n berthnasol i fater yr anghysondeb y cyfeiriwyd ato'n gynharach oherwydd cynhwysai'r rhaglen honno saith cân Gymraeg, yn eu plith ddwy gân werin a gasglwyd gan J. Lloyd Williams ei hun, 'Tra bo dau' (o ganu ei wraig a'i chwaer yng nghyfraith) a 'Ffarwel Mari' (o ganu ei dad). Arwyddocâd hynny i'n pwrpas ni yma yw mai dyma'r tro cyntaf y deuwn ar draws caneuon gwerin yng nghyngherddau'r coleg. Er bod 'Aelwyd Angharad' yn cynnwys alawon traddodiadol nid oedd ynddi ganeuon gwerin fel y cyfryw. Ni chynhwysai 'Cadifor' ganeuon gwerin chwaith. Eithr bellach, agorodd 'Tra bo dau', yn arbennig, gil drws ym meddwl J. Lloyd Williams a gwelodd gyfle i roi lle amlycach i ganeuon gwerin Cymraeg ym mywyd y coleg yn gyffredinol.

Y gwir yw, yn ystod blynyddoedd cynnar ei yrfa gerddorol ef yn y coleg cyfyngid canu Cymraeg bron yn gyfan gwbl i ddathliadau Gŵyl Ddewi. Fel y gwelwyd eisoes, rhaglenni cwbl Seisnig bron a geid mewn 'cynulliadau defodol' fel y Seremoni Raddio a'r Seremoni Diwedd Sesiwn (bandiau pres Nantlle neu Borthaethwy a berfformiai fel rheol yn y Garddwestau oedd yn gysylltiedig â'r Seremoni honno) a rhai felly hefyd oedd rhaglenni Cyngherddau Blynyddol Cymdeithas Gorawl y coleg, gan gynnwys cyngerdd 1904, pan ganwyd yr unawd 'Cannwyll fy llygaid wyt ti'. Canwyd 'a Welsh pastoral love-song' hefyd, yn ôl adroddiad yng nghylchgrawn y myfyrwyr, yng nghyngerdd blynyddol 1905, hynny gan J.O. Jones a luniodd yrfa iddo'i hun yn ddiweddarach fel canwr proffesiynol dan yr enw 'Owen Bryngwyn'. Eithr daeth newid ar bethau ym mlwyddyn academaidd 1905–06.

Yn y Seremoni Raddio a gynhaliwyd ar 9 Tachwedd 1905 cafwyd sawl perfformiad Cymraeg yn cynnwys unawdau, trefniannau corawl ('Tra bo dau' yn eu mysg), canu penillion a chyflwyniadau telyn, a barnaf mai at y cynulliad hwn y cyfeiriai J. Lloyd Williams yn arbennig yn y sgwrs radio rhyngddo ag E. Morgan Humphreys y cyfeiriwyd ati yn gynharach. Dyma pryd, yn wir, y gwelwyd gyntaf ffrwyth gwirioneddol argymhelliad J. Lloyd Williams i'r Prifathro Reichel y dylai cerddoriaeth 'cynulliadau defodol' y coleg fod yn Gymraeg, a hynny dim ond prin ddeng mis cyn y sefydlu yn 1906.

Eithr sylwer nad oedd a wnelo'r Canorion ddim â'r perfformio hwn. Cymdeithas Gorawl y Coleg oedd ar waith yma, er i un o'r unawdwyr, W.E. Jones, ddod ymhen amser yn aelod o'r Canorion.

Nodwyd eisoes i'r gymdeithas honno gael ei sefydlu yn ystod tymor cyntaf sesiwn 1907–08 a rhaid troi rŵan at y dystiolaeth dros ddweud hynny. Mae honno i'w chael yn bendant ddigon mewn rhifyn o gylchgrawn myfyrwyr y coleg, *The Magazine of the*

University College of North Wales, Mawrth 1908. Mewn erthygl Saesneg fer dan y pennawd 'Cymdeithas y Canorion' cawn 'M.O.' (Morris Owen, mae'n debyg, yn wreiddiol o Flaenau Ffestiniog ac yn un o aelodau cyntaf y Canorion) yn dweud hyn:

> About the middle of last term the Principal and Mr. Lloyd Williams approached some of the students with a view to forming a Society in College which was to have for its chief aim the study of Welsh folk-songs. As may be expected, the idea 'caught on' immediately, and it was not long before a meeting of those interested in the matter was convened. After Mr. Lloyd Williams had explained, among other things, the need of forming a Society for the study of Welsh folk-songs, especially in a Welsh College, amidst great enthusiasm it was there and then decided to do so. The few items that were sung that night gave promise of immediate success, and, writing as I am now over four months after that first meeting, it can safely be said that that promise has not only been amply fulfilled, but surpassed …The present members have also thrown themselves heart and soul into the work, not only attending the the (sic) meetings, but collecting unpublished old Welsh airs in and around their homes.

Ategir hyn hefyd o ddau gyfeiriad arall: mewn anerchiad a draddodwyd gan y Prifathro Reichel yn ystod Seremoni Diwedd Sesiwn 1907–08, yntau yn arolygu gwaith y flwyddyn, ac yn llawlyfr swyddogol y myfyrwyr, *U.C.N.W. Students Handbook*, am sesiwn 1908–09, dan y pennawd *Origin and Development of College Clubs and Societies:* 'Y Canorion'.

Y casgliad rhesymol yw nad oedd Cymdeithas y Canorion yn bodoli cyn sefydlu Cymdeithas Alawon Gwerin Cymru yn 1906. Yn dilyn ar y digwyddiad hwnnw, ychydig dros flwyddyn yn ddiweddarach, y daeth cymdeithas y myfyrwyr i fod. Rhaid nodi, felly, i J. Lloyd Williams gyfeiliorni yn hyn o beth ac ni ellir derbyn ei awgrym chwaith mai canlyniad cyflwyno caneuon Cymraeg i raglenni'r 'cynulliadau defodol' oedd sefydlu Cymdeithas y Canorion. Trwy anogaeth uniongyrchol J. Lloyd Williams a'r Prifathro Reichel eu hunain, fel y dywedodd Owen Morris, y sefydlwyd honno.

Eithr nid camarweiniol yr honiad nad oedd aelodau cynnar y Canorion o dan ddylanwad y Folk-Song Society nac unrhyw Gymdeithas gyffelyb. Nid 'efelychu mudiad Seisnig a thramor' a wnaethant wrth fwrw iddi i geisio casglu caneuon gwerin yn eu broydd. Yn hytrach, eu sbarduno a gawsant gan frwdfrydedd Prifathro a darlithydd o'u coleg eu hunain.

Dychwelwn rŵan at y cyfarfod hwnnw dan nawdd Y Cymmrodorion yn Eisteddfod Genedlaethol Caernarfon, 1906. Un o'r pethau rhyfeddaf yn hanes Cymdeithas Alawon Gwerin Cymru yw'r ffaith iddi ddewis dathlu ei hanner canmlwyddiant yn Llangollen yn 1958. Ni wn yn sicr sut yn union y penderfynwyd ar y dyddiad hwn ond credaf nad oes cyfiawnhad drosto a bod angen cywiro cam. Yn 1906 y sefydlwyd Cymdeithas Alawon Gwerin Cymru ac nid yn 1908. Sefydlu hynny a wneir yng ngweddill y bennod hon.

Mae lle amlwg i'r Cymmrodorion yn achos sefydlu Cymdeithas Alawon Gwerin Cymru, fel ag yn achos sawl cymdeithas a mudiad Cymreig arall. Yn 1873 y sefydlwyd Trydedd Anrhydeddus Gymdeithas y Cymmrodorion ac ymhen ychydig flynyddoedd roedd dwy wedd gyffredinol i'w gweithgaredd sef cynnal cyfres o ddarlithiau yn Llundain a threfnu cyfarfodydd yn ystod wythnos yr Eisteddfod Genedlaethol. Trefnid yr ail weithgaredd gan Adran Gymmrodorol yr Eisteddfod Genedlaethol a thrwy hynny, yn rhannol, y daeth i fod, er enghraifft, Gymdeithas yr Eisteddfod Genedlaethol (1880), Cymdeithas yr Iaith Gymraeg (1885), Cymdeithas Gerddorol Cymru (1888) ac, yn Eisteddfod Genedlaethol 1906, Cymdeithas Lyfryddol Cymru a Chymdeithas Alawon Gwerin Cymru, yr olaf mewn cyfarfod a gynhaliwyd yn y Guild Hall, Caernarfon, ar fore dydd Mercher, 22 Awst.

Erbyn hynny, Ysgrifennydd y Cymmrodorion, ac

Ysgrifennydd yr Adran Gymmrodorol hithau, oedd E. Vincent Evans ac yng nghofnodion Cyngor y Cymmrodorion o gyfarfod a gynhaliwyd ar 8 Chwefror 1906, ceir hyn:

> A proposal submitted by Mr L.D. Jones of Bangor, that one of the meetings of the Cymmrodorion Section of the National Eisteddfod should be devoted to the discussion of the question of the Collection of Welsh Folk Songs, at which Mr A. Perceval Graves should read a paper, was discussed and the suggestion was adopted, the Secretary to make arrangements accordingly.[10]

Yr L.D. Jones hwn oedd Llew Tegid (y gwelsom ei enwi eisoes fel cyd-awdur chwaraegerddi â Lloyd Williams), cyn-ysgolfeistr, ond bellach yn Ysgrifennydd Cronfa Adeiladau Coleg Prifysgol Gogledd Cymru er 1902, a gŵr a gariodd ben trymaf y baich o weinyddu'r Gymdeithas newydd-anedig yn ystod dwy flynedd a hanner gyntaf ei hoes. Ef hefyd ynghyd â Vincent Evans a drefnodd y cyfarfod sefydlu yng Nghaernarfon. Yn wir, roedd yn ganolog i'r fenter gyfan o'r cychwyn cyntaf.

Os Caernarfon oedd man geni'r Gymdeithas, fe'i cenhedlwyd ym Mangor. Yno y cydweithiai J. Lloyd Williams a Llew Tegid ac yr oedd i'r ddau ohonynt fynediad parod i Benrallt, cartref y Prifathro Reichel a'i wraig, hi yn enedigol o Swydd Westmeath, Iwerddon. Aelwyd gerddorol oedd Penrallt ac ymhen tipyn wedi iddo ddod i Fangor gwahoddwyd J. Lloyd Williams gan Mrs Reichel i'w chartref i arwain côr bychan o aelodau staff y coleg a gwrddai'n achlysurol yno. Rhannai â'i gŵr ddiddordeb mawr mewn cerddoriaeth a hoffai ganu rhai o alawon gwerin ei gwlad. Ymwelydd achlysurol arall â Phenrallt oedd A.P. Graves a gŵr brwdfrydig iawn, fel y gwelwyd, o blaid llên a chanu gwerin. Gyda'r holl fynd a dod rhwng y cymeriadau hyn hawdd credu mai yma, yn arbennig o du Graves a'r Prifathro, y tarddodd y syniad o sefydlu cymdeithas canu gwerin yng Nghymru a hwylus i'r eithaf oedd y ffaith fod gweinyddwr medrus yn eu mysg. Ar ysgwyddau Llew Tegid, mae'n amlwg, y rhoed y cyfrifoldeb o gymryd camau ymarferol tuag at y dewis nod.

Cawn dyst i hynny mewn llythyr a anfonodd Graves iddo, dyddiedig 28 Tachwedd 1905:

> I am rejoiced at your energy in the Welsh Folk Song Society cause. I have written to the Secretaries of the English & Irish Folk Song Societies to present you with some of the information you want & I am myself forwarding specimens of their publications. I only want the return of No.1 of the Irish Magazine with my article on songcraft in it.[11]

Dichon i Llew Tegid gael rhywfaint o gymorth oddi wrth J. Lloyd Williams ar ochr gerddorol trefnu'r cyfarfod yn y Guild Hall ond nid oes amheuaeth nad ef ei hun oedd y prif drefnydd.

Fe gofir mai ar yr 8 Chwefror 1906, y penderfynodd Cyngor y Cymmrodorion noddi carfan Bangor ac ymddengys i Vincent Evans symud yn gyflym yn y mater. Mewn llythyr at Llew Tegid, dyddiedig 13 Mawrth, dywed fod 'pobl Caernarfon yn dechrau anesmwytho' a charai gael 'fanylion cyfarfod y Folk-Songs foreu Mercher gael i mi eu trefnu yn y program cyffredinol'.[12]

Llew Tegid hefyd a gyfathrebai â John Williams, arweinydd côr Eisteddfod Caernarfon, a gofynnwyd iddo gan Graves i lunio parti bach o gantorion ar gyfer canu rhai caneuon yn ystod ei ddarlith yn y Guild Hall, ac â Grace Roberts (yn ddiweddarach Grace Gwyneddon Davies) a anfonodd gerdyn iddo yn dweud ei bod yn barod iawn i ganu 'at the first meeting of the New Society'.[13] Y canwr arall oedd Maldwyn Evans, a weithiai yn un o siopau Bangor ac a ganai unawdau yn achlysurol yn rhai o gyngherddau'r coleg, a diamau mai Llew Tegid a drefnodd iddo yntau ganu yn y cyfarfod sefydlu. Yn ystod darlith Graves canwyd trefniannau corawl gan Robert Bryan o 'Huna blentyn ar fy mynwes' a 'Gwcw fach on'd wyt ti'n ffolog', 'Cnot y Coed' (trefniant Arthur Somervell a geiriau Llew Tegid) gan Grace

Roberts a 'Hela'r Sgyfarnog' (geiriau Llew Tegid) gan Maldwyn Evans.

Vincent Evans a wahoddodd Syr William Preece i weithredu fel Llywydd y cyfarfod a bu'r gŵr hwnnw'n dra gweithgar yn achos y Gymdeithas newydd o hynny ymlaen hyd ddydd ei farw yn 1913, ond Llew Tegid oedd yn gyfrifol am anfon gwahoddiadau i fwyafrif y gwesteion a ddaeth ynghyd i'r cyfarfod, gyda'r tocynnau yn dod yn wreiddiol o swyddfa'r Cymmrodorion. Un o'r gwahoddedigion hynny, a gŵr a gyfrifid ar y pryd fel y pennaf awdurdod ar hanes alawon traddodiadol Cymru, oedd un o olygyddion *Y Cerddor*, D. Emlyn Evans. Mewn llythyr at y Llew, dyddiedig 21 Gorffennaf 1906, addawodd wneud a allai i gynorthwyo gyda sefydlu cymdeithas ganu gwerin gan ychwanegu 'y dylasai fod wedi ei wneud flynyddau lawer yn ôl ond gwell hwyr na hwyrach serch hynny'.[14]

Bu'r cyfarfod ei hun yn llwyddiant diamheuol ac yn ôl y Rhagair i'r fersiwn Gymraeg o'r llyfryn a ymddangosodd rai misoedd yn ddiweddarach ac a gynhwysai'r ddwy ddarlith a draddodwyd yn y Guild Hall (un Graves wedi ei chyfieithu gan Llew Tegid ac un y Prifathro Reichel wedi'i chyfieithu ganddo ef ei hun):

Penderfynwyd yn unfrydol i sefydlu 'Cymdeithas Alawon Gwerin Cymru', a phenodwyd y personau canlynol yn Bwyllgor Darparol i lunio cynllun i'w ddwyn ger bron cyfarfod cyntaf y Tanysgrifwyr yn Abertawe, yn Awst, 1907, sef:

Syr W.H. Preece, K.C.B., F.R.S.

Y Prifathro H.R. Reichel, M.A., Ll.D.

Alfred Percival Graves, Ysw.

Y Gwir Anrhyd. D. Lloyd George, A.S.

W. Llewelyn Williams, Ysw., A.S.

D. Emlyn Evans, Ysw.

Robert Bryan, Ysw.

E. Vincent Evans, Ysw.

W.G. Thomas, Ysw., U.H.
Parch. J.W. Wynne Jones, M.A.
Penodwyd Mri. J. Lloyd Williams a L.D. Jones (Llew Tegid),
Coleg Prifysgol Bangor, yn Ysgrifenyddion am y tro.

Dyrnaid yn unig o'r rhain, ac yn bennaf Syr W.H. Preece, y
Prifathro Reichel, A.P. Graves, J. Lloyd Williams a Llew Tegid,
gyda'r awenau gweinyddol yn bendant yn nwylo yr olaf, a
osododd y garreg sylfaen yn gadarn a dechrau codi'r adeilad
arni.

Cytunodd Preece i fod yn Gadeirydd y Pwyllgor Darparol
ac ymddengys i aelodau hwnnw wedyn benodi is-bwyllgor yn
unswydd i lunio cyfansoddiad a rheolau sefydlog ar gyfer y
gymdeithas newydd. Ef hefyd oedd cadeirydd hwnnw. Eithr
mae'n amlwg y golygai ei brysurdeb na allai fynychu cyfarfodydd
yn rheolaidd a hynny sydd i'w gyfrif o bosibl am lythyr a
anfonwyd ato gan Graves o'i gartref, Erinfa, Harlech, dyddiedig
30 Awst 1906, yn dweud:

> …we had a most successful meeting here for the drawing up of
> the rules of our Welsh Folk Song Society. We were unanimous
> upon all of them & I hope you will now get the Provisional
> Committee to endorse them.[15]

O ystyried mai dyddiadau Eisteddfod Genedlaethol Caernarfon
oedd Awst 21–24 gwelir pa mor gyflym y symudodd yr is-
bwyllgor i gyflawni ei waith a byddai'n dda gwybod pwy
oedd yn bresennol yn y trafodaethau a beth oedd cynnwys
eu trafodaethau ond, gwaetha'r modd, ni chadwyd unrhyw
gofnodion hyd y gwn i. Y cyfan a wyddys i sicrwydd yw i'r is-
bwyllgor gyfarfod deirgwaith, yn Harlech (cyn diwedd Awst),
Caernarfon (yng nghartref y Cadeirydd), a Llundain. Fodd
bynnag, ar sail llythyrau eraill yn yr un Archifau gellir llunio
braslun o'r hyn a ddigwyddodd rhwng diwedd Awst 1906 a
dechrau Gorffennaf 1907.

Wrth sgrifennu at y Prifathro Reichel ar 5 Medi, awydda A.P. Graves weld y gwaith a gychwynnwyd yng Nghaernarfon yn cael ei gwblhau'n fuan. Nid oedd, chwaith, am i ddarlithiau'r ddau ohonynt gael eu cyhoeddi gan y Cymmrodorion:

> I shd prefer to be independent & if, striking while our
> Welsh Folk-Song vim is hot & backed by a grant from the
> Carnarvon Eisteddfod surplus, we can get together a large
> body of subscribers at 5/- & Hon. Members at 10/6 & more,
> our independence will be secure. / I hope Preece will summon
> a Committee meeting at Carnarvon before the 18th when I
> return to London or wd [hold] it, better still, at Bangor so that
> our subcommittee's recommendations might be adopted &
> our work actually launched. Dont you think you cd scheme
> a Circular to be adopted at that meeting for wide distribution
> throughout the Principality setting forth our aims & methods
> as a Folk Song Society & inviting subscriptions?[16]

Eithr mewn cerdyn post a anfonodd at Llew Tegid wythnos yn ddiweddarach, 12 Medi, mae ei gân yn wahanol:

> But I understand that the Sec(y) of the Cymmrodorion wanted
> both papers first for the transactions of that Society so please,
> when you have Welshified my Folk Song Lecture, send it along
> to him.[17]

Y gwir amdani yw, fodd bynnag, na chyhoeddwyd y darlithiau yn Nhrafodion y Cymmrodorion a cheisiaf ymdrin â hynny yn nes ymlaen yn y bennod hon. Ni chaed cymhorthdal o warged Eisteddfod Caernarfon chwaith, er gwneud cais am hynny.

Ymhen rhyw ddeuddydd o dderbyn y llythyr dyddiedig 5 Medi oddi wrth Graves cawn y Prifathro yn anfon llythyr ei gyd-Wyddel ymlaen, ynghyd â llythyr Cymraeg o'i law ei hun, at Llew Tegid:

Beth yr ydych chwi yn feddwl am awgrymiad a wneir ynddo, sef paratoi papur byr yn y ddwy iaith (broadside) yn rhoddi'r hysbysiad mwyaf angenrheidiol ynglŷn â chymdeithas alawon?[18]

Diamau fod Llew Tegid wedi ymateb yn gadarnhaol i'r awgrym hwn ac y mae'n dra thebygol hefyd fod y Prifathro yntau wedi gofyn i Preece alw cyfarfod o'r Pwyllgor Darparol ynghyd mor fuan ag oedd bosibl oherwydd cawn y gŵr hwnnw'n cwyno mewn llythyr at y Prifathro, dyddiedig 16 Hydref, nad yw wedi clywed dim oddi wrth Llew Tegid er iddo anfon teligram a sgwennu ato yn gofyn iddo alw Pwyllgor (*The Excecutive Committee*) ynghyd i gadarnhau gwaith yr is-bwyllgor yn Harlech. A oedd y Llew yn wael ei iechyd?

Yn ei dro anfonodd y Prifathro y llythyr hwn ymlaen i Llew Tegid gan ofyn am gael cyfarfod ag o ar unwaith ac ychwanegu ar yr un pryd iddo esbonio i Preece pa mor brysur yr oedd y Llew gyda threfnu Cronfa Adeiladau y Coleg.

Dilynwyd hyn gan lythyru rhwng yr Ysgrifennydd ym Mangor a'r Cadeirydd yng Nghaernarfon gyda'r canlyniad i'r olaf wahodd aelodau'r Pwyllgor Darparol i ginio ato naill ai yn ei gartref ym Mhenrhos, neu yng Ngwesty'r Royal, Caernarfon, ar 10 Tachwedd. Gwaetha'r modd, am ryw reswm neu'i gilydd, bu'n rhaid gohirio'r cyfarfod.

Yn wyneb yr anhawster o drefnu cyfarfod a fyddai'n hwylus i bawb ymddengys i Llew Tegid, yn dilyn trafodaeth rhyngddo a'r Prifathro, anfon copïau o'r rheolau ac o'r cylchlythyr drwy'r post at aelodau'r Pwyllgor gan ofyn am eu hymateb iddynt. Anfonodd gopi hefyd at Lucy Broadwood, Ysgrifennydd y Folk-Song Society ar y pryd, (mewn ateb i gais cynharach oddi wrthi) gan ychwanegu mewn llythyr at Preece, dyddiedig 22 Tachwedd:

We may find some of their circulars useful to send out with our own especially their leaflet of 'hints to collectors'.[19]

Gyda'r troad cafwyd sêl bendith Preece ar gynnwys y copi a dderbyniodd ef a disgwyliai weld y cyfan, meddai, wedi eu hargraffu o fewn dim amser. At hynny gellir casglu i gadarnhad ddod yn bur fuan oddi wrth weddill aelodau'r Pwyllgor.

Ddechrau Rhagfyr derbyniodd Llew Tegid air o ddiolch oddi wrth Lucy Broadwood am y dogfennau a anfonwyd ati gan ychwanegu y byddai'n gofyn i'w phwyllgor yn Llundain am ganiatâd i'r Cymry ddefnyddio'r *Hints to Collectors* ac i sicrhau bod y Gymdeithas yno yn barod i gynorthwyo'r WFSS ymhob ffordd bosibl. Bu hi a'i Chymdeithas cystal â'u gair. Ymhen yrhawg derbyniodd Llew Tegid ganiatâd i ddefnyddio'r *Hints* ar yr amodau fod y Gymdeithas Gymreig yn cydnabod hawl yr un Seisnig arnynt, yn talu gini am hawl cyfieithu, ac yn cyfyngu'r hawl defnyddio iddi hi ei hun yn unig.

Y cam nesaf i'r Ysgrifennydd prysur oedd cael yr holl ddogfennau hyn wedi eu hargraffu, ond nid y rhain yn unig. Roedd y ddau anerchiad i'w cyhoeddi ar wahân i ddechrau ac yna'n dilyn hynny byddid yn cyhoeddi'r cyfan gyda'i gilydd. Erbyn hynny mae'n eglur fod y syniad o gyhoeddi'r anerchiadau gan y Cymmrodorion wedi ei roi o'r neilltu. Pam tybed?

Y tebygrwydd yw mai penderfyniad o du Preece oedd wrth wraidd hynny oherwydd mewn llythyr at Llew Tegid, dyddiedig 4 Medi 1906, fe'i cawn yn sgrifennu fel hyn:

> I have seen Daniel Rees about the Cymdeithas Alawon Gwerin and arranged with him to print the two papers in English & Welsh 1000 of each 2000 in all. He will put it in type as soon as you send him the MSS.[20]

Y Daniel Rees dan sylw oedd golygydd a rheolwr *Yr Herald Cymraeg* a'r *Caernarvon and Denbigh Herald* ac ymddengys mai'r Cadeirydd ei hun a dalodd am argraffu'r cyfan o'r gwaith, yr anerchiadau ar wahân i gychwyn ac yna'n ddiweddarach y rheiny a'r dogfennau cyfansoddiadol ynghyd. Tystia hynny'n loyw i'w frwdfrydedd o blaid y Gymdeithas newydd, a'r

brwdfrydedd hwnnw, mi dybiaf, a roes ben ar fwriad Vincent
Evans i gyhoeddi'r anerchiadau yn y Trafodion. Erbyn 24 Hydref
gallai Llew Tegid ddweud mewn llythyr at ei Gadeirydd, wrth
edrych ymlaen at gyfarfod posibl o'r Pwyllgor Darparol:

> I shall have the rules & a draft of a circular ready, and also the
> two papers for publication.[21]

Ond haws dweud na gwneud, a phur araf y symudwyd i ddwyn
y llyfryn cyfan i fodolaeth. Roedd yn 14 Rhagfyr cyn y medrai
Llew Tegid anfon gair at ei Gadeirydd yn dweud y gobeithiai
anfon proflenni o'r cylchlythyr ac o'r rheolau ato ymhen ychydig
ddyddiau ond gan fod y Prifathro wedi bod yn enbyd o brysur
dros gyfnod hir roedd wedi methu â chael ei ddarlith yn barod.

Ymddengys felly mai un o'r anawsterau ar y pryd oedd cael
cyfieithiad Cymraeg y Prifathro o'i anerchiad ei hun i law, eithr
ar 11 Ionawr 1907, cawn Reichel yn pwyso ar Llew Tegid i anfon
yr holl ddefnyddiau i'r argraffydd ar unwaith. Mae'n amlwg iddo
yntau wneud hynny'n ddiymdroi oherwydd mewn llythyr ar 20
Ionawr gall hysbysu Preece:

> You will get a 'proof' of the pamphlet in the course of a few
> days.[22]

Yr hyn a gafodd y Cadeirydd erbyn dechrau Chwefror, fodd
bynnag, oedd proflenni'r darlithiau ac yr oedd hynny at ei ddant
yn burion ond:

> *I* am more anxious about the rules & regulations and
> constitution of our Society which I have not yet seen. ..I will
> see Llewelyn Williams as soon as I have proofs of the Rules.[23]

Roedd W. Llewelyn Williams, Aelod Seneddol Rhyddfrydol dros
fwrdeistrefi Caerfyrddin ar y pryd, yn aelod o'r Pwyllgor Darparol
ac yn rhinwedd ei swydd fel Bargyfreithiwr yn dra chymwys

i sicrhau bod cyfansoddiad a rheolau'r Gymdeithas o'r safon swyddogol dderbyniol. Eithr ar 21 Mawrth mae'r Cadeirydd yn dal i ofyn am broflenni'r Rheolau oddi ar law'r Ysgrifennydd – yn ofer.

Y gwir yw na wyddys pa bryd yn union y derbyniodd Llew Tegid y proflenni hyn o swyddfa'r argraffydd ond gwyddom eu bod ganddo ddechrau Ebrill oherwydd ar yr 8fed o'r mis anfonodd Swyddfa'r *Herald* yng Nghaernarfon lythyr at y Llew yn dweud y byddai'n dda ganddynt pe bai'n dychwelyd y proflenni perthnasol cyn gynted ag y byddai'n hwylus iddo eu hanfon.[24]

Ymddengys na fu llawer o oedi ychwanegol wedi 8 Ebrill oherwydd mewn llythyr at Llew Tegid, dyddiedig 4 Mehefin 1907, mae Lucy Broadwood yn diolch iddo am 'the pamphlet abt the Welsh Folk Song Society'; hynny'n golygu, fe dybiwn, fod y llyfryn cyfan ar gael erbyn hyn yn cynnwys Rhagair, yr anerchiadau a draddodwyd yn y Guild Hall, adran ar 'Cymdeithas Alawon Gwerin Cymru', un arall ar 'Awgrymiadau i Gasglwyr Alawon Gwerin' a 'Rheolau' y Gymdeithas.[25]

Bellach, roedd y Pwyllgor Darparol wedi cwblhau ei waith a hynny mewn da bryd cyn i aelodau'r Gymdeithas gyfarfod yn ystod Eisteddfod Genedlaethol Abertawe yn 1907. Y cam nesaf a fyddai i'r cyfarfod hwnnw roi sêl bendith ar waith y Pwyllgor, ystyried gwelliannau posibl, a derbyn y Rheolau a luniwyd ganddo. Gwaetha'r modd, ni chynhaliwyd y cyfarfod arfaethedig. Wrth gyfeirio at yr achlysur yng Nghyfrol III cylchgrawn y Gymdeithas dyma a ddywed J. Lloyd Williams:

> For some reason or other it was found to be impracticable to
> have the General Meeting of the subscribers at Swansea during
> the Eisteddfod week, as had been arranged by the Committee
> ... In the case of Swansea, it is possible that the men secretaries
> pro. tem. were partly to blame, in that they interested
> themselves less in the organizing work of the Society than in
> lecturing, and in collecting and arranging folk songs... [t.94]

Haedda'r ail frawddeg sylw ar unwaith. Dichon fod yr hyn a ddywedir yn wir yn achos yr ysgrifennwr ei hun ond nid felly yn achos Llew Tegid. Mae hynny o dystiolaeth sydd ar gael yn dangos ei fod ef wedi gwneud yr hyn a allai i ofalu bod y cyfarfod yn cael ei gynnal. Prawf o hynny yw'r llythyr a anfonodd Preece ato mor agos at ddyddiadau'r Eisteddfod (Awst 20–24) â 7 Gorffennaf 7 1907:

> All is going well re Folk-lore. We cannot do much until
> Swansea meeting is over & has approved our work. Graves & V.
> Evans and I met on Wednesday.[26]

Gyda phresenoldeb E. Vincent Evans yn y cyfarfod ar y dydd Mercher dyna brawf pendant fod cyfarfod Abertawe, eto gyda bendith y Cymmrodorion, ar y gweill.

Ategir hyn gan rai o gofnodion cyfarfodydd Cyngor Cymdeithas y Cymmrodorion ym misoedd Mai a Mehefin 1907. Er enghraifft, ymhlith cofnodion o gyfarfod y Cyngor ar 9 Mai cawn hwn:

> (3) That the other meeting of the Section be devoted to the
> further reading of Papers on "Welsh Bibliography' and 'the
> Collection of Welsh Folk Songs'.[27]

Yna, cynhaliwyd cyfarfod arall o'r Cyngor ar 20 Mehefin lle darllenwyd cofnodion cyfarfod 9 Mai, a'u cadarnhau.

Sylwer na nodir enw'r darlithydd ar bwnc casglu caneuon gwerin yng nghofnodion Cyngor y Cymmrodorion ond ceir gwybod pwy ydyw yn 'Notes from Manchester' y *Manchester Guardian*, rhifyn 31 Gorffennaf, gyda phennawd gwahanol i'r ddarlith. Wedi dweud mai Aneurin Williams, gor-ŵyr i Iolo Morganwg, a fyddai'r darlithydd yng nghyfarfod cyntaf yr Adran Gymmrodorol, ychwanegir:

At the Wednesday meeting Sir John Williams will preside,
and Mr. J.H. Davies will read a paper on 'The aims of Welsh
Bibliography', and Mr. Lloyd Williams of Bangor, one on 'The
Characteristics of Welsh Folk-music'.

Ac mae tystiolaeth ar gael fod J. Lloyd Williams wedi cytuno i
drafod yr union fater hwn yn Abertawe.

Yn un o'i fân ddyddiaduron yn Llyfrgell Gendlaethol Cymru
('Dyddiadur Mch 1907 – Oct. 1907'), bum tudalen ymlaen o un
gynharach ac arni'r dyddiad 'July 15.07', ceir tudalen gyda'r
gair 'Cymrodorion' ar ei brig, yna llinell drwy restr fer o enwau
alawon, yn cyrraedd at bennawd arall: 'Characteristics'. Dilynir
hwnnw gan grynodeb o ddarlith yn trafod chwe nodwedd
wahanol ar alawon gwerin Cymreig. Dyma, mi gredaf, ran o
sgerbwd y ddarlith a fwriadwyd ar gyfer Eisteddfod Abertawe.[28]

Tua chanol mis Gorffennaf, felly, roedd J. Lloyd Williams o
dan yr argraff y byddai'n darlithio fel aelod o Gymdeithas Alawon
Gwerin Cymru, o dan nawdd y Cymmrodorion, yn Abertawe.
Eithr yn ystod wythnos yr Eisteddfod roedd ar ei wyliau yn
Llundain.

Hyd yma ni lwyddais i ddarganfod pam yn union na
chynhaliwyd y cyfarfod yn Abertawe ond erbyn diwedd
Gorffennaf fe wyddai Vincent Evans yn sicr na fyddai rhan gan
Gymdeithas Alawon Gwerin Cymru ynddo o gwbl. Ar 2 Awst
sgrifennodd lythyr at J.H. Davies yn cynnwys, ymysg pethau
eraill perthnasol i gyfarfod cyhoeddedig y Welsh Bibliographical
Society, y geiriau awgrymog hyn:

You shall have the whole show on Wednesday and 'no twaddle
about music' *[yn dyfynnu Davies ei hun rwy'n tybio]*...There
was an idea of having a paper on the Collection of Folk Songs
(words and Music), for that too has a Bibliographical side, but
the time at our Swansea mtg will not be more than enough for
your paper & Sir John's address & the general discussion which
we hope will follow.[29]

Mae'n anodd gwybod beth i'w wneud o'r fath osodiad. Ai oherwydd i'r Cymmrodorion benderfynu nad oedd digon o amser ar gyfer traddodi a thrafod dwy ddarlith y newidiwyd y drefn? Rhyfedd na fyddent wedi meddwl am hyn yn gynharach pan oeddynt yn parhau i drafod y cyfarfod ym misoedd Mai a Mehefin yn eu cyfarfodydd pwyllgor, ac yna ddechrau Gorffennaf pan oedd Vincent Evans, Preece a Graves yn cyd-bwyllgora. Ac i feddwl hefyd fod J. Lloyd Williams fel pe'n paratoi ei ddarlith yng nghanol yr un mis. Ynteu a oedd anhawster o ryw fath wedi codi o du swyddogion y Gymdeithas Alawon Gwerin? A oedd nifer o'r prif arweinwyr yn methu â bod yn bresennol ar y funud olaf? Ar hyn o bryd mae'r cyfan yn ddirgelwch ond fel y saif pethau awgryma'r dystiolaeth yn gryf mai'r Cymmrodorion a fu'n gyfrifol am newid y trefniant.

Mater y gellir bod yn sicr yn ei gylch, fodd bynnag, yw i Gyngor y Cymmrodorion ar 17 Hydref 1907, benderfynu gwahodd J. Lloyd Williams i ddarlithio yn eu Cyfres Ddarlithiau 1907–08 ar 'Welsh Folk Songs' a diamau i hynny ddigwydd yn benodol oherwydd methiant y trefniadau yn Abertawe. Beth bynnag am hynny, bu gan Preece, Graves, Llew Tegid a Vincent Evans ran mewn trefnu cyfarfod yn Llundain ar gyfer y darlithio. Y man cyfarfod oedd ystafelloedd y London Irish Literary Society; y dyddiad, 21 Ionawr 1908 (nid 'diwedd 1907' fel y cofnodwyd flynyddoedd yn ddiweddarach gan JLlW)[30] a'r pennawd, 'Welsh National Melodies and Folk-Song'.

Dyma un o'r darlithiau mwyaf nodedig ym maes astudiaethau canu gwerin Cymru a bydd yn rhaid ei thrafod yn drylwyr yn nes ymlaen pan eir i'r afael â chyfraniad J. Lloyd Williams i'r maes arbennig hwnnw. Yn y cyfamser bodloner ar nodi i Llew Tegid fanteisio ar yr achlysur i gynnull pwyllgor ynghyd er mwyn ymgynghori gogyfer â Chyfarfod Cyffredinol cyntaf y Gymdeithas yn Eisteddfod Genedlaethol Llangollen, 2–6 Medi 1908.

Ymddengys mai'r bwriad gwreiddiol oedd cynnal y cyfarfod hwnnw o dan nawdd y Cymmrodorion. Yn ôl cyfnodion y Gymdeithas honno am 18 Ebrill 1908, dywedir:

The Wednesday morning meeting it was decided to devote
to the further discussion of the question of Welsh Folk Song
which was opened at the Cymmrodorion Section of the
Carnarvon Eisteddfod in 1906.[31]

Eithr nid felly y bu. Cynhaliwyd y cyfarfod ar wahân i'r
Cymmrodorion yn Neuadd Goffa Llangollen ar 2 Medi gyda'r
Prifathro Reichel yn cadeirio. Rhoes ef fraslun o amcanion y
Gymdeithas ac yna cyflwynwyd adroddiad y Pwyllgor Darparol
i'r aelodau. Bu peth trafod arno a chyda rhai mân welliannau
fe'i derbyniwyd. Cafwyd adroddiad hefyd gan J. Lloyd Williams
am beth o waith y Gymdeithas o adeg ei sefydliad ymlaen gan
ganoli sylw ar lwyddiant y casglu, yn arbennig gan y Canorion,
ac ar y cyhoeddusrwydd a roed i'r Gymdeithas drwy gyfrwng
darlithiau cyhoeddus ar ganu gwerin, yn neilltuol yn rhai o
siroedd y Gogledd. Penodwyd W.H. Preece yn Llywydd a Llew
Tegid yn Ysgrifennydd-dros-dro y Gymdeithas. Yn ystod y
cyfarfod cyfeiriwyd yn ogystal at y ffaith mai mewn eisteddfod yn
Llangollen, hanner canrif ynghynt, (eithr nid un Genedlaethol,
fel yr honnwyd yn gamarweiniol ar y pryd) y gwobrwywyd
Llewelyn Alaw am gasgliad o alawon gwerin, a ddefnyddiwyd
yn ddiweddarach fel cnewyllyn i *Alawon fy Ngwlad*, Nicholas
Bennett. At hyn, nodwyd bod y casgliad a ddaeth yn ail yn y
gystadleuaeth ym meddiant un o'r aelodau a ddigwyddai fod yn
bresennol yn y Neuadd Goffa ar y pryd, sef Mrs Mary Davies.
Casgliad 'Orpheus' oedd hwnnw.

Yr hyn a welwyd yn Llangollen, felly, oedd cadarnhau yn
ffurfiol fodolaeth Cymdeithas a oedd wedi bod wrthi'n bur
ddiwyd yn cyflawni rhai o'i phrif amcanion dros gyfnod o ddwy
flynedd.

O fewn llai na blwyddyn wedi ei sefydlu roedd wedi cyhoeddi
anerchiadau, cyfansoddiad, ffurflen ymaelodi ac awgrymiadau
ynglŷn â sut i fynd ati i gofnodi caneuon oedd yn perthyn i'r
traddodiad llafar. O fewn ychydig dros flwyddyn o ddyddiad
ei geni aethai criw brwdfrydig o fyfyrwyr o gwmpas broydd

eu magwraeth yn ystod gwyliau'r coleg i gasglu caneuon na
sylweddolent cyn hynny eu bod ar gael, i'w canu a'u trafod
yn ddiweddarach trwy ysbrydoliaeth ac o dan arweiniad un
o'u darlithwyr, a'u Prifathro, dau a oedd ymysg sylfaenwyr y
Gymdeithas newydd. At hynny, roeddynt wedi perfformio'r
opereta werin gyntaf yn Gymraeg, 'Y Canorion' (creadigaeth
J. Lloyd Williams) yn y Coleg a thu allan iddo: opereta, hynny
yw, gyda'i chaneuon yn ganeuon gwerin i gyd. Bu J. Lloyd
Williams hefyd, ynghyd â rhai o'i gyfeillion, yn traddodi
darlithiau cyhoeddus ar ganeuon gwerin yn nhrefi a phentrefi'r
Gogledd, gan ofalu bod adroddiadau am ddigwyddiadau o'r
fath yn ymddangos yn y wasg. Yn wir, cyhoeddwyd ysgrif ar y
Gymdeithas gan D. Emlyn Evans yn rhifyn 2 Mawrth 1908 o'r
Cerddor yn rhoi rhai manylion am waith 'y Gymdeithas ieuangc'
ac yn annog darllenwyr y cylchgrawn i'w chynorthwyo 'yn y
gwaith da sydd ganddi mewn llaw'. Ymhellach, cysylltwyd y
Gymdeithas yn fuan â'r Eisteddfod Genedlaethol gyda'r bwriad
o sefydlu cystadleuaeth am y casgliad gorau o ganeuon gwerin,
gan ddarparu gwobrau ar gyfer hynny. Ymhen ychydig dros dri
mis o'i sefydlu, ar 12 Rhagfyr 1906, ysgrifennodd E.D. Jones,
Ysgrifennydd Cyffredinol Eisteddfod Genedlaethol Llangollen,
1908, at Llew Tegid yn diolch i'r Gymdeithas am wobrau
anrhydeddus gwerth pymtheg gini ar gyfer y gorau a'r ail orau
o'r casgliadau a anfonid, gobeithio, i'r Eisteddfod. Cyfrannwyd
deg gini gan W.H. Preece a phum gini gan y Prifathro Reichel
(ef a feddyliodd am gynnig gwobrau o'r fath). Eithr dylid nodi i
W.H. Preece, mewn llythyr at Llew Tegid dyddiedig 3 Chwefror
1908, ofyn iddo wneud yn glir nad oedd y gwobrau'n cael eu
cynnig gan y Gymdeithas fel y cyfryw:

> I see that the Llangollen people in publishing the Subscriptions
> put the Folksong Society down for £15–15–0. I think they ought
> to put it Sir William Preece, £10.10 Sir Harry Reichel 5.5. The
> Society as a fact does not exist and we shall be worried for
> subs: if our names do not appear.[32]

Sylwer mai cais ar ei ran i warantu na châi ei boeni ymhellach gan swyddogion yr eisteddfod oedd wrth wraidd honiad W.H. Preece na fodolai'r Gymdeithas mewn gwirionedd. Ni wrthwynebai gysylltu enw'r Gymdeithas â'r gystadleuaeth fel y cyfryw eithr, yn unig, â rhoddiant y gwobrau. Go brin y cytunai â'r syniad ei fod wedi treulio oriau lawer dros gyfnod o flwyddyn a hanner yn llafurio o blaid rhith o gymdeithas! Eithr tybed ai yma y gwreiddiodd y syniad diweddarach mai yn 1908, wedi i Gyfansoddiad y Gymdeithas gael ei dderbyn yn ffurfiol, y daeth i fod? Mae'n awgrymog mai'r tro cyntaf y deuthum i ar draws y syniad hwnnw yn nogfennau'r Gymdeithas oedd wrth ddarllen teyrnged Amy Preece (merch W.H. Preece ac un o gyd-ysgrifenyddion cyntaf y Gymdeithas) i'r Fonesig Ruth Lewis yng Nghyfarfod Blynyddol y Gymdeithas yn Eisteddfod Bae Colwyn, 1947. Cyfeiriodd yno at y colledion dwys a ddioddefodd y Gymdeithas 'during the last thirty nine years of our movement'.

O ystyried yr holl weithgarwch hwn, y casgliad rhesymol i'w dynnu yw mai yn 1906 y sefydlwyd y Gymdeithas a byddai wedi bod yn gam â'r arweinwyr cynnar pe byddid wedi dathlu ei chanmlwyddiant yn 2008. Byddai canoli sylw ar y flwyddyn honno yn gwyrdroi cwrs hanes y Gymdeithas ac yn tueddu i fychanu llafur glew Llew Tegid, yn arbennig, ynghyd â chyfraniadau gwiw y Prifathro Reichel, A. P. Graves, a Syr William Preece. Rhaid rhoi i Gymdeithas y Cymmrodorion hithau, yn neilltuol ym mherson E. Vincent Evans, ei lle fel noddwr cynnar i'r Gymdeithas newydd.

Nid gormodieithu mo hyn. Y cyfan sydd yn rhaid ei wneud yw darllen y llyfryn *1958. Rhaglen Ddathlu hanner can mlwyddiant Cymdeithas Alawon Gwerin Cymru.* Cynnwys hwnnw adroddiadau swyddogol, dyfyniad o Reolau'r Gymdeithas, atgofion aelodau o ddyddiau cynnar y Gymdeithas, sylwadau ar rai o nodweddion ein caneuon gwerin, cyfarchion oddi wrth absenolion, rhaglen y dathlu a rhestr aelodaeth y Gymdeithas ar y pryd. Diddorol a gwerthfawr yn sicr, ond ni chynnwys ragor na dau neu dri o gyfeiriadau pendant at ddigwyddiadau Caernarfon, 1906, gydag un o'r rheiny yn mynnu mai *preliminary steps* a gymerwyd bryd hynny i ffurfio Cymdeithas Alawon Gwerin Cymru. J. Lloyd Williams yw'r unig un o arweinwyr 1906 y telir clod amlwg iddo yn y llyfryn dathlu hwn. Haedda hynny yn ddiamau, ond ef a fyddai'r cyntaf i gydnabod nad oedd ond un ymysg arloeswyr eraill. I ategu hynny digon yw dyfynnu eto o'r ysgrif deyrnged i'w hen Brifathro a gyhoeddodd yn *Y Cerddor*:

> Ac yma y mae'n werth sylw mai y rhai a wnaeth fwyaf i sefydlu Cymdeithas Cân Gwerin, ac i hwylio'i cherddediad ar ôl y cychwyn oedd estroniaid fel Syr Harry, a Mr. Percival Graves (dau Wyddell), a nifer o Gymry na chawsant gyfleusterau i ddysgu siarad Cymraeg; fel Syr William Preece a Miss Amy Preece, y Dr. Mary Davies, Lady Lewis ac eraill.'[33]

Y rhyfeddod yw iddo anghofio cynnwys enw Llew Tegid ymysg y prif sefydlwyr. Gellid ychwanegu yma, gyda llaw, i'r tair merch a enwyd ymroi, gyda graddau amrywiol o lwyddiant, i ddysgu Cymraeg.

Erys cwestiynau i'w hateb, sef pa unigolyn neu garfan o aelodau'r Gymdeithas a fu'n gyfrifol am bennu 1958 yn flwyddyn dathlu hanner canmlwyddiant ei sefydlu? A pham cynnal y dathlu yn Llangollen yn hytrach nag ar faes yr Eisteddfod Genedlaethol a gynhelid y flwyddyn honno yng Nglynebwy? Fel rheol, yn ystod wythnos yr Eisteddfod Genedlaethol y cynhelid Cyfarfodydd Blynyddol y Gymdeithas. Dichon y daw tystiolaeth ddigonol i'r brig rywdro a ddyry inni atebion cadarn. Yn y cyfamser mae dehongliad teg o'r dystiolaeth hanesyddol yn cyfeirio at Gaernarfon, 1906, fel man a dyddiad sefydlu Cymdeithas Alawon Gwerin Cymru.

Bellach, rhaid ystyried cyfraniadau amrywiol y mwyaf amlochrog ei ddoniau cerddorol, llenyddol ac anogaethol o'r sefydlwyr cynnar, John Lloyd Williams.

NODIADAU

1. *To return to all that...*, A.P. Graves, London, 1930, t.266.

2. 'Welsh Folk-Song Society. Papers read at Carnarvon, August 22nd, 1906, on Folk-Song, by A.P. Graves, Esq., and Principal H.R. Reichel, M.A., LL.D.,...Carnarvon: Printed at the 'Herald' Office, Castle Square', d.d., t.15.

3. *Y Bywgraffiadur Cymreig hyd 1940*, Llundain, 1953, t.784.

4. *Y Cerddor*, cyf. III, 1933 (Ebrill, Mai, Mehefin, Awst). CCAGC III, rhan 2, 1934.

5. Cyf. I, 1931, t.276.

6. Ibid., t.314.

7. LlGC, JLlW, AD5/2.

8. *The Students Handbook* (1903–04). Yn edrych yn ôl ar 1902–03: adran ar 'Choral Society'.

9. *Magazine of the University College of North Wales, June*, 1903: adran ar 'Choral Society'.

10. LlGC, *Cymmrodorion Society Minutes, Vol. II*, 1885–1919.

11. LlGC, Archifau Cymdeithas Alawon Gwerin Cymru, B.1, 'Gohebiaeth 1905–1914'.

12–26. Ibid.

27. LlGC, *Cymmrodorion Society Minutes,Vol. II*, 1885–1914.

28. LlGC, JLlW, MB1/15. (Un o bum dyddiadur mewn amlen).

29. LlGC, Llyfr Llythyrau (copïau carbon) E. Vincent Evans, (Gorffennaf 1906–Awst 1910).

30. *Y Cerddor*, cyf. III, 1933, t.228.

31. LlGC, *Cymmrodorion Society Minutes, Vol. II*, 1885–1914.

32. Mae llythyrau E.D. Jones a W.H. Preece hwythau i'w cael yn yr Archifau uchod.

33. Cyf. I, 1931, tt.276–77.

5

Y PRIF ARLOESWR

PA BRYD Y DECHREUODD John Lloyd Williams ymddiddori o ddifrif mewn caneuon gwerin? Cwestiwn gwahanol yw pa bryd y dechreuodd gofnodi caneuon felly. Y gwir yw y bu ar un cyfnod yn cofnodi caneuon o'r fath heb ystyried mai dyna yn union oeddynt.

Tystia'r *Cylchgrawn* a olygodd o 1909 ymlaen iddo, er enghraifft, godi amrywiad ar yr alaw 'Cwynfan Prydain' (un a ddefnyddiwyd o bryd i'w gilydd yn y byd a'r betws) o ganu henwr o Garndolbenmaen a adwaenid fel Eos Graianog, cyn gynhared ag 1880. Yna, yn 1894, gwelir mewn dyddiadur o'i eiddo iddo gofnodi ffurf ar un o alawon baledi mwyaf poblogaidd Cymru, 'Bryniau Iwerddon', hynny o ganu 'Owen Ty'nllidiat', Gaerwen, Ynys Môn. Eto, yn 1896, dengys y *Cylchgrawn* iddo gofnodi dwy gân; y naill yn un o garolau haf Huw Morys, o ganu Robert Evans, Garndolbenmaen, a fugeiliai yn yr ardal ond a ddeuai yn wreiddiol o Sir Drefaldwyn, a'r llall yn garol Nadolig a ganwyd gan grwydryn a ymwelai bob Nadolig â Wyrcws Llanrwst.

Eithr mater o godi cainc a chân yn ysbeidiol, wrth fynd heibio fel petai, oedd hyn oll ac ategir hynny yn y sgwrs radio rhyngddo ag E. Morgan Humphreys yn 1938. Yng nghwrs honno dwedodd mai trwy ddamwain y daeth i ddarganfod gwerth caneuon gwerin a hynny'n weddol fuan wedi iddo, fel y gwelsom yn y bennod flaenorol, ymgymryd â dyletswyddau Cyfarwyddwr Cerdd Coleg Prifysgol Gogledd Gymru, yn ychwanegol at ei swydd yn yr Adran Lysieuaeth yno. Cyn hynny, meddai wrth ei gyfwelydd: 'ofnaf y tueddwn i droi fy nhrwyn ar ganu annysgedig'.

Cadarnheir hynny gan yr hyn a wyddom am ei holl ymwneud
â cherddoriaeth wedi iddo gael ei benodi'n ysgolfeistr ifanc yn
Ysgol Elfennol gyntaf Garndolbenmaen yn 1875. Cerddoriaeth
'ddysgedig' a aethai â'i holl fryd yn y cyfnod hwn. Roedd ganddo
gôr cymysg a chôr plant yn y Garn a daliai gyswllt agos ag
Undeb Corawl Cricieth. Dysgodd ei hun i chwarae'r piano a'r
ffidil. Cyfansoddodd a chynhyrchodd sawl cantata ac opereta
ar gyfer plant. Arweiniai mewn Cymanfaoedd Canu, hyfforddai
unawdwyr lleol, darlithiai'n gyhoeddus ar gerddoriaeth i
gymdeithasau diwylliannol a beirniadai mewn eisteddfodau. Ar
ymweliadau achlysurol â Dulyn, Lerpwl a Llundain manteisiai ar
bob cyfle i wylio operâu ac yn wir breuddwydiai am gyfansoddi
opera Gymraeg ei hun, gan synio y gwnâi chwedl Llew Llaw
Gyffes ddeunydd rhagorol ar gyfer *libretto*. At hynny, mynychai
bob cyngerdd cerddorfaol o fewn ei gyrraedd.

Eithr arweiniodd ei brofiad fel Cyfarwyddwr Cerdd at
ddiddordeb cerddorol ychwanegol, sef casglu a dehongli caneuon
gwerin. Hwb mawr i hynny oedd ei gysylltiad agos â'i Brifathro,
a diddordeb dwfn y gŵr hwnnw, a'i wraig, yng ngherddoriaeth
a diwylliant Cymru yn gyffredinol. Cytunodd y ddau â'i gilydd
o'r cychwyn y dylid cynnwys caneuon Cymraeg yn rhaglenni
cyfarfodydd swyddogol y Coleg.

Y lle naturiol i droi at y rheiny oedd y cyfrolau a gyhoeddwyd
gan amrywiol gerddorion Cymreig o ganol y ddeunawfed ganrif
ymlaen ond roedd i hynny rai cyfyngiadau a'r amlycaf yn eu
plith oedd y ffaith mai casgliadau o alawon oedd y mwyafrif
ohonynt. Serch hynny, roedd rhai o feirdd adnabyddus y
bedwaredd ganrif ar bymtheg megis Ieuan Glan Geirionydd,
Talhaiarn a Cheiriog wedi cyfansoddi cerddi ar gyfer sawl un
ohonynt a hynny gyda chryn lwyddiant. Eithr o'u trefnu ar gyfer
Côr y Coleg sylwodd yr arweinydd nad oedd fawr ddim bywyd
iddynt y tu allan i'r ymarferion a'r perfformiadau ffurfiol. Nid
oedd lle iddynt ym mywyd cymdeithasol y myfyrwyr ac os cenid
nhw o gwbl, bratiog iawn oedd gafael y cantorion ar y geiriau.
Caneuon 'la-la-la' oeddynt gan mwyaf.

Poenai hyn lawer ar JLlW. Cofiodd yn sydyn am y gân a genid ar ei aelwyd yng Nghricieth, 'Tra bo dau'. Trefnodd honno ar gyfer ei gôr ym Mangor ac ar unwaith gwirionodd y myfyrwyr arni a chanent hi yn ei chyfanrwydd yn ddieithriad. Hyn, fel y gwelsom, yn ystod 1905.

O feddwl dros y peth, daeth i sylweddoli ei fod yn gyfarwydd â chaneuon eraill o'r un math â hi, caneuon a genid gan bobl oedd yn gerddorol 'annysgedig'. Ni chlywid y rhain ar lwyfan cyngerdd ac eisteddfod ac nid oeddynt ar gael mewn nodiant o unrhyw fath. Ni pherthynent i neb yn arbennig ac eto perthynent i bawb. Bu ei dad ar un cyfnod yn canu pethau fel hyn; clywodd rai o'i gymdogion yn y Garn yn canu rhai cyffelyb; yn wir, cenid ambell un, fel y gwelsom, gan ei wraig a'i chwaer yng nghyfraith ei hun.

O fewn dim amser daeth i'r casgliad fod yma gorff o ganeuon oedd yn bur wahanol i'r ceinciau a nodwyd yn y cyfrolau cyhoeddedig, cynnyrch y cerddorion dysgedig, ac o ystyried grym apêl un enghraifft ohonynt at aelodau Côr y Coleg gwelodd achos dros gynnwys rhagor ohonynt yn rhaglenni'r côr hwnnw. Roedd angen eu casglu ynghyd a'u cofnodi.

Mae'r dystiolaeth ddiogelaf i ba bryd y cychwynnodd ar y gwaith hwnnw i'w chael yn y cruglwyth o ddyddiaduron a nodlyfrau sydd ymysg ei bapurau yn y Llyfrgell Genedlaethol. O'u darllen, yng ngoleuni yr hyn a nodwyd dri pharagraff yn ôl, nid annisgwyl, mewn dau o'r dyddiaduron hynny, y naill am 1903–04 [MB1/12] a'r llall am 1904 [MB1/13] yw gweld bod y ddau rhyngddynt yn cynnwys dwy alaw a dwy gân werin, 'Tra bo dau' yn un ohonynt. Eithr dyddiadur Gorffennaf 1905–Medi 1906 [MB1/14] yw'r un mwyaf arwyddocaol oherwydd cynhwysa hwnnw gofnodion o un ar bymtheg o ganeuon gwerin.

Nid amhriodol casglu, felly, mai yn ystod 1904–06 y deffrowyd diddordeb JLlW mewn caneuon gwerin fel corff arbennig o gerddoriaeth Gymreig a haeddai nid yn unig gyhoeddusrwydd eang ond hefyd astudiaeth ysgolheigaidd o'r nodweddion arbennig a berthynai iddynt. Ymhen amser daeth i gredu bod adnabyddiaeth drylwyr ohonynt yn un amod, o leiaf, y posibilrwydd o gerddoriaeth genedlaethol wirioneddol Gymreig, eithr nid pwnc i'w drafod yma yw hwnnw.

Fel y gwelsom yn y bennod flaenorol, cyfnod y deffroad cerddorol newydd hwn yn hanes JLlW oedd, fwy neu lai, yr un cyfnod ag a welodd esgor ar fodolaeth Cymdeithas Alawon Gwerin Cymru. Cyfyd hynny'r cwestiwn o natur ei gyfraniad ef i'r mudiad newydd o'r blynyddoedd cynnar ymlaen.

Gellir datgan yn hyderus, i ddechrau, mai prin oedd ei gyfraniad gweinyddol. Ar y cychwyn, gosodwyd pwysau trymaf y gwaith hwnnw ar ysgwyddau Llew Tegid ac fe'i dygwyd ganddo yn effeithiol. Arall oedd cryfderau a grymusterau ymroddiad ei gyfaill a'i gyd-ysgrifennydd dros dro. Yn fyr, canolbwyntiodd hwnnw ar y gwaith o gasglu'r caneuon a'r alawon, eu golygu ar gyfer cyhoeddi, eu poblogeiddio yn helaeth, a'u dehongli, gan ddangos eu harwyddocâd cerddorol a chymdeithasol.

O ystyried y swyddogaethau hyn yn eu tro, credaf y gwelir bod cyfiawnhad dros gyfrif JLlW yn brif gymwynaswr y Mudiad Canu Gwerin yng Nghymru.

CASGLU

Y man gorau a hwylusaf i gasglu tystiolaeth i'w ddiwydrwydd fel casglydd caneuon ac alawon gwerin yw yn nhudalennau *Cylchgrawn* y Gymdeithas, Cyfrol I hyd Cyfrol IV, Rhan 1, a gyhoeddwyd yn 1948, dair blynedd wedi ei farw; tair ar ddeg o rannau i gyd.

A chanolbwyntio ar y caneuon a gyhoeddwyd yn y rhannau hyn gellir amcangyfrif bod ychydig dros 400 ohonynt. Casglwyd o gwmpas 117 o'r rheiny gan JLlW ei hun. At hynny ceir rhagor ymysg ei bapurau yn y Llyfrgell Genedlaethol, rhai sy'n aros i'w cywain, eu golygu a'u cyhoeddi; llawer ohonynt ar ddalennau'r dyddiaduron niferus a gadwodd.

Ei arfer oedd cofnodi'r caneuon mewn sol-ffa, weithiau'n frysiog a bras iawn gan esgeuluso ambell isnod ac uwchnod a defnyddio ei law-fer ei hun yn aml i nodi'r amseriad. O ganlyniad, mae ambell gofnod o'i eiddo yn ddiwerth ond ar y cyfan nid yw'n anodd i'w ddehongli, yn enwedig pan fo geiriau ar gael. Sut bynnag, nid ar gyfer eraill yr oedd yn cofnodi ond ar ei gyfer ei hun, i fynd ati wedyn ar egwyl o hamdden i osod trefn ar y gwaith gwreiddiol.

Manteisiai ar bob cyfle i gofnodi cân, ac yma ac acw yn ei ddyddiaduron a'i lyfrynnau cofnod fe'i gwelir ar waith droeon yn bwrw iddi yn y fan a'r lle i gofnodi rhyw ganwr neu'i gilydd yn lleisio; er enghraifft:

WFSong Dec 17 1910. In the High Street of Bangor tonight I heard an old Ballad singer (a very rare sight now-a-days) selling a Doctor Crippen ("Doctor Cripin") ballad and singing. The tune (which is familiar though I have not yet been able to locate it) was somewhat varied in different verses but the formula was somewhat like this

$$l \qquad d \mid r. \ r{:}d. \ t.$$
.m|l.l:s.l|m.m:–.l.|d.d:d.t.| l.:–.
$$d$$
.l.|d.d:r.m|s.s:–.l|s.fe:m.r|s:–.
.l.|d.d:s.m|l.l:–.l|s.fe:m.r|s:–.
.m|l.l:s.l|m.m:–.l.|d.r:d.t.| l.:–

When I returned up the street I passed him again and his tune was now different – somewhat like this

.t.|d.d:t..t.|l..l.:–.l.|d.d:t..l.|m:–.
.t|d.d:t..l.|m.m:–.d|t..l.:r.d|t.:–.
.d|m.m:m.m|r.r:–.r|m.m:d.d|t.:–.
.l.|d.d:t..l.|r.r–.m|d.d:t..t.|l.:–   [1]

Gellid cyfeirio at fwy nag un enghraifft ohono yn codi cân wrth sgwrsio ar yr aelwyd gartref, ar gongl stryd, yn ystafelloedd cyd-ddarlithwyr, ar ddiwedd darlith gyhoeddus yn rhywle neu'i gilydd, neu'n teithio mewn cerbyd trên. Ar daith felly, rhwng Pwllheli a Chricieth, y cofnododd 'Yr eneth ga'dd ei gwrthod', hynny o ganu twr o weision ffermydd ar eu ffordd adre o ffair gyflogi. Roedd yn chwilotwr diflino. Meddylier amdano, er enghraifft, yn teithio yn unswydd o Fangor i Drawsfynydd i gofnodi cân yr oedd un o'i fyfyrwyr wedi methu â'i chofnodi ond un yr oedd yr athro am ei chael.[2]

Ef yn ddiamau oedd y mwyaf adnabyddus o gefnogwyr y Mudiad Canu Gwerin ac fel golygydd cylchgrawn y Gymdeithas ato ef yn naturiol yr anfonai casglyddion y caneuon a'r alawon y digwyddent eu cofnodi. Casglyddion digon brith oeddynt; rhai yn gymen a thrylwyr, eraill yn flêr, a rhai yn anobeithiol. Ceir enghreifftiau o'r tri math ar gofnodi, heb eu cyhoeddi, ymysg ei bapurau. Hyd y medrai, pwysai ar ddarllenwyr y *Cylchgrawn* i roi cymaint o wybodaeth gefndirol i'r caneuon a'r alawon a ddanfonent ato ag oedd bosibl, yn neilltuol nodi pwy a'u canodd, ymhle a than ba amgylchiadau, a sut y daethant i feddiant y cantorion. Ystyriai yn sicr fod gwerth esthetig i fwyafrif y caneuon bron-golledig hyn; ar yr un pryd, cyfrifai fod iddynt arwyddocâd cymdeithasol.

Ni fodlonai chwaith ar ddisgwyl i gasglyddion anfon eu 'darganfyddiadau' ato. Holai gyfeillion, cydnabod a dieithriaid, fel ei gilydd, am wybodaeth ynghylch cantorion posibl er mwyn mynd at y rheiny'n ddiweddarach i brocio'u cof a chodi eu caneuon. Mewn llyfryn clawr coch ymhlith ei bapurau o dan y pennawd 'Where is it?' ceir enwau llu o bobl oedd naill ai'n gantorion neu'n gasglyddion neu'n gwybod am gantorion caneuon gwerin. Ac y mae sylwadau fel y canlynol yn niferus: 'Someone to get Welsh Gypsies to sing'; 'Morris Griffith knows a tailor in Llanhaearn who has folk tunes'; 'Jan. 12 [1909] F. Song. T.G. Jones is said to have 5 very good ones – get 'em'; [rhestr o enwau cantorion gwerin] 'suggested at close of Tynygongl lecture'. Ar brydiau, fodd bynnag, gyda deffro gobaith yn y fron am gynhaeaf da o ganeuon, byddai siom yn dilyn. Felly y bu ar 18 Medi 1918 pan ymwelodd â gwraig a ddisgrifiwyd iddo fel cantores dda; ni chafodd ddim ganddi o'r hyn y gobeithiasai ei gael.

Eithr y syniad cynnar mwyaf ysbrydoledig a ddaeth iddo oedd hwnnw o annog y Canorion i gasglu caneuon yn eu hardaloedd eu hunain yn ystod gwyliau'r coleg. Ymatebodd y myfyrwyr yn frwd. Yn ei ragymadrodd i rifyn cyntaf y *Cylchgrawn* (1909) dywed y golygydd fod aelodau Cymdeithas y Canorion wedi casglu dros gant o ganeuon; un ohonynt, John Morris, o Gongl-y-wal, Blaenau Ffestiniog, wedi casglu bron i ddeugain. Ymhen blynyddoedd wedyn, yng Nghwrs Penwythnos CAGC yn Y Barri, 1965, rhoes y Stiniogwr hwnnw ddarlith fywiog yn disgrifio'i brofiadau fel un o'r Canorion yn casglu caneuon ymysg rhai o gantorion Ffestiniog a'r cyffiniau. Ni ellid cael difyrrach adroddiad am amrywiol helyntion casglydd.[3]

Heblaw am droi at gasglyddion, trodd JLlW at ffynonellau eraill am alawon a chaneuon gwerin, er enghraifft, at lawysgrifau megis rhai John Thomas, Maurice Edwards, Iolo Morganwg, Ifor Ceri, Ifan y Gorlan, Llewelyn Alaw, William Peate ac, wrth gwrs, 'Orpheus'. Trwythodd ei hun ymhellach yn y cyfrolau cerddorol printiedig megis rhai John Parry (Rhiwabon), Edward Jones, John Parry (Bardd Alaw), George Thomson, Richard Roberts, Nicholas Bennett, ac eraill, a bu'n chwilio'n ddyfal yng nghylchgronau cerddorol Cymraeg y bedwaredd ganrif ar bymtheg am golofnau megis 'Congl yr Hen Alawon'. At hyn oll, fel eraill o'i gymrodyr yn y maes, bu'n hybu cystadlaethau am gasgliadau o ganeuon gwerin anghyhoeddedig mewn eisteddfodau, fawr a mân.

Yn 1935–6, yntau ar y pryd yn 81 mlwydd oed, penderfynodd osod trefn ar y dogfennau oedd ganddo a ddaliai gysylltiad â'r Gymdeithas Alawon Gwerin. Dechreuodd gyda'r caneuon yr oedd ganddo hawlfraint arnynt, rhai cyhoeddedig yn y *Cylchgrawn* ac eraill heb eu cyhoeddi yn unman. Cawn olwg ar hyn mewn llythyr dyddiedig 25 Medi 1935, a anfonodd at W.S. Gwynn Williams (er 1933 ef oedd Ysgrifennydd y Gymdeithas) yn cynnwys y geiriau canlynol:

Meantime it may be of some interest to you to know that since
my last letter to you I have agreed to convey *[dilewyd]* / transfer
all my rights in the tunes I personally collected (106 published
+ 62 unpublished) to Gregynog so that I shall not have to
bother about permissions & any longer. My next task will be
to write *[dilewyd]* / copy out all the unpublished noncopyright
tunes in my collection & transfer them to the W.F.S.S. – all this
because I am 81 & nobody knows what will happen tomorrow.[4]

Mae lle i gredu nad ei awydd i osgoi trafferthion ynglŷn â holiadau
ynghylch caniatâd cyhoeddi'r caneuon dan sylw oedd ei unig
reswm dros drosglwyddo ei hawlfraint arnynt i Wasg Gregynog.
Y gwir yw ei bod yn dynn yn ariannol arno ar y pryd, yn bennaf
am resymau teuluol nad oedd, yn gwbl naturiol, am eu rhannu â
neb ond y rhai agosaf ato. Yn gyffredinol, ei barodrwydd i fynd
yn feichiau dros eraill oedd wrth wraidd y cyfan. Sut bynnag,
ymddengys mai'r cyfryngwr rhyngddo a theulu Gregynog oedd
H. Walford Davies, y ddau yn gyfeillion da, er nad oeddynt yn
gweld lygad yn llygad bob amser. Mewn llythyr dyddiedig 12
Gorffennaf 1935, cafodd wybod hyn oddi wrth y Cyfarwyddwr
Cerdd:

My dear John. I'm happy to say Miss Davies has decided to
give you a sum of £200 for the copyright of your collection if
you feel you can accept this. More as to details later. It is very
generous and kind of her.[5]

Erbyn diwedd Rhagfyr y flwyddyn honno gallai'r casglydd
gofnodi yn un o'i nodlyfrau ei fod wedi derbyn yr arian. Cyfeiria
llythyr Walford Davies at 'fanylion i ddilyn'. Hyd y gwyddys, nid
oes cofnod o'r rheiny ar gael ond mae'n debygol fod bwriad i
gyhoeddi rhai o'r caneuon, trwy gyfrwng Gwasg Gregynog,
yn rhan ohonynt. Y carn dros ddweud hyn yw rhestr o enwau
caneuon o blith papurau JLlW, yn llaw Walford Davies, dan y
pennawd 'Selected Folk Songs', gyda hyn o ragymadrodd byr i'r
rhestr:

Suggested for consideration. A Sub-Committee needed to consider:

1. What words will prove fitting for each?
2. Whether for school, church or solo use?
3. Form and price of each issue.
4. How grouped with others.

Arwyddwyd y rhestr gyfan gan 'W.D, Gregynog, Apr. 20, 1936'.[6] Yn ôl rhif 3 uchod ymddengys mai'r syniad oedd cyhoeddi'r detholiad o ganeuon yn gyfres o lyfrynnau ond ni ddaeth dim o hynny. Eithr bu'r trefniant â Gwasg Gregynog yn destun cryn drafod ac ymchwilio yn ddiweddarach ymysg swyddogion a charedigion y Gymdeithas, wedi marwolaeth JLlW yn 1945.

Bu nifer o'i gyd-aelodau yn y Gymdeithas yn pwyso arno o dro i dro i gyhoeddi rhifynnau o'r *Cylchgrawn* yn fwy aml a chyson, ac ymatebai yntau i hynny, weithiau'n chwyrn, fod ganddo ormod o gyfrifoldebau ar ei ysgwyddau. Yn wir, dros y blynyddoedd bygythiodd ymddiswyddo fel golygydd o leiaf saith gwaith! Y tro diwethaf iddo wneud hynny oedd yn 1936. Fe gofir iddo yn y llythyr a anfonodd at W.S. Gwynn Williams (y dyfynnwyd ohono uchod) ddweud ei fod am gopïo a throsglwyddo'r holl ddeunydd gwerin anghyhoeddedig perthynol i'r Gymdeithas ac yn ei feddiant i'r swyddogion, gan na wyddai neb, chwedl yntau, 'what will happen tomorrow'. Yn ei henaint a'i brysurdeb ni lwyddodd i wneud hynny ond fe wnaeth yr hyn oedd yn oblygedig yng ngeiriad ei lythyr, cynnig ei ymddiswyddiad fel golygydd. Eithr fel yn y chwe achos cynharach llwyddwyd i'w berswadio i ddal ati hyd nes iddo gwblhau Cyfrol III y *Cylchgrawn*. Yn 1941 y digwyddodd hynny, a rhoes y rhyfel ben dros dro ar gyhoeddiadau'r Gymdeithas. Serch hynny, llwyddodd y golygydd dygn i baratoi rhifyn cyntaf Cyfrol IV hefyd, ond yn 1948, dair blynedd wedi ei farw, yr ymddangosodd y rhifyn hwnnw.

Golygydd newydd y *Cylchgrawn*, erbyn 1946, oedd W.S. Gwynn Williams, ac mewn llythyr oddi wrth Lywydd y Gymdeithas, Ruth Lewis, cafodd wybod bod y wreigdda honno wedi bod yn twrio trwy rai o bapurau JLlW yn y Llyfrgell Genedlaethol ac iddi ddarganfod ei fod wedi trosglwyddo ei hawlfraint ar ei holl ganeuon anghyhoeddedig i Wasg Gregynog yn 1935 am £200. Ni wyddys a roes y golygydd newydd wybod i'r Llywydd ei fod eisoes yn gwybod am y trosglwyddiad ond aeth rhai blynyddoedd heibio, a pheth ymholi ynghylch y caneuon, cyn i W.E. Jones, Cadeirydd y Gymdeithas, trwy lythyr dyddiedig 11 Rhagfyr 1949, roi ar ddeall i'r golygydd fod y chwiorydd Davies yn barod i drosglwyddo'r hawlfraint a brynasant i'r Gymdeithas cyn gynted ag y llwyddid i ddarganfod y casgliad coll. Wedi'r cyfan, defnyddiasid Neuadd Gregynog fel Ysbyty Atodol y Groes Goch yn ystod yr Ail Ryfel Byd a hawdd iawn y gallai pethau fynd ar gyfeiliorn yno yn y cyfamser. Sut bynnag, yn Ionawr 1952, gallai'r Cadeirydd gyhoeddi bod y casgliad wedi dod i'r golwg a bod Margaret Davies wedi ei osod yng ngofal diogel y Llyfrgell Genedlaethol.

Wedi'r holl holi yn ei gylch, fodd bynnag, y syndod yw na wnaed unrhyw ddefnydd o'r casgliad gan W.S. Gwynn Williams yn rhifynnau dilynol y *Cylchgrawn*. O'r 62 eitem a gynhwysir ynddo defnyddiwyd 18 gan JLlW ei hun yn y ddau rifyn olaf a olygodd. Felly, mae eto ar gael i'w defnyddio ar gyfer eu cyhoeddi nifer dda, o leiaf, o ganeuon na welsant olau dydd hyd yma, heb sôn am amrywiadau o rai cyfarwydd.

GOLYGU

Yn ei ragair golygyddol i rifyn cyntaf y *Cylchgrawn*, hawliodd JLlW fod cerddoriaeth Cymru wedi dioddef yn fwy na cherddoriaeth gwledydd Prydeinig eraill oherwydd difaterwch ei chofnodwyr a'i haneswyr. Dangosodd hynny yn gynharach mewn darlith arloesol a draethodd i Gymdeithas y Cymmrodorion yn Llundain ar 22 Ionawr 1908: 'Welsh National Melodies and Folk-Song'. Ar yr un achlysur hefyd ceisiodd gorlannu'r defnydd y bwriadai ymdrin ag ef fel Golygydd y *Cylchgrawn* arfaethedig, hynny trwy wahaniaethu rhwng tri math ar alawon sef alawon telyn, alawon baledi, ac alawon gwerin. Yn ddiweddarach, fel y ceir gweld, amododd rywfaint ar y dosbarthiad hwn ond yn gyffredinol cadwodd ato gydol ei yrfa olygyddol a'i gael yn arf dadansoddiadol hwylus; yn un o'r arfau angenrheidiol i sylfaenu, chwedl yntau yn ei ddarlith: 'the study of this department of our national heritage on a thoroughly sound scientific basis'. Ym mêr ei esgyrn, gwyddonydd ydoedd a hynny sy'n cyfrif i raddau pell am arbenigedd ei gyfraniad i Gymdeithas Alawon Gwerin Cymru.

I ddechrau, felly, gair am y dosbarthiad hwn fel y'i cyflwynir yn y ddarlith dan sylw. Fel y gallesid disgwyl, tardd nodweddion alawon telyn ym mhriodoleddau'r offeryn ei hun ac er mwyn dangos rhagoriaethau'r offeryn y lluniwyd ac y llunir nhw. Fel rheol maent yn llawn addurniadau seiniol, yn rhediadau blodeuog, dilyniannau ailadroddus, pytiau melodig estynedig, ac ati. Yn aml iawn, hefyd, yn eang eu cwmpawd. Mewn gair, nid ar chwarae bach y medrir eu lleisio. At hynny, mae eu tonyddiaeth yn ddieithriad fodern, yn cydnabod y graddfeydd mwyaf a lleiaf yn unig. Mae dwy wedd ar eu cysylltiad â cherddi: y defnydd a wneid, ac a wneir, ohonynt i Ganu Penillion ('cerdd dant' ein dyddiau ni) a'r arfer, yn enwedig ymhlith rhai o feirdd y bedwaredd ganrif ar bymtheg, o sgrifennu geiriau ar gyfer eu canu arnynt, wedi iddynt gael eu dofi a'u symleiddio rywfaint.

Alawon ar gyfer eu canu yw'r alawon baled, heb fawr ddim amlygrwydd yn cael ei roi i fireinder melodi a rhythm. Ar y geiriau y mae'r pwyslais, a hynny ar eu neges. Prydyddion digon ffwrdd-â-hi oedd y baledwyr fel arfer heb falio am geinder ymadrodd nac ysfa i ddyfeisio trosiadau, cyffelybiaethau a delweddau mentrus. Nid ymdrechent chwaith at asio ynghyd gerdd ac alaw i lunio cyfuniad parhaol. Nod amgen yr alaw faled yw ei bod yn gyfrwng i gynnal llu o gerddi gwahanol heb gyswllt penodol rhyngddi ag un gerdd. Fel rheol, mae'n syml ei ffurf ac yn rhwydd i'w chanu, yn gwbl ddigyfeiliant.

Mae'r alaw werin, yn wahanol i'r alaw delyn, ynghlwm wrth eiriau ac mae'n fwy priodol felly i sôn yn y cyd-destun hwn am gân werin. Yn ei thro, y mae'r gân werin hithau yn wahanol i'r gân faled oherwydd ei bod, fel rheol, ynghlwm wrth eiriau penodol. Yn ôl JLlW, tardd caneuon gwerin mewn awydd naill ai i ganu er mwyn canu, neu i fynegi amrywiol deimladau, neu i gyfleu'n fwy effeithiol benillion a apelia'n arbennig at y canwr. Geiriau cartrefol yn ymestyn o'r telynegol i'r rhigymol-ddigrif, alawon yn amrywio o'r syml-swynol i'r rhythmig-fywiog, gan gynnwys rhai mewn moddau gwahanol i'r mwyaf a'r lleiaf – dyna rai o nodweddion amlwg y gân werin fel y cyfryw.

Ychwanegodd J. Lloyd Williams un sylw am ei ddosbarthiad. Nid oes iddo ffiniau diadlam a gall y tri is-ddosbarth orgyffwrdd. Ar brydiau, defnyddiai'r baledwr alawon telyn ar gyfer eu cerddi; ceir alawon gwerin sydd mor gordaidd eu ffurfiad â'r alawon telyn, ac mae eraill ohonynt mor lleisiol bob tamaid â'r alawon baled.

Ei brif reswm dros ddosbarthu fel hyn oedd y rheidrwydd a welai i geisio disgrifio maes ei astudiaeth fel ymchwilydd i fath neilltuol ar ganu traddodiadol, a'i swyddogaeth fel darparolygydd cylchgrawn cymdeithas genedlaethol newydd. O hyn ymlaen gellid gobeithio datgelu haen o gerddoriaeth Gymreig a fyddai nid yn unig yn rhoi mwynhad i bobl Cymru ond hefyd yn dyfnhau eu hymwybyddiaeth o'u hunaniaeth fel pobl ac yn ysbrydoli cerddorion i gyfansoddi cerddoriaeth a fyddai'n gyfraniad nodweddiadol Gymreig i ddiwylliant cydwladol. Gyda'r cefndir eang yna i'w ymdrechion y mae inni ddechrau gwerthfawrogi cyfraniad JLlW i gerddoriaeth ei wlad.

Ac yntau wedi gosod terfynau ei faes fel hyn, beth, ymhellach, y gellir ei ddweud am yr amrywiol ganllawiau a ddefnyddiai i benderfynu pa ganeuon i'w cynnwys yn y maes hwnnw? Yn ei ddarlith, mynnai fod rhai alawon a chaneuon yn meddu ar nodweddion Cymreig arbennig ond ni hawliai, ar y pryd, y gellid rhestru'r rheiny. Mater i'w drafod ymhellach ymlaen oedd hwnnw, wedi i lawer mwy o gasglu gael ei wneud, gydag agor y casgliad hwnnw wedyn i ddadansoddiad cerddorol trylwyr a chymharu canlyniadau hynny â chanu gwerin gwledydd eraill, yn enwedig Lloegr, Iwerddon a'r Alban.

Serch hynny, yr oedd alawon a chaneuon traddodiadol Cymreig ar gael. Eithr dros y canrifoedd yr oedd hefyd alawon a chaneuon tramor (Seisnig gan mwyaf) wedi dod yn rhan o gynhysgaeth sawl crythor, telynor, baledwr a chanwr Cymraeg ac o wybod, neu amau'n gryf, mai rhai tramor oeddynt ni ellid cynnwys rhai felly yng nghylchgrawn y gymdeithas newydd. Felly rhaid eu gosod o'r neilltu.

Mae rhai alawon tramor, fodd bynnag, wedi ymgartrefu'n gyfforddus yng Nghymru a hynny trwy gymryd arnynt eu hunain rai nodweddion rhythmig a melodaidd Cymreig. Nid yw'n manylu arnynt yma ond daw'n amlwg mewn blynyddoedd diweddarach mai'r math ar alawon tramor oedd ganddo mewn golwg oedd y rheiny y cysylltwyd cerddi Cymraeg â nhw. Ymhen amser daeth yn gynyddol amlwg iddo mai dylanwad y canu caeth a phatrymau acennog y Gymraeg arnynt oedd y rheswm pennaf am hyn. Cawn ninnau weld hynny yn nes ymlaen. Adeg traddodi'r ddarlith, fodd bynnag, nid oedd wedi talu sylw manwl i'r mater ond gwyddai'n burion fod alawon 'mabwysiedig' o'r fath ar gael a'u bod yn haeddu eu lle yn yr etifeddiaeth.

Deil hefyd fod rhai alawon diwerth ar gael, o safbwynt cerddorol, ac y dylid gwrthod lle i rai felly yn ddi-oed ond mae'n dra gofalus wrth gymhwyso'r canllaw hwn. Does dim cydymdeimlad ganddo â'r syniad mai cynnyrch cymunedol ('cyfansoddiad cyfunol', a defnyddio ymadrodd Thomas Parry) yw pob cân draddodiadol na wyddys pwy oedd ei hawdur, ac felly ei bod uwchlaw beirniadaeth, ni waeth pa mor ddiwerth gerddorol ydoedd. Eithafiaeth oedd hyn yn ei olwg. Gallai alaw salw ddibrisio cân a pheri i olygydd farnu nad oedd yn werth ei chofnodi a'i chadw. Ar y llaw arall, gall fod mwy i gân nag alaw. Pwysleisia hyn yn arbennig yn y rhagair golygyddol i rifyn cyntaf y *Cylchgrawn*. Yn sicr, meddai yno, ni chyfynga'r Gymdeithas newydd ei hymdrechion i ddarganfod alawon hudolus ar gyfer cantorion cyfoes! Wrth i'r casglu gynyddu, yr hyn a ddaw'n gynyddol amlycach yw y perthyn i ganeuon gwerin arwyddocâd ieithyddol, cymdeithasegol a hanesyddol a all fod lawn cyn bwysiced â'r un cerddorol. Ystyrier y datganiad hwn o'i eiddo:

Our Colleges are now turning out young people trained in
scientific methods of study – who are closely investigating
the history of our people and language from different points
of view. We are providing rich material for him who will
undertake to unravel the ethnology, the history, and the
psychology wrapped up in these rescued songs.[7]

Canllaw arall ganddo yw peidio â chyhoeddi caneuon y gwyddys
eu bod yn gyfansoddedig gan gerddorion wrth eu crefft, neu
ganeuon y mae lle cryf i amau eu bod yn rhai felly. Eithr yma
eto fe all fod rhai eithriadau. Yn y rhagair, unwaith yn rhagor,
cawn hyn:

As to their origin, we know that certain of them, very few in
number it is true, were composed; some of the others may be
communal for aught we know, it matters little which. It is
certain that most if not all of them have been modified by the
singing of successive generations till they have assumed their
present forms.[8]

Fel yn achos y dosbarthiad triphlyg blaenorol sylwer bod
rhywfaint o amodi ar bob un o'r canllawiau uchod: gall alawon
tramor ddod yn frodorol; gall alaw salw fod yn elfen mewn cân
arwyddocaol; gall cân cyfansoddwr cydnabyddedig ddod yn
rhan o etifeddiaeth un na ŵyr ddim am y cyfansoddwr dan sylw.
Trafodaeth ar y trothwy yw un JLlW yma: cychwyn ar ystyriaeth
o beth sy'n peri i ganeuon gael eu galw yn 'ganeuon gwerin' ac,
yn benodol, yn rhai Cymraeg. Yn y cyd-destun hwnnw, mae'r
dyfyniad diweddaraf hwn yn arbennig o ddadlennol: na phoener
ynghylch eu tarddiad, yn hytrach sylwer ar y ffaith iddynt gael eu
canu gan genedlaethau o bobl ac i hynny newid peth arnynt yn
nhreigl y blynyddoedd. O ddilyn ei waith fel golygydd cylchgrawn
caneuon gwerin, o rifyn i rifyn, daw'r wedd hon ar ei ymdriniaeth
â nhw yn fwyfwy amlwg, a'r sylwadau cyffredinol blaenorol am
y 'canllawiau' yn fwyfwy anghyflawn, ond fel rhagarweiniol yn

unig y syniai am eu swyddogaeth ac o'r safbwynt hwnnw talant am eu lle. Maent yn ddigonol i osod ffiniau hwylus i'r maes.

Ystyriwn bellach rai o'r prif egwyddorion a lywiai ei waith fel golygydd. Un o'r rheiny oedd peidio â chyhoeddi alawon heb eiriau iddynt (ar wahân i rai a ddefnyddid yn enghreifftiau o amrywiadau gwahanol) na manylion cefndirol ynglŷn â phwy a'u canodd, pa bryd y cofnodwyd nhw, o ba ardal y deuent yn wreiddiol, nodi os oeddynt yn gysylltiedig â rhyw arferion arbennig, ac ati. Yn wir, fe'i cawn yn ei gondemnio'i hun wrth gyhoeddi amrywiad ar 'Robin Goch oedd ar y rhiniog' am iddo ei gofnodi cyn sefydlu'r Gymdeithas Alawon Gwerin a chyn iddo sylweddoli bwysiced oedd cynnwys gwybodaeth gefndirol am y canwr a'i gân.[9] A dyma'r union fath ar wybodaeth a ddangosai sut y treiglai cân o un genhedlaeth i'r llall ac ar brydiau sut y mudodd o un pen y wlad i'r llall. Dyna pam yr apelia droeon at ei ddarllenwyr am ragor o wybodaeth ynghylch rhyw gân neu'i gilydd. Canlyniad hynny, gyda llaw, yw'r ddau Atodiad sylweddol sydd i'w gweld ar ddiwedd cyfrolau I a II o'r *Cylchgrawn*.

Egwyddor arall y gosodai bwys arni oedd cynnwys enghreifftiau o wahanol fathau ar ganeuon yn rhifynnau'r *Cylchgrawn*; hynny er mwyn dal gafael ar unwaith ar ddiddordeb darllenwyr a chantorion yn y cynnwys. Ar yr un pryd, roedd yn awyddus i hybu astudiaeth gerddorol a chymdeithasegol o'r caneuon – *lines of investigation*, chwedl yntau yn ei ragymadrodd golygyddol cynharaf. Dyry amlygrwydd neilltuol i hyn yn ei sylwadau golygyddol ar ddechrau'r trydydd rhifyn, a gyhoeddwyd yn 1911; sylwadau lle mae hefyd yn nodi bod rhai cannoedd o ganeuon wedi dod i law o ganlyniad i gynnydd yn nifer y casglyddion.

Fel ei gyd-olygyddion yn y Folk-Song Society arferai anfon dyblygiadau o gynnwys rhifynnau'r *Cylchgrawn* ymlaen llaw at nifer o gerddorion yn gwahodd eu sylwadau ar y caneuon, gan gynnwys cerddorion oedd yn perthyn i'r Gymdeithas Seisnig, yn eu plith Cecil Sharp, Ralph Vaughan Williams, Lucy Broadwood ac yn arbennig Anne G. Gilchrist. Fel y pwysleisiodd JLlW nid oedd yn bosibl trafod y cwestiwn ynghylch unrhyw nodweddion arbennig a allai berthyn i gerddoriaeth werin Gymreig heb astudiaeth gymharol o gerddoriaeth gyfatebol gwledydd eraill, yn enwedig Lloegr ac Iwerddon.

Ymgadwai rhag gorlwytho tudalennau'r *Cylchgrawn* â chaneuon am nifer o resymau. Yn un peth, roedd i'r *Cylchgrawn* ei is-bwyllgor, yn cynnwys yn bennaf y Golygydd ei hun, ynghyd ag Ysgrifenyddion, Trysorydd a Llywydd y Gymdeithas, a phryder cyson iddynt oedd treuliau cyhoeddi'r rhifynnau. Po fwyaf maint y rhifyn, mwyaf y treuliau ariannol. At hynny, roedd perthynas rhwng y pwysau gwaith ar ysgwyddau'r golygydd a maint y rhifyn a gynhyrchai, ac os oedd un peth yn amlwg ynglŷn â'r sefyllfa'n gyffredinol dyna oedd hwnnw, fod y golygydd dan sylw yn cario beichiau trymion sawl galwad a oedd arno. Eithr yn ychwanegol at hyn oll cadwai'n ôl yn fwriadol rhag cyhoeddi nifer o ganeuon yn y gobaith o gywain mwy o wybodaeth amdanynt. Roedd diffyg gwybodaeth gefndirol ddigonol am y caneuon yn llyffethair arno ac yr oedd am i'r casglyddion wybod hynny, rhag ofn iddynt deimlo bod cam yn cael ei wneud â nhw wrth iddo atal cyhoeddi eu darganfyddiadau.

Penderfynwyd beth a fyddai iaith y *Cylchgrawn* yng nghyfarfod cyntaf Cyngor y Gymdeithas ym Mangor ar 8 Ionawr 1909. Yng nghofnodion y cyfarfod hwnnw (gweler Llyfrgell Genedlaethol Cymru, Archifau Cymdeithas Alawon Gwerin Cymru) ceir y cyfarwyddyd hwn i aelodau Pwyllgor y Cylchgrawn:

> ...that it be an instruction to them that the contributions to the Journal be in Welsh or English, and that the Editor's Notes be in English.

At hynny, mewn ymateb i geisiadau cynnar gan aelodau di-Gymraeg y Gymdeithas trefnodd y Golygydd i gynnwys cyfieithiadau llythrennol o eiriau'r caneuon i'r Saesneg a gwnaed y rhan helaethaf o'r gwaith hwnnw gan Llew Tegid. Glynodd wrth yr egwyddor hon hyd at y rhifyn olaf a olygwyd ganddo, gydag ychydig eithriadau, yn cynnwys yn bennaf eiriau nifer o'r cerddi carolaidd. Prif nodwedd y cerddi hynny wrth gwrs yw'r defnydd helaeth o'r gynghanedd a geir ynddynt ac ni ellid cyfleu hynny yn Saesneg. Eithr gofalodd am sicrhau tair ysgrif oddi wrth T. Gwynn Jones i oleuo rhywfaint ar y di-Gymraeg am ogoniant y math hwn ar brydyddiaeth. At hynny, cyhoeddodd nifer o ysgrifau diddorol yn ymwneud â gwahanol agweddau ar ganu gwerin; hynny'n ychwanegu at werth y *Cylchgrawn* yn gyffredinol.

Adlewyrcha'r *Cylchgrawn* hefyd ddiddordeb ysol y golygydd yn hanes cerddoriaeth Cymru; yn y cyd-destun hwn, mewn cerddoriaeth boblogaidd. Chwiliodd yn ddyfal am alawon a chaneuon gwerin mewn llawysgrifau megis rhai Ifor Ceri, John Owen (Dwyran, Môn), Llewelyn Alaw ac Orpheus ac edrychodd am eu 'holion' yn ogystal mewn ambell gyfrol brintiedig, yn arbennig yn nhair cyfrol John Parry, Rhiwabon: *Antient British Music* (1742), *A collection of Welsh, English and Scotch Airs* (1761) a *British Harmony* (1781). Fe'i gwelir yn ymdrin â'r rheiny yn ail gyfrol y *Cylchgrawn*, tt. 15–28, 152–56, 207–13. Yn ychwanegol, gwnaeth ddefnydd helaeth o'r casgliadau a anfonwyd i gystadlaethau eisteddfodol, yn lleol a chenedlaethol, ac nid oedd y cylchgronau cerddorol, nac ambell newyddiadur fel *Y Brython*, yn ddieithr iddo chwaith.

Dychwelwn rŵan at ddosbarthiad triphlyg y Golygydd o'i ddefnydd yn y ddarlith a draddododd i Gymdeithas y Cymmrodorion yn 1908: alawon telyn, alawon baledi ac alawon gwerin. Wrth gyflwyno'r pwnc dywedais iddo, yn ddiweddarach, amodi rhywfaint arno. Bellach, rhaid manylu peth ar hyn.

Yn wir, cyn gynhared â'r Rhagymadrodd Golygyddol i rifyn cyntaf y *Cylchgrawn* ym Mehefin 1909, roedd wedi newid peth ar y geiriad. Nid *ballad tunes* erbyn hyn ond *ballad and carol tunes*.[10] Serch hynny, nid oes ond un enghraifft o alaw garol Nadolig (gyda dau amrywiad arni) i'w chael yn y pedwar rhifyn cyntaf o'r *Cylchgrawn* (1909–1912), gydag ychwanegu un arall ati ar ddiwedd y pumed rhifyn (1914). Yr un pryd, cynhwyswyd nifer dda o alawon baledi. Eithr alawon ar gyfer y mesurau rhydd arferol oedd y rheiny, y math ar fesurau a geid yn gyffredin yn yr hyn a alwai'r Golygydd yn 'ganeuon gwerin'.

Y gwir yw ei fod wedi dod yn gynyddol gyfarwydd fel golygydd ag esiamplau o brydyddiaeth rydd oedd yn wahanol i'r un arferol, a honno lawn mor gysylltiedig â baledi ag â charolau crefyddol. Heb iddo lawn sylweddoli arwyddocâd hynny, roedd wedi cynnwys yn y pum rhifyn cyntaf nid yn unig y cerddi Nadoligaidd y cyfeirir atynt yn y paragraff blaenorol ond hefyd bedair cerdd faled seciwlar, pob un ohonynt yn perthyn i fath arbennig o brydyddiaeth rydd Gymraeg. Dyma'r brydyddiaeth a ddisgrifir gan Thomas Parry, ychydig dros bymtheng mlynedd yn ddiweddarach, fel y 'canu caeth newydd', sef canu rhydd gydag elfen gref o odl a chynganedd yn wead trwyddo.[11]

Erbyn cyhoeddi chweched rhifyn y *Cylchgrawn* (1919), fodd bynnag, roedd y Golygydd ei hun yn dod i sylweddoli'n raddol fod rhai caneuon yng nghorff canu gwerin Cymru yn ffurfio is-ddosbarth arbennig. Wrth gyfeirio at y caneuon cynwysedig yn y rhifyn hwnnw dywed hyn:

> They show the usual high proportion of modal tunes together
> with a variety of forms ranging from long tunes adapted to
> the singing of long stanzas of Kynghanedd and Carols, to the
> simplest of nursery rhymes.[12]

Dyna pam y cynhwysodd ysgrif yn y rhifyn gan T. Gwynn Jones dan y pennawd 'Notes on Welsh Metres, Rhymes & Consonance'. Dengys hefyd, yn ei sylwadau ar yr enghraifft gyntaf o'r math hwn ar gân yn y rhifyn, 'Mwynen Merch...Version 1' (t.90), ei fod yn sylweddoli'n llawn ddylanwad y gerdd ar yr alaw. Roedd cantorion cân fel hon, meddai, yn fyw i swyn odl a chynghanedd ac i drawiad acenion geiriau. Clec a sigl y rheiny oedd yn mowldio ffurf yr alaw.

Ymddangosodd seithfed rhifyn y *Cylchgrawn* yn 1922 ac erbyn hynny nid oedd ganddo rithyn o amheuaeth ynghylch

ystyried y caneuon lled-gynganeddol, llawn odlau-mewnol hyn,
yn ganeuon gwerin:

> It will be seen that in this number of the Journal special
> attention has been paid to Carol tunes and Ballad tunes.
> Hitherto they have been passed over for several reasons. It
> was at first thought that nearly all of them were importations
> from England. There was some doubt whether they might be
> regarded as folksongs. The words, in all cases were definitely
> written for the tunes; the tunes however showed many of the
> characteristics of folk music, and the more they were studied
> the clearer it became that, in their present form, they can be
> regarded as a distinct and definite type of folk tune.[13]

Yn yr un rhifyn, mewn erthygl dan y pennawd 'The Carol- and
Ballad-tunes of the Seventeenth and Eighteenth Centuries', ac
yn ei Nodiadau Golygyddol i'r wythfed rifyn (1925), manylodd
ymhellach ar hyn.

Canlyniad yr amodi hyn ar y dosbarthiad triphlyg gwreiddiol
oedd ychwanegu at nifer y caneuon y gellid eu cyfrif yn ganeuon
gwerin Cymraeg a dangos ar yr un pryd fel y cadwodd y Cymry,
o genhedlaeth i genhedlaeth, ganeuon sydd yn unigryw ar sail
perthynas glòs rhwng math arbennig o brydyddiaeth a ffurfiau
cyfatebol yr alawon a'u cynhaliai. Dyma waddol y canu carolaidd
sydd yn nodwedd mor arbennig ar brydyddiaeth Gymraeg yr ail
ganrif ar bymtheg a'r ddeunawfed ganrif. Yn sicr ni pherthyn is-
ddosbarth o'r fath i gorff canu gwerin unrhyw un o genhedloedd
eraill Prydain, nac Ewrop chwaith.

Rhaid bwrw golwg gyffredinol, bellach, ar ei waith ei hun fel
golygydd caneuon y *Cylchgrawn*. Yr un ffaith sylfaenol i ganoli
sylw arni yn y cyd-destun hwn yw ei fod yn ŵr mor eithriadol
o brysur gyda chymaint o alwadau ar ei amser. Gwelsom eisoes
ei fod wedi cynnig ymddiswyddo fel golygydd saith o weithiau
ac fe'i cawn yn cwyno droeon mewn llythyrau a dyddiaduron
fod pwysau golygu yn drwm iawn arno. Dyma rai enghreifftiau
nodweddiadol:

Tues Dec 13. 21. Very busy trying to complete no 7 of the
Journal. It is a very troublesome job as I have undertaken the
editing of the old carols: this means the collating of copies of
them in Kerry, W Harper, Bennett & recently noted copies...[14]

Oct. 7. Mon. 29. I have worked hard at the Jour – the work
of collecting the scraps of information & collating them & of
writing the music & words is difficult & tedious & I have to do
it all except the typing.

Oct 9. Wed. 29. The rest of the week I worked hard at the
Journal. It is an exceedingly tedious & difficult job. I went two
mornings to the Lib. to find old carols, &.

Sun Oct 13th 29. Finished the principal section of the Journal
& took the remg portions of the MS to Miss Jones The Manse
to type...[15]

Canlyniad y prysurdeb cyffredinol hwn, ynghyd â thrafferthion
golygu, oedd ei fod ar brydiau yn methu â chadw at y safonau a
osodai iddo'i hun. Enghraifft hwylus o hyn yw'r golygu a wnaeth
ar ganeuon agoriadol rhifyn cyntaf y *Cylchgrawn*, a godwyd,
fel y cofir, o lawysgrif Orpheus. Gan fod honno ar gael mae'r
cymharu'n rhwydd ac o wneud hynny ceir ei fod yntau, fel y
gweddill o feidrolion, yn hepian weithiau: ambell wall wrth godi
alaw, ambell lithriad wrth godi gair. Dyn ar frys ydoedd gydol ei
oes faith.

Eithr nid anfwriadol yw pob newid y deuir ar ei draws.
Er gwaethaf rhybuddion ganddo yn erbyn 'diwygio' alawon a
geiriau fe'i cawn ar brydiau yn gwneud yr union beth hwnnw.
Er enghraifft, cododd amrywiad o gerdd i alaw 'Mwynen Merch'
o ganu John Williams, Bangor, ond ni chyhoeddodd yr union
eiriau a ganwyd gan y gŵr hwnnw. Yn hytrach dewisodd gynnwys
y gerdd gyfan fel yr argraffwyd honno mewn cyfrol brintiedig.
Gallai, wrth gwrs, fod wedi gwneud y ddau beth ond, a dilyn ei
gyfarwyddiadau ei hun i gasglyddion, gallesid disgwyl iddo, o
leiaf, fod wedi cofnodi geiriau John Williams.[16]

Yn wahanol i Mary Davies, Ruth Lewis a Grace Gwyneddon Davies ni ddefnyddiai ef ffonograff i gofnodi caneuon. Sol-ffa oedd ei ddewis gyfrwng ac yn naturiol ddigon roedd ganddo ei law-fer solffayddol ei hun ar gyfer cofnodi yn y fan a'r lle. Y canlyniad yw nad yw honno bob amser yn hawdd i'w dehongli, yn enwedig o berthynas i amseriad alaw. Gan gymaint yr olion brys ar ambell gofnod yn ei nodlyfr/ddyddiadur gellid tybio ei fod mewn un amseriad a'i gael mewn amseriad gwahanol yn y *Cylchgrawn*. Dro arall ceir gwahaniaeth mewn nodiant a geiriau. Felly y mae yn achos y gân adnabyddus 'Migildi, Magildi' a gododd o ganu brawd iddo, Richard, a fu'n brentis gof yn Nhrefaenan, Dyffryn Conwy.[17] Dyma'r cofnod gwreiddiol:

```
s  .  s|l.l:s.f   |m  .  s
Ffeind a difir  ydyw gweled
|d .d,d | d  .d,d | l. t. | d        DC
migidi  magidi   how now
Drws yr efal yn agored


s l t | d.   .d : t . s   || . s
A'r go bach  ai  wyneb purddu
s   lt | d. . r. d. : t l s | l . s
migidi    "                now
d.  .l | s  m  :d. .l | s .  m
Yn  y | gornel  yn y  chwythu
ddd |  ddd   : l. . t. | d
```

Brys y codi sy'n cyfrif am hepgor ambell isnod, uwchnod a dot hanner-curiad, ac er mai amser dau sydd i'r gwreiddiol ac amser cyffredin i fersiwn y *Cylchgrawn*, nid yw hynny nac yma nac acw. Eithr mae'r newid amseriad o fewn byrdwn dwli y ddau gofnod yn fater pwysicach a dichon mai ffansi'r Golygydd sydd yn gyfrifol am y tripledi a geir yn ffurf y *Cylchgrawn*. At hynny mae'r gwahaniaeth rhwng llinellau cyntaf yr alaw a rhwng llinellau olaf y geiriau yn y ddau fersiwn yn taro dyn ar unwaith, ac ni chynigir unrhyw reswm am y newid.

Enghraifft arall o ddiwygio alaw yw'r hyn a ddigwyddodd ar ddiwedd cân sydd bellach yn dra adnabyddus. Yr enw a roed arni wrth ei hanfon i'r Golygydd oedd 'Cân Merched Llandudoch'; gwyddom amdani heddiw fel 'Ar lan y môr'. Am ryw reswm neu'i gilydd newidiwyd y bar olaf ond un. Dyma'r clo yn y *Cylchgrawn*:

| s :- .m : r . m | r : d : - ||
    nos a   cho-di'r bo-re

Ond fel hyn y mae yn y gwreiddiol:

| s :- .d : d . t. | r : d : - ||

ac ni chynigir unrhyw reswm dros y newid.

Enghraifft amlycach o ddiwygio bwriadol yw gwaith y Golygydd yn newid alaw a geiriau cân a welodd yn un o lawysgrifau Ifor Ceri dan y pennawd 'Lliw'r Gwinwydd'.[18] O gymharu honno â'r ffurf arni a welir yn y *Cylchgrawn*[19] gwelir iddo hepgor pedwar bar a dwy linell o'r un pennill a argraffwyd, gydag un o'r llinellau hynny'n cynnwys yr union ymadrodd, 'Lliw'r Gwinwydd', a roes deitl i'r gân yn y llawysgrif dan sylw. Y brenin a ŵyr pam y gwnaeth hyn.

Gellid nodi enghreifftiau eraill o gamgopïo brysiog ac o ddiwygio bwriadol ar ei ran, yn enwedig pan yw'n gorfod ymdrin â chofnodi pur anghelfydd ar gân o du ambell gasglydd, ac yntau'n awyddus i gynnwys ei gân yn y *Cylchgrawn*, eithr arwain at ddarllen beichus a wnâi hynny ar bennod na fwriedir iddi fod yn ddim ond rhagymadrodd byr i gyfraniad mawr JLlW i gerddoriaeth draddodiadol Cymru. Yn hytrach, bodloner ar ddweud mai'r rhyfeddod yw, o ystyried gymaint y pwysau gwaith a oedd arno, iddo ymgadw rhag llithro yn llawer amlach nag a wnaeth. Rheitiach gwaith efallai a fyddai inni sylwi ar weddau arall ar ei olygyddiaeth.

Un o'r mwyaf gogleisiol o'r rheiny yw ei ymdeimlad â chwaeth foesol ei gyfnod. Ar brydiau deuai ar draws rhai caneuon diamheuol werinol na welodd yn dda eu cyhoeddi, eithr fe'u cadwodd ymhlith ei bapurau. Gwir nad yw'n dweud yn unman ei fod yn eu dal yn ôl oherwydd yr ystyriai eu bod yn fasweddus ond mae absenoldeb llwyr caneuon o'r fath ar dudalennau'r *Cylchgrawn* yn bur awgrymog, a dweud y lleiaf. At hynny, cafodd amryw esiampl o rai ohonynt. Dyma ddwy ac iddynt nodweddion digon arbennig, gellid tybio, i'w cynnwys mewn cylchgrawn caneuon gwerin.

(i) Cân am ŵr sy'n cael ei gwcwalltu ac un y cyfeirir ati'n arferol yn y nodiadau cefndir fel 'Eis i fy mharlwr gora'. O wahanol ffynonellau daeth i'r golwg ddwy alaw a thri phennill. Er mwyn nodi cywair y penillion dyma un ohonynt:

> stablau
> Mi es i'r parlwr gora, / Lle bûm i ganwaith gynt,
> R'oedd yno geffylau gleision / Fesul saith a phump.
> Es at fy anwyl briod, / Gofynnais iddi hi,
> Beth oedd y ceffyla gleision, / oedd yn fy mharlwr i.
> Ai dwl ai dall yw'r cadffwl / Ai drwg a welaist i?
> Ond deuddeg o gwn hela, / A yrodd fy mam i.
> Mi rodiais bart o Sgotland, / A Llundain brafia'i bri,
> Pedolau dan gwn hela, / Erioed nis gwelais i.[20]

Dengys y Golygydd hefyd, mewn un nodyn cefndir, ei fod yn gyfarwydd â fersiwn Seisnig gyfatebol o'r gân, un a gyhoeddwyd yn *Songs of the West*, Sabine Baring-Gould, H.F. Sheppard ac F.W. Bussell, 1905, dan y pennawd 'Old Wichet', ond tra mai awgrymu'r thema gwcwalltu a wneir yn y Gymraeg mae'n thema gwbl amlwg yn y Saesneg. Dyma, felly, enghraifft o gân sy'n creu difyrrwch trwy gyflwyno digriflun o'r cwcwallt mewn dull carlamus ac yn adrodd stori sydd yn gydwladol ar yr un pryd. Dau reswm da dros ei chynnwys mewn cylchgrawn caneuon gwerin, eithr ei chadw o olwg y cyhoedd a wnaeth y Golygydd. Y cymhelliad, mae'n debyg, oedd gwarchod enw da'r Gymdeithas.

(ii) Ar ddalen sengl ymysg ei bapurau ceir cân a gadwyd ar gof gŵr o Ferthyr Tudful ac a anfonwyd at y Golygydd ynghyd â'r geiriau hyn:

> Old Ballad, sung on the Market Square of Merthyr about 1848... These are the verses I have carried in my memory. There were at least 24 verses on the sheet the old man sold. D. Davies. 1909.[21]

Roedd y D. Davies hwn yn frawd i'r cerflunydd a'r cerddor William Davies (Mynorydd), yn ewythr felly i Mary Davies a diamau mai ar ei hanogaeth hi yr anfonodd ei gân i'r *Cylchgrawn*. Ni welodd ei chyhoeddi fodd bynnag, er bod o leiaf ddau beth yn ei chylch a fyddai o ddiddordeb arbennig i lên-werinwyr: bod ei geiriau yn gymysgedd o Gymraeg a Saesneg a bod ei halaw, fel y sylwodd Mary Davies ei hun mewn nodyn at y Golygydd, yn perthyn o bosibl i alaw arall a gofnodwyd yng Nghastell Harlech a'i chyhoeddi yng nghyfrol William Crotch *Specimens of Various Styles of Music (c.1808)*. Pam y dal yn ôl rhag cyhoeddi hwn? Oherwydd, mae'n debyg, fod 'gair mawr' yn cael ei ddefnyddio yn llinell olaf y gân. Pedwar pennill triban sydd iddi a rhaid i air olaf trydedd linell pennill felly odli ag un yng nghanol y llinell glo. Trydedd linell y pennill dan sylw oedd:

> *She eat the* cig, *give me the* cawl –

Rhoes glust y prydydd, pwy bynnag ydoedd, y clo hwn iddo:

> A dyna'i chi ddiawl o bartner.

Gallaf ddyfalu'r Golygydd yn chwerthin yn braf wrth synhwyro'r odli yn goglais ei glust ond yn penderfynu'n anfoddog braidd mai doethach a fyddai peidio â chynhyrfu'r dyfroedd. Adwaenai ei gynulleidfa yn dda.

Mae rhagor o'r un math o ganeuon i'w cael ymysg ei bapurau ond eu bod yn fyrrach eu gwynt na'r ddwy flaenorol – un pennill fel rheol. Canodd John Morris-Jones un felly iddo; cysylltai ef hi â Phenmynydd, Môn, ond cyn dod at honno diddorol yw sylwi ar nodyn a sgrifennwyd gan JLlW ar 19 Gorffennaf 1907, rhyw bedwar mis wedi iddo gofnodi'r gân:

JMJ is desirous of collaborating in producing a standard study of Welsh Airs.

Beth pe byddai'r ddau gawr hyn wedi bwrw iddi i gyflawni gwaith o'r fath? Byddai wedi bod yn gyfraniad sylweddol i ysgolheictod gerddorol yng Nghymru ond gwŷr dan bwysau gwaith trwm oeddynt a braf ar dro oedd trafod y posibilrwydd o dorri cwys newydd mewn gwndwn. Eithr at y gân.

Prin iawn yng nghorff caneuon gwerin Cymraeg yw'r rheiny sy'n lleisio cwyn merch ifanc ddibriod, feichiog, a dwyllwyd ac na ŵyr ble i droi am gymorth. Eithriad adnabyddus yw 'Yr eneth ga'dd ei gwrthod' ond nid oes arlliw o faswedd ynghylch geiriau'r gân honno. Beth am y pennill a ganodd yr Athro Cymraeg?

I lashio yn y bore / A'i lashio y pryd-nawn
Ond codi roedd y bolyn, / Ow ow beth a wnawn?[22]

Mae'n wir nad oedd mwy nag un pennill ar gael yma ond nid ar gyfrif hynny yn unig yr ymgadwodd y Golygydd rhag cyhoeddi. Mae sawl enghraifft o gyhoeddi cân un pennill yn y *Cylchgrawn*. Sut bynnag, gwelsom y byddai'n gofyn yn aml am unrhyw wybodaeth bellach ynglŷn â chaneuon a gallai fod wedi gwneud hynny yn achos hon. Yn wir, pe byddai wedi gwneud mae'n ddigon posibl y byddai wedi cael ymateb ffafriol oherwydd ar wahanol adegau cafwyd penillion ychwanegol ati, ambell un mor gwrs â'r uchod, o wahanol rannau o'r wlad. Na, y 'geiriau plaen' a'i cadwodd o'r canon.

Geiriau o'r fath hefyd a fu'n ddigon i gadw dan glawr barodi o'r

gân adnabyddus 'Dau Rosyn Coch', geiriau a gafodd y Golygydd
gan weinidog a gofiai fel y canai rhai o longwyr Caernaerfon ran
o'r gân serch chwareus honno:

> A gaf fi fynd arnoch chi, fy morwyn ffeind i?
> Cewch os dewiswch O syr meddai hi.
> Beth os cawn ni fabi fy morwyn ffeind i?
> Mi wn i sut i'w fagu O syr meddai hi.[23]

Cyffelyb fu tynged cân dau bennill yn meddu ar alaw fach hyfryd,
ond nid oedd hynny'n ddigon o gyfiawnhad dros ei chyhoeddi.
Ym marn y Golygydd byddai penillion mor amlwg erotig â'r
rhain yn siŵr o ddwyn gwarth ar y Gymdeithas, a diau ei fod yn
llygad ei le:

> Mi gwrddais â merch ifanc / Yn dyfod adre o'r ffair
> Cynigiodd i mi hanner coron / Am ladd ei gweirglodd wair.

> Pe cawn i swnd a bloneg / I roddi ar fy rhip*   *'stric'
> A minnau'n fachgen ifanc / Dangoswn iddi dric.[24]

Eithr gwelir cymeriad chwaeth gyhoeddus JLlW ar ei hamlycaf
mewn perthynas â Chyfarfod Blynyddol arfaethedig y Gymdeithas
Alawon Gwerin yn ystod Eisteddfod Genedlaethol Cymru yn
Wrecsam, 1912. Awgrymodd Mary Davies mewn llythyr at Ruth
Lewis y byddai'n syniad da cael Dawnswyr Cadi Ha' Treffynnon
i ddawnsio i ffidil Wil Ffidler yn y cyfarfod hwnnw. Yn ei thro,
sgrifennodd Ruth Lewis at JLlW. Pryderai oherwydd bod rhai
o'r dawnswyr dan sylw, *ruffians* yw ei gair hi amdanynt, yn hoff
o sbri ac y gallent yn hawdd fynd dros ben llestri cyn y ddawns,
oni bai eu bod dan reolaeth rhywun cyfrifol. Roedd yr ymateb
o'r Tŷ Mawr, Cricieth, yn ddigamsyniol nacaol:

> Even had the performers been most respectable I cannot think
> that it would profit our movement just at present to bring the

dance to the Eisteddfod. The prejudice against it is still strong, and the dance itself does not show the cleverness and charm displayed by some of the English dances...

Eithr a bwrw nad oedd y rhagfarn yn erbyn dawnsio mor gryf â hynny a bod y ddawns dan sylw yn un dda, ni allai ymddiried yn y dawnswyr. Ar hyn, mae'n ffrwydro:

I have had too much experience of the discredit brought upon local Eisteddfods by the drunken penillion singers and harpists of Llanerchymedd to be able to trust any singer or dancer of this class...

Roedd ganddo ofn arbrawf o'r fath; ofn effeithiau diraddiol y peth ar agwedd pobl at y Gymdeithas. Gwyddai hefyd, meddai, y byddai'n fêl ar fysedd ambell un o wrthwynebwyr y mudiad ifanc:

Just at present the enemies of our movement – the 'profs' – are on the watch for any lapse (or supposed lapse) on the part of the socy [*sic*] or those that take part in its meetings...

Byddai'n well ganddo ef, meddai, weld hyfforddi nifer o bobl ifanc ar gyfer cyflwyno'r ddawns hon, ynghyd â rhai eraill, ac yna eu harddangos fel dawnsfeydd a achubwyd o'r gorffennol – prin eu nifer ar y gorau.[25]

Daw'r dyfyniad olaf hwn â ni at wedd arall ar olygyddiaeth JLlW o'r *Cylchgrawn* sef ei agwedd at y *profs*.

Roedd yn hynod o groendenau ynghylch unrhyw feirniadaeth neu awgrym dibris o'r mudiad canu gwerin a dyry fynegiant i hyn droeon yn ei sylwadau golygyddol cyffredinol. Cawn ragflas o hynny mewn arolwg o waith y Gymdeithas ym mhedwaredd rhifyn y *Cylchgrawn* (1912) lle deil nad oes ond un math ar berson nad yw'n gwerthfawrogi prydferthwch caneuon gwerin sef y gorddysgedig gerddor a'i apêl rodresgar at 'safonau uwch'.

Cyfeiria hefyd at 'the sneer of the professional'. Fel rheol ganddo, yn gyhoeddus, gwrthwynebwyr dienw yw'r rhain ond mae un eithriad, sef David Jenkins, Athro Cerdd yng Ngholeg Prifysgol Aberystwyth ac un o olygyddion *Y Cerddor*, cylchgrawn cerddorol amlycaf y cyfnod cyn ac am ychydig flynyddoedd ar ôl y Rhyfel Byd Cyntaf. Mewn cyfeiriad at ei farw yn 1915 fe'i disgrifiwyd gan JLlW, yn gam neu'n gymwys, fel beirniad llymaf y mudiad canu gwerin. Hyn mewn rhifyn o'r *Cylchgrawn* a ymddangosodd yn 1937.[26] Yn yr un cyd-destun hefyd cyfeirir at feirniad arall, un o gerddorion amlycaf Cymru, yn sgrifennu dan yr enw 'Ap Morgan'. Mewn llythyr a anfonodd JLlW at E.T. Davies, dyddiedig 2 Gorffennaf 1942, cawn wybod pwy oedd y gŵr hwnnw:

> With regard to my hitting at Welsh musicians they do deserve
> it. You are exceptional among them. David Evans has never
> ceased despising the movement. He is still the same as he was
> when under the name of 'Ap Morgan' (not honestly under
> his own name) he used to ridicule Welsh Folk-Songs in the
> Cerddor of which he was the the(n) editor. Morgan Lloyd does
> not say much but he has no love for Welsh music of any kind.[27]

Ac yn y frawddeg olaf wele glustan i gerddor amlwg arall a fu'n ddarlithydd yn Adran Gerdd Coleg Prifysgol De Cymru a Mynwy, adran y bu David Evans yn bennaeth arni er 1903, gan ei ddilyn fel Athro yn 1939.

Ymosodiad deifiol arall ar gerddorion proffesiynol Cymru (ac eithrio rhai megis E.T. Davies, David de Lloyd, Harry Evans, T. Hopkin Evans a D.E. Parry-Williams) oedd hwnnw a gynhwyswyd yn yr hyn a fwriadai JLlW i fod yn rhagymadrodd i gyfrol III y *Cylchgrawn*. Hyn yn 1942. Wedi ei gwblhau, fe'i dangosodd i Idwal, ei fab hynaf. Barnodd ef fod y drafodaeth ar 'the supposed enemies of the movement' yn rhy ymosodol, felly diwygiwyd y druth gan ddileu'r rhannau perthnasol.[28] Serch hynny, roedd y Golygydd wedi tanio sawl ergyd ddigamsyniol at y 'gelynion' yn rhifynnau Cyfrol III, yn arbennig felly yn y Nodiadau Golygyddol i rifyn I (1930) a'r ysgrifau ar hanes y Gymdeithas yn rhifynnau II (1934) a III (1937). Yn wyneb hynny, efallai nad oedd yn anodd iddo gytuno i ddiwygio fel y gwnaeth.

Pam, tybed, yr agwedd feirniadol hon tuag at rai o'i gyd-gerddorion proffesiynol? Gellid tybio bod rhywfaint o genfigen wrth wraidd y peth. Wedi'r cyfan roedd David Jenkins, David Evans a J. Morgan Lloyd yn wŷr a chanddynt raddau academaidd mewn cerddoriaeth tra'r oedd JLlW ei hun yn amddifad o'r fath gymwysterau. Eithr ni wna hyn y tro. Yr hyn y tystir iddo ar bob llaw yw fod safle'r golygydd ym mywyd cerddorol y cyfnod yn gadarn a chwbl ddiogel. Cydnabyddiaeth amlwg o hynny oedd y radd er anrhydedd o Ddoethor Mewn Cerddoriaeth a roed iddo gan Brifysgol Cymru yn 1936. Yn ychwanegol, enillai edmygedd gwŷr oedd yr un mor amlwg ym myd cerdd â'r rhai a feirniedid ganddo, gwŷr megis H. Walford Davies, David de Lloyd, ac E.T. Davies. Yn sicr yr oedd mor ddylanwadol yn y sefydliad cerddorol Cymreig, onid yn fwy felly, nag oedd Athrawon Adrannau Cerdd y Brifysgol gyda'r eithriad posibl o H. Walford Davies.

Awgrymaf y dylid ystyried beirniadaeth JLlW ar y gwŷr a enwyd eisoes fel gwedd ar feirniadaeth ehangach o'r union Adrannau Cerdd hynny. Cwynodd tu mewn a thu allan i furiau'r Brifysgol sawl tro oherwydd nad oedd ei Hadrannau Cerdd yn cymryd cerddoriaeth Cymru o ddifrif. Lle ymylol oedd iddi ar y gorau. Nid oedd i'w chael o gwbl yn y cyrsiau academaidd a phrin y perfformid gweithiau Cymreig gan gorau a chyfuniadau offerynnol y colegau. Mewn llythyr at y Prifathro D. Emrys Evans, Bangor, dyddiedig 18 Tachwedd 1932, hynny ar wahoddiad y gwrda hwnnw iddo i ddweud ei farn am le cerddoriaeth Gymreig yn rhaglen waith Adrannau Cerdd Colegau'r Brifysgol, lleisiodd y cwynion hyn yn ddigamsyniol a therfynodd trwy awgrymu, yn ei ddiflastod â'r sefyllfa, y dylid ystyried sefydlu Academi Gerdd Genedlaethol:

...to perform the work neglected by the Music Departments, and particularly to cultivate the spirit supposed to be lacking in them.[29]

Roedd rhai cerddorion Cymreig eraill, gyda T. Hopkin Evans yn flaenllaw yn eu plith, yn rhannu'r un farn â JLlW ond fel yn achos llawer bwriad clodwiw arall ni ddaeth dim ohono.

Cawsai rhai cantorion eu cystwyo yn ogystal ar dudalennau *Cylchgrawn* y Gymdeithas, yn enwedig y 'canwr solos' a welai'n dda ar brydiau i gynnwys ambell gân werin yn ei *repertoire*! Er ei fod yn gwerthfawrogi bod lle i'r gân werin ar lwyfannau cyngerdd ni allai JLlW oddef gwrando ar gantor yn cyflwyno caneuon syml gan ddefnyddio techneg cyflwyno'r gân gelf. A rhybuddiai hefyd rhag caniatáu i gystadlaethau eisteddfodol arwain at drin y gân werin fel pe byddai'n unawd glasurol. Ymhellach, er ei fod yn credu mewn trefnu caneuon gwerin ar gyfer partïon a chorau condemniai'r arweinwyr hynny a fynnai geisio eu 'dehongli' yn ôl safonau'r academïau a'r cylchgronau cerdd.

CYHOEDDI A PHOBLOGEIDDIO

Yn arbennig ym mlynyddoedd cynnar hanes y Gymdeithas bu JLlW yn brysur yn trefnu caneuon gwerin ar gyfer unigolion, partïon, corau a chynulleidfaoedd, hynny'n neilltuol trwy sefydlu partneriaeth ffrwythlon rhyngddo a Llew Tegid, oedd a chanddo ddawn neilltuol i lunio geiriau ar gyfer alawon, yn ôl y gofyn. Bu'r ddau'n cydweithio hefyd ar gyfanweithiau, gyda'r Llew yn gofalu am y *libretto*, fel rheol, a JLlW am ochr gerddorol y gwaith.

Y cyhoeddiad cyntaf o ganeuon ar gyfer y cyhoedd yn gyffredinol y bu'n ymwneud ag ef oedd *Welsh Melodies*, rhannau 1 a 2, cyhoeddedig gan Gwmni Boosey, y naill yn 1907 a'r llall yn 1909. Cydweithiodd arnynt, o ran geiriau, gyda Llew Tegid yn Gymraeg ac A.P. Graves yn Saesneg, ac ar yr ochr gerddorol gydag Arthur Somervell. Daeth i gysylltiad â'r olaf yn rhinwedd ei swydd yn hyfforddwr cerdd athrawon ac athrawesau ym Mangor gan mai Somervell oedd Prif Arolygydd Cerdd y Bwrdd Addysg am dros chwarter canrif, ac at fod yn gyfansoddwr corawl, unawdol a cherddorfaol medrus, credai'r gŵr hwnnw yn gryf hefyd y dylid trwytho plant yng ngherddoriaeth draddodiadol eu cenedl. Hyn yn arbennig a ddaeth â'r hyfforddwr a'r arolygydd cerdd ynghyd. O'r 32 o ganeuon a gynhwyswyd yn y ddwy gyfrol, diddorol yw sylwi mai alawon cenedlaethol sydd i'r mwyafrif, gyda Cheiriog yn gyfrifol am y geiriau Cymraeg i gymaint ag 16 ohonynt. Lluniodd Llew Tegid chwech o'r cerddi (gan ddiwygio peth ar 'Tra bo dau'); mae dwy gerdd yn draddodiadol a'r gweddill yn waith Ieuan Glan Geirionydd, Alun (2), Gwalchmai, Robert Bryan (2) ac Eifion Wyn. Gyda thri eithriad, A.P. Graves piau'r cerddi Saesneg i gyd. O ran trefniannau (a chyfeiliannau piano i unllais ydynt yn ddieithriad) Somervell sy'n gyfrifol am 19 o'r alawon cenedlaethol, ynghyd â dwy alaw werin, tra bod JLlW wedi trefnu pedair alaw genedlaethol a phum cân werin. Robert Bryan piau'r ddau drefniant sy'n weddill, hynny ar gyfer alawon gwerin. Sgrifennwyd y Rhagymadrodd i'r ddwy gyfrol gan JLlW gyda rhan helaeth ohono yn ymdrin yn gyffredinol, a chymwys betrus, â nodweddion cerddoriaeth genedlaethol Cymru.

Menter gynnar arall ganddo oedd cyhoeddi nifer o ran-ganau y daethpwyd i'w galw ymhen amser yn *Ceinion y Canorion*. Gan fod y cyfeiriadau atynt ym mhapurau JLlW yn wasgaredig a phenagored yn aml, nid yw'n bosibl bod yn bendant ynghylch dyddiad/au eu cyhoeddi ond gellir mentro awgrymu hyn o hynt ar eu cyfer.

Mewn hysbysiad ar glawr ôl y chwaraegerdd 'Aelwyd Angharad' enwir deg trefniant sol-ffa, S.A.T.B., o alawon Cymreig y dywedir iddynt gael eu canu 'Ar gyfer Ymweliad y Brenin â Bangor, 1907... yn Seremoni y Graddoliad ym Mangor, 1908, ac yn yr Eisteddfod Genedlaethol yn Llundain, 1909'.

Yr amgylchiad cyntaf oedd hwnnw ym mis Gorffennaf a welodd osod carreg sylfaen adeiladau newydd Coleg y Brifysgol yn eu safle bresennol a chan fod y seremoni yn un frenhinol, diamau i argraffiad cyfyngedig, arbennig o'r rhan-ganau gael ei ddarparu gan awdurdodau'r coleg ar gyfer y diwrnod. Fodd bynnag, ar gyfer y Seremoni Raddio a gynhaliwyd ym mis Tachwedd 1908, ceir tystiolaeth mewn llythyr a anfonodd JLlW at Gwmni Cyhoeddi Boosey ar 14 Tachwedd 1908, i argraffiad preifat o'r rhan-ganau gael ei ddarparu, gan ryw argraffydd neu'i gilydd, a thybiaf, ar gorn y 'preifat', mai y trefnydd ei hun a fu'n gyfrifol am yr ariannu.[30] Yn yr un llythyr hefyd dywedir, oherwydd i'r perfformiad hwnnw o'r rhan-ganau fod yn un mor llwyddiannus, ei fod yn bwriadu cyhoeddi argraffiad newydd ohonynt gydag argraffydd lleol – Evan Thomas, Sackville Road, Bangor, i bob golwg.

Dichon y byddai'n deg casglu, felly, fod dau argraffiad o'r rhan-ganau, ar gyfer y cyhoedd yn gyffredinol, wedi eu cyhoeddi yn ystod hanner olaf 1908 (yn rhannol ar gyfer y Seremoni Raddio) a dechrau 1909. Yn sicr, yn ystod 1909 yn arbennig, ceir cyfeiriadau mewn dyddiaduron a llythyrau at werthu sypiau lawer o gopïau o'r rhan-ganau, yn cynnwys 150 ar gyfer Côr Eisteddfod Genedlaethol 1909, Llundain. Bu galw sylweddol amdanynt oddi wrth bartïon a chorau a chan ei bod yn bosibl archebu copïau unigol o'r rhan-ganau am geiniog yr un, hawdd credu i sawl un ohonynt gael ei ailargraffu dros gyfnod o flynyddoedd.

Fel trefniannau JLlW yn gyffredinol maent yn grefftus a rheolaidd heb ddim o'r cynganeddu dyfeisgar – gorddyfeisgar weithiau – a geir mewn trefniannau cyfoes. Ei amcan reolaethol ef oedd cynnal yr alaw, nid ei defnyddio i wneud campau â hi.

Cyfeiriwyd yn gynharach at chwaraegerddi a gyfansoddwyd ganddo, pob un yn gyfuniad o ddeialog a chaneuon, mewn cydweithrediad, fel arfer, â Llew Tegid. Y gyntaf o'r rheiny oedd 'Aelwyd Angharad neu Hwyrnos Lawen Llwyngwern', a dyma'r unig un ohonynt a gyhoeddwyd, a hynny mewn argraffiad sol-ffa yn unig. Dwy arall oedd 'Cadifor' ac 'Y Glasfryn', a gellir gweld copïau anghyflawn o'r rhain (gyda sgorau lleisiol cyfan o'r ddwy), gan gynnwys 'Aelwyd Angharad', ymysg ei lawysgrifau yn Llyfrgell Genedlaethol Cymru.[31] Mae un arall, hefyd, y dylid ei nodi sef 'Y Canorion', a luniwyd yn arbennig ar gyfer ei pherfformio fel rhan o ddathliadau Gŵyl Ddewi y coleg yn 1908, gyda'r wedd gerddorol arni yn cynnwys caneuon gwerin yn unig a'r *libretto*, y tro hwn, ganddo ef ei hun. Am ryw reswm ni oroesodd unrhyw ddernyn o lawysgrif sy'n gysylltiedig â hon.

Canolir sylw yma ar 'Aelwyd Angharad', a fu'n hynod o boblogaidd yn ystod traean cyntaf yr ugeinfed ganrif. Cychwynnodd ar ei gyrfa fel chwaraegerdd ar gyfer plant Capel Seion, Cricieth, i'w pherfformio tua Gwanwyn 1899. Hyd yma ni lwyddwyd i ddarganfod dyddiad y cyflwyniad cyntaf ond gellir tybio iddo ddigwydd cyn 30 Mai yr un flwyddyn oherwydd mae manylion ar gael am berfformiad diweddarach ar yr union ddyddiad hwnnw yn Neuadd y Penrhyn, Bangor.[32] Mewn ysgrif a gyhoeddodd yn rhifyn Chwefror 1934, *Y Cerddor*, disgrifiodd JLlW sut yr aeth ef a Llew Tegid ati i lunio'r gwaith, y naill ar y pryd yn byw yng Nghricieth a'r llall ym Mangor:

Eglurais iddo gynllun *Aelwyd Angharad*. Bob nos Lun am wythnosau, awn ato a dweud pa fath eiriau a ddymunwn eu cael yr wythnos honno. Nos Wener awn i'w cyrchu; ac yn ystod y siwrnai ar y beic ddydd Sadwrn meddyliwn innau am y miwsig, ysgrifennid ef ar y bwrdd du, a dysgai'r plant ef. Fel hyn awd ymlaen o wythnos i wythnos; ond oherwydd brwdfrydedd y plant cynyddai'r darnau mewn anhawster wrth fynd ymlaen. Dysgwyd y gwaith a rhoddwyd perfformiadau llwyddiannus mewn amryw leoedd.[33]

Erbyn dathliadau Gŵyl Ddewi Coleg y Brifysgol ym Mangor, 1901 (gyda pheth newid gwedd ar y gwaith, gellir tybio) cymerwyd lle plant Cricieth gan fyfyrwyr coleg ac o fewn rhyw bum wythnos i hynny dilynwyd y perfformiad yn Neuadd y Coleg gan ddau berfformiad pellach yn Neuadd y Penrhyn, Bangor. O hynny ymlaen ymddengys mai cyfanwaith ar gyfer oedolion a fu 'Aelwyd Angharad' a bu cymaint o alw amdani nes iddi ddod yn amlwg i'r cyfansoddwr y byddai'n rhaid ei chyhoeddi. Trefnodd i wneud hynny gyda swyddfa argraffu Evan Thomas, Bangor, ac erbyn dechrau Medi 1910 roedd argraffiad sol-ffa o'r gwaith ar gael.

Ni chafwyd argraffiad hen nodiant o gwbl er cymaint y trafod a fu ynghylch hynny rhwng JLlW a gwahanol gwmnïau cyhoeddi Cymreig yn ystod y dauddegau a'r tridegau. Ni welwyd chwaith gyhoeddi cyfeiliant offerynnol o unrhyw fath ar gyfer y caneuon a gynhwysid yn y copïau. Y drefn gan y cyfansoddwr oedd gosod ar hur gyfeiliant piano o'i eiddo ei hun ar y dealltwriaeth fod hwnnw'n cael ei ddychwelyd wedi'r perfformiad!

Hanfod y chwarae yw fod nifer o Gymry ifanc yn casglu ynghyd ar aelwyd Angharad yn Llwyngwern i gynnal noson lawen ac yn ystod y noson yn cyflwyno ar lafar a chân arferion traddodiadol amrywiol megis adrodd straeon am hen arwyr Cymru ac am ysbrydion, canu penillion, cystadlu canu, trin cynganeddion, rhestru diarhebion, traethu hen goelion, ymarfer i sain cân grefftau megis gwau, gwnïo, pilio pabwyr, dirwyn edafedd, a nyddu. Yr amcan cyffredinol yw dangos cymaint mwy diddan yw noson o'r fath na'r *parties* ffasiynol Seisnig hefo'u *Postman's Knock, Forfeits, Blindman's Buff*, a'u tebyg, ac annog pob un yn y cwmni i fod 'yn bur i'w iaith a'i wlad'.

Cofier bod 'Aelwyd Angharad' yn perthyn i gyfnod ym mywyd JLlW pan nad oedd wedi 'darganfod' caneuon gwerin. O ganlyniad, o'r un ar bymtheg alaw a geir yma nid oes ond pump ohonynt (a defnyddio ymadrodd diweddarach o'i eiddo) yn alawon cenedlaethol; rhai cyfansoddedig ganddo ef ei hun yw'r gweddill. Dyma'r pum alaw: 'Pant corlan yr ŵyn', 'Y gwenith gwyn', 'Llwyn Onn', 'Penrhaw', 'Croesaw gwraig y tŷ'.

Fel y gwelwyd eisoes bu'n rhaid aros hyd lluniad y Canorion yn 1908 cyn cael chwaraegerdd yn cynnwys caneuon gwerin yn unig. Cymysgedd o'r traddodiadol a'r gwreiddiol a geir yn 'Aelwyd Angharad'; cerddoriaeth wreiddiol yn unig sydd yn 'Cadifor' (perfformiwyd gyntaf yn 1902) a chyfuniad o gyfansoddi gwreiddiol ac ambell gân werin a geir yn 'Y Glasfryn', a luniwyd yn y dauddegau ac na pherfformiwyd o gwbl, hyd y gwn.

Fel cyn-brifathro ysgol gynradd gofalodd JLlW fod

darpariaeth helaeth o gerddoriaeth draddodiadol ar gyfer plant Cymru. Fel y gwelwyd yn barod, cyfanwaith ar gyfer plant oedd 'Aelwyd Angharad' yn wreiddiol. Cyfansoddodd yn ogystal ddwy gantawd i blant: 'Myrddin neu Nos Calan-gaeaf' a 'Hen Geinciau Cymru'. Ni wyddys pa bryd y cyfansoddwyd ac y perfformiwyd y gyntaf ond fel yn achos tair o'r chwaraegerddi ceir llawysgrifau perthynol iddi yn y Llyfrgell Genedlaethol.[34]

Mae'r plot yn syml: plant yn codi ysbryd Myrddin a gofyn iddo ddatgelu iddynt wroniaid Cymru Fu. Swyna yntau ddau ohonynt i'w golwg sef y Derwydd ac Arthur ac ysbrydolant hwythau y plant. Daw'r Tylwyth Teg i'r amlwg a dilynir nhw gan y Bwbach ond ni all hwnnw ddychryn y plant gan mor rymus yr ysbrydolwyd nhw gan yr arwyr a Myrddin. Plant a'u golygon ar Gymru Fydd ydynt bellach.

Cyfansoddodd JLlW 'Hen Geinciau Cymru' ar gais Pwyllgor Arwriaeth Lleyn ac Eifionydd ac fe'i perfformiwyd ar Ddydd Gŵyl Dewi, 1932, yn Neuadd y Dref, Pwllheli. Cafodd ei chyhoeddi gan y Pwyllgor a'i hargraffu gan D. Caradog Evans yn 1931. Ffurfiwyd y cwmni a'i cyflwynodd gan blant o Ysgol Sir, Ysgol Ganol, ac Ysgolion Cyngor Pwllheli, Y Ffôr, Llanaelhaearn, Llithfaen a Threfor, gyda JLlW ei hun yn eu harwain, i gyfeiliant Cerddorfa Ysgol Sir, Pwllheli, yng ngofal W.H. Jenkins. O ran cynnwys, dadl yw rhwng cefnogwyr yr alawon cenedlaethol ar y naill law a selogion y caneuon gwerin ar y llaw arall, dadl a allai fod yn ddigon sych ac academaidd ond sydd, yn yr achos hwn, yn fywiog a difyr. Dyry ddigonedd o le i gyflwyno enghreifftiau o'r ddau fath ar gerddoriaeth ac at hynny wybodaeth gefndirol ddiddorol amdanynt; mater yr oedd yr awdur yn feistr arno. Nid yw'n syndod canfod mai'r caneuon gwerin sy'n pwyso drymaf yn y glorian.

Erbyn 1910 roedd swyddogion Cymdeithas Alawon Gwerin Cymru yn awyddus i weld cyhoeddi casgliad o ganeuon gwerin y gellid ei ddefnyddio yn yr ysgolion, syniad yr oedd Adran Gymreig y Bwrdd Addysg, hefyd, yn ei gefnogi'n frwd. Eithr roedd JLlW ei hun wedi cychwyn symud i'r cyfeiriad hwn yn

1909, fel y dengys memorandwm a sgrifennwyd ganddo ar 27 Medi 1910.[35] Dyma baragraff agoriadol hwnnw:

Last November, as a result of many requests from teachers for Welsh folksongs arranged for schools, and of suggestions in the same direction received from three H.M.I.S., I approached Mr Foster (Jarvis & Foster, Bangor) & sounded him with regard to publishing a book of such arrangements. He readily expressed his readiness to quote terms for publication of a book of Welsh songs.

Yng nghorff y memorandwm gwelir iddo drafod gyda nifer o athrawon ac athrawesau, a chyda Llew Tegid, sut fath ar lyfr y dylid ei gynhyrchu: er enghraifft, a ddylai'r trefniannau fod yn unllais neu'n aml-leisiol? A ddylid llunio geiriau yn arbennig ar gyfer plant? A ddylai fod yn gyfrol ddwyieithog? Ymddengys iddo hefyd fynd ati yn ddiymdroi i baratoi rhai trefniannau cerddorol ond ni lwyddodd i gael y maen i'r wal oherwydd gwaeledd a phwysau gwaith.

Yn ddiweddarach, fodd bynnag, daeth pwysau o du'r Gymdeithas arno ef a Llew Tegid i gynhyrchu cyfrol ar gyfer yr ysgolion ac erbyn 1911 roedd y gwaith wedi ei ddechrau. Ond gwaith araf iawn ydoedd ac yn ôl y dystiolaeth ym mhapurau JLlW mae trywydd y datblygiad yn dra aneglur. Yr un peth sy'n sicr yw i JLlW fod yn gysylltiedig â chyhoeddi dau gasgliad o ganeuon gwerin ar gyfer ysgolion. Cyhoeddwyd y cyntaf, mae'n debygol, yn 1913 ac mewn rhai sylwadau hytrach yn feirniadol ar Llew Tegid, oedd yn cwyno na dderbyniai dâl digonol am eu gwaith ar y cyd, cyfeiriodd JLlW at y casgliad hwnnw fel *preliminary edition* – gan ychwanegu *hurried out last March*.[36] Mewn llythyr ato, dyddiedig 1 Tachwedd 1912 dywed Ruth Lewis ei bod yn falch o ddeall bod y 'song-book' bron yn barod ac mewn llythyr arall ato, y tro hwn oddi wrth Mary Davies, dyddiedig 28 Ionawr 1913, mae hi'n gofyn a fydd y 'school songs' yn barod i'r plant i'w dysgu erbyn Gŵyl Ddewi. O ystyried bod y ddwy wreigdda hyn ymysg aelodau amlycaf a mwyaf teyrngar y Gymdeithas newydd gallesid tybio mai'r sefydliad hwnnw oedd yn ariannu'r fenter, ond nid felly o gwbl. Wrth gyfeirio at y cyfnod hwn dywed JLlW:

> At this time the need was felt for a small and cheap collection of some of the most suitable of the newly discovered tunes, for School use. The writer prepared such a collection and paid for new lyrics where such were needed. I tried to induce one or two friends of the Movement to join in publishing the book but they refused – 'It will never pay', they said. The book was printed locally in sol-fa, and early the following year I find an entry in my diary: 'The little book has more than cleared its expenses'.[37]

Dyma brofi mai menter bersonol oedd cyhoeddi (gydag Evan Thomas, Bangor, yn argraffu) *Dygwyl Dewi. Caneuon Gwerin Cymraeg i Ysgolion* a da meddwl bod yr awdur wedi elwa rhywfaint ar y fenter. Cynhwysa wyth cân werin, wedi eu trefnu yn bedair ar gyfer deulais a phedair i drillais, gyda rhai geiriau gan Llew Tegid.

Ar glawr y casgliad bychan cyntaf hwn nodir y bydd argraffiad mwy ei faint, yn cynnwys deuddeg cân werin gyda'r geiriau yn Gymraeg a Saesneg, yn cael ei gyhoeddi'n fuan, ac at hynny argraffiad mewn hen nodiant ynghyd â chyfeiliant piano. Nid felly y bu, er i waith ar gyfer hynny gael ei gyflawni a thrafodaethau gael eu cynnal gyda chwmnïau cyhoeddi posibl. Mae digonedd o dystiolaeth dros hyn yn nyddiaduron JLlW a llythyrau ato ac oddi wrtho.

Eithr ni welwyd ffrwyth y gweithgaredd hwn hyd nes ymddangosodd y gyntaf o dair cyfrol o ganeuon ar gyfer ysgolion yn 1920 o dan y pennawd *Alawon Gwerin Cymru: Welsh Folk Songs Arranged for Schools by J. Lloyd Williams & L.D. Jones (Llew Tegid,* cyhoeddwyd yn wreiddiol gan yr Educational Publishing Company, Caerdydd.) Ychwanegwyd bod y fenter yn cael ei chymeradwyo gan Gymdeithas Alawon Gwerin Cymru. Cafwyd dwy gyfrol arall yn 1923 a 1924. Cynnwys y tair cyfrol 36 o ganeuon ar gyfer dau neu dri llais, yn y ddwy iaith, mewn hen nodiant, gyda chyfeiliant piano. Cyhoeddwyd fersiwn hefyd ar gyfer lleisiau yn unig, mewn sol-ffa.

Ceir rhagymàdrodd gan JLlW i'r casgliad cyfan yn y gyfrol gyntaf lle dyry gyfarwyddyd i athrawon ar sut i ddysgu plant i ganu'n briodol a lle ceir peth trafod ar natur caneuon gwerin a'u swyddogaeth yn y gyfundrefn addysg; rhagymadrodd y mae lle i gredu iddo'i lunio cyn 1914. Mae'n werth sylwi, yn ogystal, y cynnwys y casgliad nid yn unig ganeuon gwerin, fel y cyfryw, ond caneuon hefyd sy'n gyfuniad o alawon telyn traddodiadol a geiriau cyfoes.

Cyn cefnu ar gyfraniad JLlW i ddarparu casgliadau o ganeuon gwerin yn arbennig ar gyfer plant rhaid sylwi ar *Hwiangerddi Cymraeg*, a gyhoeddwyd gan Hughes a'i Fab yn 1928. Cynnwys ddeuddeg cân a dengys y rhagair i'r gyfrol waith mor drafferthus ac araf a fu i'r awdur eu casglu ynghyd:

> ...nid yw'n rhyfedd chwaith pan gofir mai un o ganlyniadau
> ofergoel Seisnig yr 'Hen Drefn' ydyw hyn. Ar ôl i'r mamau
> fod yn canu 'Twinkle, twinkle, little star' a chaneuon tebyg,
> pan yn blant yn yr ysgol ddyddiol, naturiol iawn oedd iddynt
> ganu'r rhigymau Cymraeg ar yr alawon Seisnig hyn a gadael
> i'r hen alawon Cymreig fyned ar ddifancoll. Sawl siomedigaeth
> a gafodd y casglydd oherwydd hyn. Clywed fod 'hon-a-hon'
> yn canu 'Dacw mam yn dwad', ac wedi mynd yno gorfod
> gwrando'r hwiangerdd Gymraeg yn cael ei chanu ar alaw
> Seisnig!

Yr hyn a olygai JLlW wrth yr 'Hen Drefn' oedd yr un ormesol honno y dioddefai ef a'i ddisgyblion odani, trefn a fynnai na 'feiddiai athro (yn enwedig os Sais fyddai ei Arolygydd) ganu gair o Gymraeg yn ei ysgol' ac a ddisgwyliai iddo 'ofalu na châi'r plant druain yngan gair Cymraeg hyd yn oed wrth chwarae'.

Cafwyd argraffiadau hen nodiant a sol-ffa o'r casgliad.

Erys un cyhoeddiad i'w nodi, un a olygwyd ar y cyd ganddo â Walford Davies, sef *Alawon Cenedlaethol Cymru*, a gyhoeddwyd yn 1939 gan Wasg y Brifysgol, Caerdydd: pedair ar ddeg o ganeuon, gyda chwech yn alawon telyn a saith yn ganeuon gwerin: mae'r un sy'n weddill yn alaw Wyddelig. Trefnwyd y cyfan ar gyfer S.A.T.B. Bwriadai'r golygyddion i'r llyfryn fod y cyntaf mewn cyfres o rai cyffelyb a chyflwynwyd ef fel arbrawf ag iddo amcan pendant, sef rhoi caneuon i gynulleidfaoedd eu canu, yn ôl y rhagair. '… mewn Eisteddfodau, Cymdeithasau Llenyddol, Dosbarthiadau Cerdd, a mathau eraill o gyfarfodydd diwylliadol'. Gobeithiai JLlW ei weld yn barod i'w ddefnyddio yn yr Eisteddfod Genedlaethol yn Ninbych; yn wir, mewn ysgrif yn rhifyn Mai 1939, *Y Cerddor*, cyfeiriodd ato fel 'Llyfr Dinbych', ond i bob golwg ni wnaed hynny. Wrth adolygu wythnos yr Eisteddfod yn *Y Cymro*, 19 Awst, dyma un o sylwadau John Roberts Williams:

> "A yw 'O fryniau Caersalem' i ddod yn Anthem Genedlaethol Cymru? Canwyd yr emyn yn Ninbych ar bob cyfle posibl, ac o leiaf unwaith, yn lle Hen Wlad fy Nhadau'.

Efallai i 'Lyfr Dinbych' gael ei ddefnyddio mewn Cymanfa Ganu neu ddwy yn ystod blynyddoedd yr Ail Ryfel Byd ond ni welwyd cyhoeddi ail ran y gyfres arfaethedig.

Trwy ei gyhoeddiadau gwnaeth JLlW lawer iawn i boblogeiddio caneuon gwerin. Ar yr un pryd, a chyda'r un amcan mewn golwg, defnyddiodd sawl cyfrwng arall; tri y byddai'n werth cyfeirio atynt yn benodol sef darlithiau cyhoeddus, cyrsiau hyfforddi, a dosbarthiadau addysg oedolion.

Bu bri arbennig ar y ddarlith gyhoeddus yng Nghymru'r bedwaredd ganrif ar bymtheg a hanner cyntaf yr ugeinfed ganrif a manteisiodd arloeswyr y mudiad canu gwerin yn fawr ar hynny. Enwyd nifer o'r amlycaf yn eu plith gan JLlW ei hun wrth adrodd hanes y mudiad yng nghylchgrawn y Gymdeithas:

Mr. and Mrs. Henry Williams, Dr. Mary Davies, Mrs. Herbert
Jones, Philip Thomas, Miss Bertha Jones, Mrs. Herbert Lewis,
Mr. and Mrs. Gwyneddon Davies and the Editor.[38]

Rhaid derbyn ei fod ef ei hun yn neilltuol, felly. Yn wir, darlithiodd
yn fynych ac eang ar sawl maes o bwys i'w gyfoeswyr; er enghraifft,
ar addysg seciwlar a chrefyddol, ar bynciau gwleidyddol a
chymdeithasol, pynciau gwyddonol o ddiddordeb cyffredinol,
materion crefyddol, perthynas crefydd a gwyddoniaeth, a
hanes cerddoriaeth yng Nghymru. Yn y cyd-destun olaf hwn yn
arbennig bu'n traethu'n helaeth ar hanes sefydlu Cymdeithas
Alawon Gwerin Cymru, cefndir a nodweddion y caneuon
gwerin, nodweddion yr alawon telyn a hanes eu cyhoeddi o'r
ddeunawfed ganrif ymlaen, sut i beidio â chanu ein caneuon
gwerin, a chynhysgaeth canu gwerin gwahanol rannau o'r wlad.
Hyn oll yn aml gerbron cynulleidfaoedd sylweddol eu maint.
Noder un enghraifft yn arbennig, sef darlithio yn Saesneg ar
ganeuon gwerin Cymru ym Merthyr Tudful i tua mil o bobl, gyda
Miss Rees o Ddowlais a chôr plant o Benheolgerrig yn canu rhai
enghreifftiau o'r caneuon. Hyn yn 1922. Diddorol cofnodi hefyd
beth a ddigwyddodd pan ddiolchodd i'r plant am eu gwaith, ar
ddiwedd y noson. Dechreuodd gan ddefnyddio gair neu ddau yn
Gymraeg cyn troi wedyn i'r Saesneg. Torrodd un o'r merched ar
ei draws:

'Siaradwch Gymraeg. Cymraeg ydan ni i gyd yn siarad yn
Penrhewl.'
'Mae'n dda gen i,' *said I*, 'Mi ddo i i Benrhewl i fyw!'[39]

Ymysg ei bapurau yn y Llyfrgell Genedlaethol ceir crynodebau o
nifer dda o'r amrywiol ddarlithiau cyhoeddus hyn. Cofier hefyd
y byddai newyddiaduron lleol a rhanbarthol yn aml yn cynnwys
eu hadroddiadau eu hunain am y cyrddau hyn a thrwy hynny yn
rhoi rhagor o gyhoeddusrwydd i gerddoriaeth werin.
    Cyfrwng arall a ddefnyddiwyd yn effeithiol ganddo i

boblogeiddio canu gwerin oedd darparu cyrsiau hyfforddi ar gyfer athrawon ac athrawesau ysgol. Bu'n cyflwyno cyrsiau felly dros gyfnod hir o flynyddoedd mewn llu o leoedd, yn cynnwys, ymhlith eraill, Coleg y Normal, Colegau'r Brifysgol ym Mangor ac Aberystwyth, Coleg Harlech, Coleg yr Iesu yn Rhydychen, a chanolfannau yng Nghoed-poeth a Llangefni.

Gwir mai cyfyngedig ddigon oedd nifer y bobl a ddeuai i'r cyrsiau hyn ond gallai pob un ohonynt agor y drws i etifeddiaeth ddifyr a chyfoethog ar gyfer ugeiniau lawer o blant a phobl ifanc.

Wedi iddo ymddeol yn swyddogol o wasanaethu'r Brifysgol yn 1926, ac yn arbennig ar ôl dychwelyd i fyw i Fangor yn 1928, bu'n darlithio llawer ar Hanes Cerddoriaeth Cymru, yn cynnwys cerddoriaeth werin bid siŵr, yn nosbarthiadau nos Cymdeithas Addysg y Gweithwyr, ac Adrannau Efrydiau Allanol rhai o Golegau'r Brifysgol, ym Mlaenau Ffestiniog, Y Bala, Trawsfynydd, Llanberis ac Aberystwyth. Yn wir, mor ddiweddar â 1942, yntau o gylch ei wyth a phedwar ugain, daliai i ddarlithio ar yr un pwnc ym maes Addysg Oedolion, a hynny yng Nghaerdydd. Nid oedd pall ar rannu ei frwdfrydedd dros ganu gwerin ag eraill.

At hyn oll gwnaeth ddefnydd helaeth o'r wasg boblogaidd trwy gyfrannu erthyglau yn ymdrin â chanu gwerin i newyddiaduron a chylchgronau ei ddydd ac yn arbennig felly trwy ei waith yn golygu *Y Cerddor* mor raenus dros gyfnod o ddeng mlynedd. Hawdd gweld o ddarllen tudalennau'r cyhoeddiad hwnnw, oedd yn llais, cofier, i Gyngor Cerdd Cymru, fod lle allweddol yng ngolwg y golygydd i gerddoriaeth werin yn ein diwylliant cenedlaethol.

DEHONGLI

Yn ei ymwneud â chorff y canu gwerin Cymraeg fe gafodd JLlW ei hun yn synio ynghylch nifer o gwestiynau ac yn eu plith: beth yw alaw a chân werin? Beth yw nodweddion cerddoriaeth werin? A oes iddi nodweddion Cymreig penodol? Fe'i gwelsom yn cyffwrdd â'r cwestiynau hyn yn ei ddarlith arloesol i Gymdeithas y Cymmrodorion yn 1908, 'Welsh National Melodies and Folk-Song', a dychwelodd atynt o bryd i'w gilydd yn ddiweddarach, ond cyffredinol a gwasgaredig a fu ei ymdriniaeth ohonynt bob cam o'r ffordd. Nid oedd am eu hosgoi, eithr nid oedd ganddo'r amser chwaith i fynd i'r afael â nhw yn drwyadl. Sut bynnag, gyda bod hynny yn ddealledig, dyma gais i grynhoi ei safbwynt.

O berthynas i darddiad alawon a chaneuon gwerin ymwrthodai â dwy ddamcaniaeth yn bendant: (i) mai gweddillion cyfansoddiadau gan gyfansoddwyr hyfforddedig oeddynt, (ii) mai canlyniad cyfansoddiad cyfunol oeddynt (damcaniaeth a goleddwyd gan John Morris-Jones yn *Cerdd Dafod*). I'r gwrthwyneb. Mynnai ef fod y caneuon yn greadigaethau unigolion.

Dichon fod yr ymdriniaeth orau ganddo o'r mater hwn i'w chael yn *Y Cerddor* lle deil ei bod yn:

> rhaid i bob alaw gychwyn ym meddwl rhyw fab neu ferch neilltuol. Rhaid bod y person hwnnw dan rhyw fath o gynhyrfiad ar y pryd. Y rhan amlaf, rhyw eiriau... wedi apelio'n gryf at deimlad y canwr. Dro arall rhyw gyflwr meddwl a gynhyrfa'r canwr i fynegi angerdd y teimlad mewn geiriau a miwsig cymhleth â'i gilydd.[40]

Greddf greadigaethol sydd wrth wraidd y cyfan a gall un cwbl ddi-ddysg mewn cerddoriaeth lunio cân, er bod y reddf yn gryfach mewn ambell bynciwr; yn wir, mae'r reddf sy'n esgor ar alawon cain yn gymharol brin. Llawer mwy cyffredin yn yr hil ddynol yw greddf arall, sef y reddf werthfawrogol; yr ymhoffi yng nghân y crëwr gwreiddiol, ei chodi ar y glust ac yna ei gosod ar gof – dyna, chwedl JLlW, 'ddechrau trafel y gân'.[41]

Y cam nesaf yw cyflwyno'r gân ar lafar o ganwr i ganwr, o fro i fro, o genhedlaeth i genhedlaeth, a chyda hynny ceir y gân yn aml yn newid o ran ei halaw a'i geiriau a daw amrywiadau arni i fod, gan amlaf yn hollol anymwybodol o du'r cantorion. Ar un ystyr felly caiff ei hail-greu mewn gwahanol gymunedau.

Hyd yma mae'r dehongliad yn taro deuddeg (cyhoeddwyd un cyffelyb iddo, ond llawer cyflawnach a chyda pheth gwahaniaeth ystyr i 'greddf' a 'chreu' ddwy flynedd yn ddiweddarach gan Thomas Parry yn ei gyfrol *Baledi'r Ddeunawfed Ganrif*, eithr mynn JLlW ofyn a yw'r newid hwn yn ffurf wreiddiol y gân er gwell neu er gwaeth. Dengys ei ateb drylwyred y cyflyrwyd ei feddwl gan ei hyfforddiant gwyddonol:

> Gwell a fyddai y rhan fwyaf; ond, fel y buasid yn disgwyl byddai aml i ymgais i gofio'r alaw yn waelach na'r gwreiddiol. Ond sylwch, tynged naturiol y rhai gwael fyddai mynd yn fuan i ebargofiant. Fel hyn, tuedd anorfod traddodiad fyddai trysori'r gwych a gwrthod y gwael.[42]

Mewn darlith Saesneg a draddododd mewn ysgol nos yn Y Bala ar 29 Ebrill 1929, rhoes i'w ddisgyblion ddidwyll laeth y gair esblygiadol:

> ...unconsciously shaped by others, by generations in different districts, it assumes different forms – variants of these, some will be better than others & nat. seln ensures the survival of the fittest.[43]

Does bosib nad oedd yn cyfeiliorni yma. Yn ôl pa safonau y gellir barnu bod un amrywiad ar gân yn 'well' nag un arall? Yn sicr ni chaniatâi JLlW inni ateb: yn ôl safonau'r cerddor hyfforddedig; byddai hynny'n anathema iddo. Ffaith ydyw, yn y cyd-destun hwn, fod amrywiadau yn dod i fod. Rhaid derbyn hynny; nid oes a wnelo 'gwell' a 'gwaeth' ddim â nhw. A pha dystiolaeth a allai fod dros dybio fod 'rhai gwael' yn mynd i ddiflannu? Nid mater o dynged yw diflaniad alawon.

At hyn mae'r gwahaniaeth (cyfarwydd iawn iddo ef fel botanegydd) rhwng dylanwad etifeddeg ac effaith amgylchedd ar esblygiad pethau, yn gefndir i'w feddwl ar brydiau wrth ymdrin â tharddiad caneuon gwerin:

Finally, the Welshman always feels that the true Welsh folk-song is in perfect harmony with his own musical feeling, that is to say, that it possesses national characteristics.[44]

Ceir gosodiadau tebyg yma ac acw yn ei ddarlithiau cyhoeddus, eithr apelio y mae yma at safon gwbl oddrychol ac nid yw yn unman, hyd y gwn i, yn rhestru'r nodweddion honedig 'genedlaethol' hyn. Gall fod yn bur anwyddonol weithiau.

Mae ar dir cadarn, fodd bynnag, pan yw'n ymdrin â rhai o nodweddion caneuon gwerin Cymru. Dyma, yn fyr, nifer o'i sylwadau amlycaf yn eu cylch, er ei bod yn rhaid pwysleisio na ellir eu cymhwyso'n ddieithriad at bob un o'n caneuon gwerin. Sylwadau ar rai mathau a gweddau ar ein caneuon ydynt, ond nid llai arwyddocaol ar gyfrif hynny.

(i) Mae i lu o'r alawon ffurfiau 'cymhesur a chelfydd': ABBA, AABA, ABCA, ABCDA, AABC, ac ymlaen.

(ii) Prin ar y cyfan yw trawsgyweiriadau ynddynt a lle digwydd hynny nid ydynt yn rhai anodd. Fel rheol, dyma a olyga JLlW wrth eu disgrifio fel rhai 'syml'.

(iii) Cymharol anaml hefyd yw llithrenni, yn enwedig rhai dros fwy na rhyw ddeunod. Mae egwyddor 'sill am dant' yn bur eang ei chymhwysiad yn ein canu gwerin.

(iv) Fel alawon sydd yn hawdd eu canu, disgrifiad arferol JLlW ohonynt yw 'naturiol'.

(v) Cynhwysa nifer o'r alawon linellau mirain, swynol eu sain.

(vi) Cyfyng yw cwmpas nifer sylweddol ohonynt.

(vii) Amrywia'r mydr cerddorol o fewn yr un alaw ar brydiau. Mae hyn yn arbennig o wir am ambell alaw garol a baled.

(viii) Gam wrth gam y symuda'r alawon gan mwyaf a chymharol brin yw cyfyngau eang; ran fynychaf, y naid ehangaf yw honno o'r tonydd i'r llywydd.

(ix) Mae canran arwyddocaol ohonynt yn yr hen foddau (h.y. nid y moddau mwyaf a lleiaf). Er enghraifft, yn ail gyfrol *Cylchgrawn y Gymdeithas* [t.202] dywedir bod canran yr alawon

Doriaidd (modd 're') o gylch 20%, ac yn y *Preface* i'r drydedd gyfrol cawn yr ystadegau hyn:

Major Mode ....- 74
Minor Mode –Modern, 17: Aeolian, 17 ....- 34
Other Modes ....- 19

Manteisir ar yr ystadegau hyn, gyda llaw, i ddryllio'r hen syniad ffôl mai caneuon lleddf yw mwyafrif caneuon y Cymry, ynghyd â'r syniad ffolach fod hynny'n gwreiddio yn y gormesu a fu arnom wedi'r Goncwest!

(x) A throi at y caneuon, fel y cyfryw, gwêl JLlW gytgord hyfryd rhwng geiriau ac alawon mewn llawer ohonynt, gyda'r alawon yn fynych yn dwysáu'r teimlad a fynegir yn y geiriau.

(xi) Sylwa ymhellach fod yr acennu nodweddiadol Gymraeg ar eiriau amlsillafog yn cael eu hadleisio yn yr acennu cerddorol – nodwedd amlwg ar y caneuon carolaidd.

(xii)Mae iaith y caneuon yn hawdd ei deall; at ei gilydd mae'n iaith-bob-dydd, er bod y defnydd ohoni yn rhyfeddol o afaelgar yn aml ac ymhell o fod yn ddefnydd-bob-dydd arni.

Trown yn awr at yr hyn sydd gan JLlW i'w ddweud am brif nodweddion yr alawon telyn. Gyda'r blynyddoedd, daeth i sylweddoli fwyfwy fod y rhain hwythau, ar sawl cyfrif, mor 'draddodiadol' â'r caneuon gwerin. Mae amrywiadau ar yr un alaw yn beth digon cyffredin yn eu plith ac mae digon o dystiolaeth ar gael mai trwy godi ar y glust a dynwared techneg eu hyfforddwyr y dysgai mwyafrif telynorion Cymru i feistroli eu crefft ddyddiau a fu. Serch hynny, dro ar ôl tro pwysleisiai mewn darlith ac ysgrif fod cryn wahaniaeth rhwng alawon gwerin ac alawon telyn. Dyma, yn fyr, brif nodweddion yr ail fath ar alawon, yn ôl JLlW.

(i) Maent yn gordaidd eu natur ac o ganlyniad yn rhwydd i'w cynganeddu. Mor aml, er enghraifft, yn 'Llwyn Onn', 'Codiad yr Ehedydd' a 'Codiad yr Haul', y clywir nodau cord y tonydd.

(ii) Bron yn ddieithriad fe'u ceir naill ai yn y cywair mwyaf neu'r lleiaf. Prin iawn yw adleisiau'r moddau eraill ynddynt.

(iii) Mynych y deuir ar draws rhediadau i fyny neu i lawr rhyw raddfa neu'i gilydd; hyn fel pe'n codi o symudiad 'naturiol' dwylo'r telynor wrth drin ei delyn.

(iv) Digon cyffredin hefyd yw dilyniannau o gymalau melodig yn meddu ar yr un ffurf; cânt eu hail- a'u trydydd-adrodd yn aml.

(v) Mae eu cwmpas, yn gyffredinol, yn llawer ehangach na chwmpas alawon gwerin.

(vi) Ceir llu ohonynt sydd mor gymhleth fel eu bod yn anystwyth iawn ar gyfer eu lleisio.

Cymaint â hynyna am brif nodweddion yr alawon traddodiadol. Ymddiddorai JLlW hefyd mewn astudiaeth gymharol o gerddoriaeth werin. Gwelsom eisoes y byddai, fel golygydd y *Cylchgrawn*, yn anfon ymlaen llaw ddyblygiadau o gynnwys pob rhan ohono at nifer o aelodau cymdeithasau canu gwerin eraill gan ofyn iddynt am sylwadau ar y caneuon a'r alawon. Ar gychwyn ei ymwneud â cherddoriaeth werin Cymru roedd yn awyddus i ddarganfod beth a'u gwnâi'n wahanol i eiddo cenhedloedd eraill ond daeth i sylweddoli fwyfwy fod angen casglu llawer mwy o'r alawon a'r caneuon, a gwybod rhagor am eu cefndir, cyn y gellid gobeithio cael goleuni llawn ar hynny. Apeliodd droeon at gerddorion proffesiynol ei gyfnod, yn enwedig y to ifanc, ar iddynt roi peth o'u hamser a'u hynni i ymchwilio i hyn ond ac yntau yn sgrifennu ei nodiadau golygyddol ar gyfer rhifyn 1937 o'r *Cylchgrawn*, gan gyfeirio at yr angen am ymchwil o'r fath, dyma a gawn:

> Unfortunately, as noted elsewhere, no young Welsh musicians have shown any desire to work in this field, and for critical information on Comparative Folk-Song we have to go outside our own country.[45]

Cyfaddefodd na fu ganddo ef ei hun fawr ddim cyfraniad i'w wneud i'r ymchwil dan sylw. Bellach, er bod y sefyllfa wedi newid rhywfaint ers ei ddyddiau ef, dagrau pethau yw bod digonedd o waith eto'n aros i'w wneud yn y cyd-destun hwn. Mae grym i'w apêl o hyd.

Erys tri mater arall diddorol sy'n gysylltiedig â gwaith JLlW yn dehongli cerddoriaeth werin, sef un ymdriniaeth arbennig ganddo o amrywiadau, ei drafodaeth o rai alawon a arferid yn y byd a'r betws, a'i ddadansoddiad o'r 'hwyl Gymreig'.

(i) O rifyn cyntaf y *Cylchgrawn* ymlaen cynhwysodd sawl amrywiad ar rai o'r alawon a gyhoeddwyd ynddo ond yn y rhifyn a ymddangosodd yn 1919 (cyfrol II, rhif 2) cawn ganddo ddull arbennig o ymdrin ag amrywiadau, dull sy'n cyflwyno darllenydd i'r syniad o 'deulu alawol'; syniad, hyd y gwyddys, yn codi'n uniongyrchol o graffter ei feddwl ei hun. Yn sicr, hyd at ddiwedd y Rhyfel Byd Cyntaf nid yw'r syniad hwn i'w weld ar waith yn rhifynnau'r Folk-Song Society. Y peth agosaf a welais i at hynny yn y cylchgrawn Seisnig oedd y sylw hwn gan y Golygydd, Frederick Keel, yntau'n cyfeirio at saith amrywiad ar alaw benodol:

> Although there is a great family likeness in all these tunes, they are retained because they throw some light upon the evolution of the folk-tune.[46]

Eithr braidd gyffwrdd â'r syniad sydd yma. Yn achos JLlW fe'i cawn ef yn cyhoeddi deuddeg amrywiad ar yr un alaw, 'Mwynen Merch', ac ar y diwedd yn nodi:

> Reviewing the twelve tunes 43–54 inclusive, we find that the first and last seem at first sight to have very little in common; and yet, when all the tunes in the series are examined we find a gradual transition, which, with other evidences prove that they have all been derived from the same stock.[47]

Dyma osod cnawd am yr esgyrn ac awgrymu modd o astudio alawon gwerin a all ddatgelu gwybodaeth arwyddocaol inni am y math ar alawon ydynt. Gwir nad yw JLlW ei hun yn dadansoddi'r syniad o deulu alawol, hynny yw, yn rhestru'r canllawiau a ddefnyddir ganddo i benderfynu sut y mae alaw benodol yn perthyn i deulu arbennig, ond mae'n agor y ffordd i hynny. Fodd bynnag, cyfeiliornad ar ei ran, i'm golwg i, yw awgrymu mai alaw debyg i un o'r deuddeg hyn oedd tarddiad y gweddill ohonynt, awgrym sy'n datgelu mor drwm yr oedd dan ddylanwad y syniad o esblygiad.

Roedd diddordeb ysol ganddo mewn canu cynulleidfaol. Darlithiodd ac ysgrifennodd yn helaeth ar y pwnc, yn ogystal ag arwain llu o gymanfaoedd canu. Naturiol felly oedd iddo ymchwilio i'r berthynas rhwng alawon traddodiadol ac emyn-donau; er enghraifft, mae rhestr o enwau alawon gwerin ac enwau emyn-donau cyfatebol ar gael ymhlith ei bapurau[48] a chyhoeddodd ddwy ysgrif dan y pennawd 'Alawon Cymreig ein Llyfrau Tonau' yn rhifynnau Mehefin a Gorffennaf, 1938, *Y Cerddor*. Yno fe'i cawn yn paru ynghyd nifer o alawon y byd a thonau'r betws, gan fynd ati wedyn i feirniadu golygyddion rhai Llyfrau Tonau am beidio ag ymchwilio'n ddigon trylwyr i berthynas wirioneddol rhwng rhai parau honedig ohonynt. Deil fod rhai emyn-donau cyfansoddedig gan grefyddwyr yng ngwres diwygiadau wedi eu disgrifio'n anghywir yn ddiweddarach fel 'Alawon Cymreig' a bod eraill, Seisnig eu tarddiad, hwythau wedi eu bedyddio â'r un enw.

Droeon, yn ei ddyddiaduron, bydd JLlW yn canmol ambell bregethwr a glywodd ac yn pastynnu sawl un arall, nid yn unig am gynnwys y bregeth ond am y dull o'i thraethu hefyd, ac roedd ganddo ddiddordeb mawr yn yr 'hwyl' y llithrai rhai pregethwyr iddi dan ddwyster eu llefaru. Ar yr un pryd, fflangellai'r dynwaredwyr gyda'u 'hwyl wneud'. Ni haeddai triciau'r rheiny eu cofnodi yn y fan a'r lle ond, a'u heithrio nhw, mae'n amlwg iddo fod yn gofnodydd diwyd. Mewn cyfres o ysgrifau yn *Y Cerddor* o Fehefin hyd Awst 1937, dywedodd iddo 'glywed a chofnodi cannoedd o enghreifftiau o hwyl gwahanol lefarwyr'. Nid dyma'r lle i geisio crynhoi'r drafodaeth ddeallus a difyr a gyflwynir yn yr ysgrifau dan sylw gan nad oes cysylltiad uniongyrchol rhyngddi a gwerthfawrogi alawon a chaneuon gwerin penodol ond cynnwys ddau bwynt perthnasol, sef y ddadl mai creadigaeth reddfol yw'r hwyl, fel yn achos yr alaw werin, ac mai yn y modd Doriaidd (re) y lleisir yr hwyl yn ddieithriad a hynny, sylwer, gan bregethwyr sydd wedi eu hen gyflyru'n llwyr i ganu yn y moddau mwyaf a lleiaf.

HANESYDDA

Un o amcanion JLlW oedd sgrifennu cyfrol ar hanes cerddoriaeth yng Nghymru. Mae pennod gyflawn o'r hanes hwnnw, hyd at 1000 oc, ar gael ymysg ei bapurau yn Llyfrgell Genedlaethol Cymru, ynghyd â thoreth o ddefnyddiau ychwanegol sy'n dangos ehangder ei ddarllen ar hanes gwleidyddol a llenyddol ei wlad yn ogystal â hanes cerddoriaeth Ewropeaidd. Gan ystyried cymaint o heyrn oedd ganddo yn y tân, yn achlysurol yn unig y gweithiai ar hyn ond daliodd ati hyd at ei flynyddoedd olaf, fel y dengys dyfyniad o lythyr a anfonodd at William, ei frawd, dyddiedig 2 Ebrill 1941:

> Y peth yr ydw i'n gweithio'n o galad arno yrwan ydi y llyfr 'Hanes Cerddoriaeth Cymru'. Yr ydw i wedi dechrau ei ail-wampio, a threio'i wellw (*sic*).[49]

Eithr ni chyflawnwyd y gwaith mawr ganddo. Dan bwysau ei brysurdeb bodlonodd ar gyhoeddi ambell erthygl yn *Y Cerddor*, megis y ddwy ar 'Three Centuries of Welsh Music, 1530–1830' a gyhoeddwyd yn 1938. At hynny, yn 1944, cyhoeddwyd ei gyfrol *Y Tri Thelynor*, cyfoethog ei chynnwys, graenus ei Chymraeg, yn ymdrin â chyfraniadau John Parry (1710–1782), Ifan Wiliam (1706– ?) ac Edward Jones (1752–1824) i gerddoriaeth Gymreig.

JLlW hefyd oedd hanesydd cyntaf Cymdeithas Alawon Gwerin Cymru a chyhoeddodd fraslun o'i hynt yng nghylchgrawn y Gymdeithas (cyfrol III) ac yn *Y Cerddor* (cyfrolau III a IV). Nid yw'r cyfresi hyn o ysgrifau i'w cymharu o ran trylwyredd ymchwil â'r hyn a gaed ganddo ddeng mlynedd yn ddiweddarach yn *Y Tri Thelynor*. Dibynnodd yn ormodol ar ei gof wrth eu llunio ac fel y gwelsom (gw. pennod V), aeth ar gyfeiliorn wrth haeru i Gymdeithas y Canorion gael ei sefydlu ddwy flynedd o flaen y Gymdeithas Alawon Gwerin. Pe byddai wedi troi at ei bapurau ei hun byddai wedi gweld ei gamgymeriad. Mewn darlith a draddododd ym Mangor ar 25 Mawrth 1912, dyma ddau nodyn a gynhwysodd i brocio'i gof – sylwer ar y drefn:

> Formation of Welsh F Song Socy...
>   "   "   " Canorion Socy.

Gosodir yr un drefn yn fwy pendant fyth ganddo mewn darlith a draddododd yn Aberystwyth yn Chwefror 1920, hynny mewn cyfres o ddarlithiau ar hanes cerddoriaeth Gymreig dan y pennawd 'The Origin of the W.F.S. movement'. Dyma ran o'r braslun:

> Encouragement given by Sir H. Reichel. Acquaintce with
> A.P. Graves & collaboration. The latter's suggestion of a Folk
> Song Socy (following example of Eng. F.S Soc). The Soc.
> estabd at the Carn. Eistd... Estab. of Canorion Socy at Bangor
> College...[50]

Fel hanesydd gallai yntau lithro weithiau ond, o feddwl iddo fod mor eithriadol o brysur gydol ei oes a chasglu cymaint o bapurau, dogfennau a chofnodion o'i amgylch, y rhyfeddod yw na fyddai wedi llithro'n llawer amlach.

Yn ei gyfrol ragorol *Naturiaethwr mawr môr a mynydd* rhoes Dewi Jones bortread campus o John Lloyd Williams, y gwyddonydd. Rhagarweiniad yn unig yw'r bennod bresennol i gyfraniad John Lloyd Williams, pennaf ddehonglydd cerddoriaeth draddodiadol Cymru i'w genedl. Mae cymaint mwy yn aros i'w ddatgelu amdano a gobeithio'n wir y gwelir rywbryd gofiant cyflawn iddo. Bydd hwnnw ar yr un pryd yn bortread o gymdeithas ac iddi ddiwylliant arbennig iawn.

NODIADAU

1. LlGC JLlW AH3/17.
2. CI, 75–7. Amrywiad ar 'Ffarwél Gwŷr Aberffraw'.
3. *Canu Gwerin*, 13/1990, '"Y Canorion" a'r Casglu Cynnar'.
4. LlGC JLlW AL4/1.
5. LlGC JLlW AL1/3.
6. Ibid.
7. CI, 152.
8. CI, 18.
9. CII, 38–9.
10. Digwydd 'carol and ballad tunes' ddwywaith yn y ddarlith (tt.40 a 45) ond ni thelir sylw ynddi i alawon carolau, fel y cyfryw.
11. Tom Parry, *Baledi'r Ddeunawfed Ganrif* (Caerdydd, 1935). Gw. yn arbennig Pennod 6.
12. CII, 65.
13. Ibid.137.
14. LlGC JLlW MB1/26.
15. LlGC JLlW MB1/35.
16. CII, 88–90.
17. CI, 165.
18. M-s: 116.
19. CIII, 131.
20. LlGC JLlW AH3/3.
21. LlGC JLlW AH3/1.
22. LlGC JLlW MB3/1.
23. LlGC JLlW MB1/28, (10 Awst 1923).
24. LlGC JLlW MB1/23.
25. AWC 1457/29.
26. CIII, 148.
27. LlGC JLlW AL1/1.
28. LlGC JLlW AL1/13.
29. LlGC JLlW AD7/2.
30. AL1/12.
31. AM 1/2/3.
32. AM1/6.

33. Tt.27–8.

34. LlGC JLlW AM/4.

35. LlGC JLlW AH5/5.

36. LlGC JLlW MB1/22.

37. CIII, 100.

38. CIII, 151.

39. LlGC JLlW MB1/26 (12 Ionawr 1922).

40. *Y Cerddor* III, 7.

41. Ibid.36.

42. Ibid.37.

43. LlGC JLlW AD3/1.

44. CI, 18.

45. CIII, 114.

46. *Journal of the Folk-Song Society*, vol. 5, part 1, Jan. 1914, p.11.

47. CII, 100.

48. LlGC JLlW AD3/3. Nodiadau darlith a draddodwyd yng Nghaerdydd, 14 Mawrth 1942.

49. LlGC JLlW MP1/5. Amlen: 'Llythyrau William'.

50. LlGC JLlW AD3/1.

Geraint Vaughan-Jones

GOLYGYDD

Hen Garolau
PLYGAIN

yLolfa

£7.95

Ar Noson Oer Nadolig

11 o ganeuon Nadoligaidd

Pwyll ap Siôn   Robat Arwyn   Geraint Cynan
Meic Stevens   Caryl Parry Jones   J Eirian Jones

y Lolfa

£9.95

Am restr gyflawn o lyfrau'r Lolfa, mynnwch
gopi o'n catalog newydd, rhad
neu hwyliwch i mewn i'n gwefan

www.ylolfa.com

lle gallwch archebu llyfrau ar lein.

17 H ⊓·
10 cup 1·2 lit

y Lolfa

TALYBONT CEREDIGION CYMRU SY24 5HE
ebost ylolfa@ylolfa.com
gwefan www.ylolfa.com
ffôn 01970 832 304
ffacs 832 782